Volker Klüpfel, Michael Kobr
Milchgeld

Zu diesem Buch

In Altusried im Allgäu ist die Welt noch in Ordnung: Saftig-grüne Wiesen, auf denen glückliche Kühe vor einer wunderschönen Bergkulisse grasen. Dort lebt Kommissar Kluftinger, Dienststelle Kempten. Seine Frau Erika hobelt die Kässpatzen, und Kluftinger muss in der Musikkapelle trommeln. Doch an diesem Montag bleiben ihm die Kässpatzen im Hals stecken – der Lebensmittelchemiker des Milchwerks Krugzell wird erwürgt aufgefunden. Ein Verbrechen, hinter dem ein handfester Skandal steckt. Die Spuren führen schnell bis nach Kempten und Memmingen … Der Bestseller aus dem Allgäu von zwei Autoren, die es als waschechte Allgäuer wissen müssen. »›Milchgeld‹ ist die treffliche Mentalitätsanalyse eines sperrigen Menschenschlages und seines Antihelden.« (Süddeutsche Zeitung)

Volker Klüpfel, geboren 1971 in Kempten, aufgewachsen in Altusried, studierte Politologie und Geschichte. Er ist Redakteur in der Kultur- / Journal-Redaktion der Augsburger Allgemeinen.
Michael Kobr, geboren 1973 in Kempten, studierte Romanistik und Germanistik, arbeitet heute als Lehrer und lebt mit seiner Frau und seinen Töchtern im Allgäu.

Die beiden Autoren sind seit der Schulzeit miteinander befreundet. Nach »Milchgeld« erschienen »Erntedank«, ausgezeichnet mit dem Bayerischen Kunstförderpreis 2005 in der Sparte Literatur, »Seegrund«, »Laienspiel«, ausgezeichnet mit dem Weltbild-Leserpreis Corine 2008, und zuletzt »Rauhnacht«.
Weiteres unter:
www.kommissar-kluftinger.de

Volker Klüpfel, Michael Kobr

Milchgeld

Kluftingers erster Fall

Piper München Zürich

Mehr über unsere Autoren und Bücher:
www.piper.de

Von Volker Klüpfel und Michael Kobr liegen im Piper Taschenbuch vor:
Milchgeld
Erntedank
Seegrund
Laienspiel

Mix
Produktgruppe aus vorbildlich bewirtschafteten
Wäldern und anderen kontrollierten Herkünften
www.fsc.org Zert.-Nr. GFA-COC-001223
© 1996 Forest Stewardship Council

Ungekürzte Taschenbuchausgabe
1. Auflage Januar 2005
20. Auflage Oktober 2009
© 2006 Piper Verlag GmbH, München
Erstausgabe:
Maximilian Dietrich Verlag, Memmingen 2003
Umschlagkonzept: semper smile, München
Umschlaggestaltung: Cornelia Niere
Umschlagabbildungen: S. Sperling / plainpicture (Verkehrsschild);
Andreas Strauss / LOOK! (Landschaft)
Autorenfotos: privat
Satz: Maximilian Dietrich Verlag, Memmingen
Papier: Munken Print von Arctic Paper Munkedals AB, Schweden
Druck und Bindung: CPI – Clausen & Bosse, Leck
Printed in Germany   ISBN 978-3-492-24216-5

Kreuzkruzifix!

Kluftinger sprach den Fluch nicht laut aus, er dachte ihn nur. Seine Frau hasste es, wenn er fluchte, und alles, was er mit einem laut ausgesprochenen Fluch bewirkt hätte, wäre einer ihrer Vorträge gewesen. „Ein Kommissar sollte sich in seiner Ausdrucksweise wohl von denen abheben, hinter denen er beruflich her ist", würde sie dann wieder sagen.

Und darauf konnte er ganz gut verzichten, wo seine Laune sowieso schon nicht besonders war. Denn wenn es etwas gab, was er hasste, war es, beim Essen gestört zu werden. Das passierte natürlich vorzugsweise am Montag. Seinem Montag. Seinem Kässpatzen-Montag. Die Kässpatzen waren das Beste am Montag, eigentlich das Einzige, weswegen er ihn überhaupt ertragen konnte. Denn montags war Musikprobe und das lag ihm dann immer den ganzen Tag über im Magen.

„Gehst du mal hin?", rief seine Frau aus der Küche zu ihm herüber, nachdem das Telefon bereits zum dritten Mal geklingelt hatte. Sie aß heute nicht mit. Diättag, wie sie sagte. In Wirklichkeit wusste er, dass sie jedes Mal, wenn sie für ihn kochte, selbst auch immer ein „bissle was" aus dem Kühlschrank stibitzte. Aber sollte sie ruhig. Er schlug ja auch jedes Mal kräftig zu, obwohl ihm bewusst war, dass ihm so fette Speisen eigentlich nicht bekamen. Er wusste, dass ihn heute Nacht sein Sodbrennen wieder heimsuchen würde, die vielen in Butter gebräunten Zwiebeln würden schon dafür sorgen. Und doch liebte er diese deftige Kost. Besonders die Zwiebeln. Wenn es nach ihm ginge, könnte man das Verhältnis von Spatzen und Zwiebeln ruhig umkehren, so dass man eher Zwiebelspatzen hätte. Denn irgendwie hatte man immer zu wenig Zwiebeln. Dass seine Frau ihm jeden Montag seine Spatzen kochte, trotz der „Sauerei", die, wie sie immer sagte, danach die ganze Küche verklebte, war das Ergebnis eines Handels, den sie vor vielen Jahren abgeschlossen hatten. Und bis auf den Tag der Beerdigung ihrer Mutter und der Abiturfeier ihres Sohnes hatte sie die letzten – wie viele Jahre waren es eigentlich gewesen? – bestimmt gut 15 Jahre ihren Teil der Vereinbarung immer eingehalten.

Er hatte deswegen aber kein schlechtes Gewissen, schließlich ging er dafür jeden Montag zur Musikprobe. Lange war er standhaft geblieben, immer wieder hatten sie ihn bekniet, doch mitzumachen, weil sonst niemand so ein Taktgefühl für die große Trommel besaß wie er, weil sonst niemand stattlich genug war, dieses mächtige Instrument zu tragen – weil sonst niemand diese saudumme Großtrommel spielen wollte, hätten sie ruhig ehrlich sagen können, dachte er manchmal.

Auch seine Frau hatte ihn immer wieder darum gebeten. Ihm war völlig klar, weshalb: Sie wollte, dass er – und damit auch sie – am Dorfleben teilnahm. „Nun mach halt einfach mal mit, wenn du erst dabei bist, macht es dir bestimmt Spaß, und wenn sie dich doch so dringend brauchen …" Irgendwann hatte er dann leichtfertig ja gesagt. Irgendwann sagte er immer ja. Das wusste sie.

Es klingelte zum vierten Mal. Mit einem Ächzen erhob er sich und ging in den Hausgang. Seine Bundhose zwickte im Schritt. Lederhosen! Wer hat nur diese saudummen Lederhosen erfunden, dachte er sich bei jeder Bewegung. Aber es half nichts. Heute war große Auftrittsprobe und das hieß: in voller Montur. In seinem Fall war das die Kniebundhose mit den kratzigen Wollstrümpfen, das weiße Stehkragen-Hemd, das ihm immer die Kehle abschnürte und sein Gesicht noch röter aussehen ließ, und die rote Weste. Wenigstens die Jacken mussten sie heute nicht anziehen, die waren alle in der Reinigung.

Es klingelte zum fünften Mal. „Ja, Kluftinger?", fragte er in den Hörer.

Er dachte, es wäre eine Freundin seiner Frau, seine Schwägerin, wer auch immer, dass es aber ein dienstliches Gespräch sein sollte, wunderte ihn. Die Einsatzleitung rief an. Kluftinger schwante Böses. Früher, als junger Polizist hatte er öfter mal nachts raus gemusst, etwas Spektakuläres war aber nur selten dabei. Jetzt ließ er sich immer Wochentage zuteilen, an denen erfahrungsgemäß die Kriminalrate gegen null tendierte: Montags beispielsweise schienen nicht nur Pfarrer und Friseure ihren freien Tag zu haben, sondern auch Gesetzesbrecher.

Die Stimme der jungen Beamtin am anderen Ende war erfüllt von professioneller Ernsthaftigkeit und Betriebsamkeit.

„... Tötungsdelikt ... kriminaltechnische Untersuchung ... vor Ort ... Staatsanwaltschaft." Als es Kluftinger gelungen war, seine Aufmerksamkeit vom Topfklappern aus der Küche weg und auf das Gespräch zu lenken, hatte er das Wichtigste bereits verpasst. Die Dame am anderen Ende redete viel zu schnell. Sie war aus Norddeutschland.

Er bat sie, sie möge alles noch einmal wiederholen, diesmal verstand er wenigstens die Adresse, zu der er kommen sollte. Er konnte es kaum glauben: Die Stimme am anderen Ende nannte seinen eigenen Wohnort: Altusried.

„Kreuz ...", verbiss er sich einen weiteren Fluch. Nicht einen Bissen hatte er angerührt und jetzt das. Ein Toter, so viel hatte er mitbekommen. Das konnte ja heiter werden. Viel Zeit blieb ihm nicht mehr. Er konnte sich entweder noch schnell umziehen oder sich ein paar Kässpatzen einverleiben. Kluftinger setzte sich hin und begann zu essen.

***

Als er das Haus des Toten betrat, verwünschte er sich dafür, dass er sich fürs Essen entschieden hatte. Es war lange her, dass er die letzte Leiche zu Gesicht bekommen hatte. Jetzt kamen die Erinnerungen wieder hoch – und die Spätzle, die er gerade noch so hastig verschlungen hatte, wollten dasselbe tun. Ihm war eigentlich schon immer schlecht geworden, wenn er einen Toten gesehen hatte. Das war bereits als Kind losgegangen, als ihn sein Vater, der Dorfpolizist, einmal mitgenommen hatte, um ihm seine erste Leiche zu zeigen. Sein Vater hatte darin wohl so etwas wie einen Initiationsritus gesehen, einen wichtigen Schritt auf dem Weg zum Mann. Kluftinger war damals 12 Jahre alt gewesen.

Er erinnerte sich nur noch schemenhaft daran, wie die Leiche ausgesehen hatte. Sie hatte aufgebahrt in einem gekachelten Raum im Keller des örtlichen Polizeireviers gelegen. Es war ein älterer Mann gewesen, der sich „totgesoffen" hatte, wie sein Vater verächtlich sagte. Woran sich Kluftinger aber noch genau erinnern konnte, war der Geruch. Er war schon immer sehr sensibel gewesen, was Gerüche betraf, und er konnte sie sich meist besser merken als etwa Gesichter oder Telefonnummern. Es war ein leicht süßlicher, feuchter Geruch, kein sehr starker, aber ihm hatte er damals den Atem geraubt. Er hatte sich noch auf dem Weg nach oben übergeben – eine peinliche Tatsache, die sein Vater noch heute gerne zum Besten gab.

Seitdem rochen für Kluftinger alle Toten gleich. Auch heute. Dabei hatte er ihn noch gar nicht gesehen. Er hatte nur die Eingangstür des Hauses passiert, schon kam ihm einer seiner Kollegen entgegen. „Also ich weiß … ich meine … nicht … ich war …", sagte Eugen Strobl. Er war sehr aufgeregt. Obwohl es in der Wohnung an diesem kühlen Sommerabend nicht sonderlich heiß war, schwitzte er. Schließlich schüttelte er den Kopf: „Schau's dir selbst an." Seine Hand deutete den Hausgang entlang auf eine verglaste Tür.

Kluftinger ging langsam in die ihm gewiesene Richtung. Seine Übelkeit meldete sich wieder. Mit jedem Schritt schien der Geruch intensiver zu werden.

„Na, da haben Sie sich für den Anlass ja extra fein gemacht." Dr. Martin Langhammer betrachtete abschätzig Kluftingers Aufzug.

Wer hat den denn hier rein gelassen, verfluchte Kluftinger innerlich seine Kollegen.

„Die Beamten haben mich gleich geholt, ich war im Garten und habe den Streifenwagen gesehen", beantwortete Langhammer den fragenden Blick Kluftingers. Der Kommissar erinnerte sich wieder daran, dass Langhammer gleich nebenan wohnte. Immerhin musste er schon einmal – auf Drängen seiner Frau – ein Abendessen im luxuriös ausgestatteten Flachdach-Bungalow der Langhammers über sich ergehen lassen.

Na prima, heute kommt ja mal wieder alles zusammen, dachte

sich der Kommissar, sagte ein flüchtiges „Danke" in Langhammers Richtung und setzte dann seinen Gang entschiedener fort. Vor Langhammer wollte er sich keine Blöße geben.

„Ich hoffe, Sie haben einen stabilen Magen", rief der ihm hinterher.

Noch bevor er das Zimmer mit der Leiche betreten konnte, kam ihm ein weiterer Kollege entgegen. Richard Maier war groß, schlank, manche sagten sogar dürr. Sein Gesicht war blass, die dunkelbraunen Haare wie immer mit Pomade zu einem korrekten Scheitel an den Kopf geklatscht. Er trug ein altes Cordsakko, das längst aus der Mode gekommene lederne Ärmelschoner aufgenäht hatte. In der Hand hielt er ein Diktiergerät.

„Abend", sagte Kluftinger kurz, ohne ihn anzusehen.

„Ja, der Herr Kluftinger findet sich auch schon am Ort des Geschehens ein. Kaum wartet man eine halbe Stunde ...", sagte der mit gespielter Empörung, unterbrach seinen Satz aber, als er Kluftingers Aufmachung sah.

„Ja so was, willst du ihm gleich hier den Zapfenstreich blasen oder bist du noch auf einer anderen Beerdigung eingeladen?"

„Vorsicht Maier, rein dienstrechtlich bin ich immerhin dein Vorgesetzter! Hast du schon alles fürs Protokoll aufgenommen?"

„Gerade dabei."

Maier spulte das Diktiergerät zurück, das er überall dabei hatte, und drückte auf Wiedergabe. Aus dem kleinen Lautsprecher rauschte sein bisheriger Bericht. „Die Situation stellt sich uns wie folgt dar: Das Opfer, männlich, befindet sich in Rückenlage vor einer Couch. Punkt. Nach Angabe des alarmierten Hausarztes seien die Würge- und Strangulationsmale aller Voraussicht nach als Todesursache anzusehen. Punkt. Nach der Lage der Leichenflecken und der bereits stark verminderten Körpertemperatur zu urteilen sei der Tod vor mindestens 12 Stunden ..." Maier unterbrach das Band und sagte: „Eine Schätzung von Langhammer, er war einer der ersten bei der Leiche." Er ließ das Band weiterlaufen: „ ... eingetreten, das wäre gegen 8 Uhr 30. Punkt."

„Wer ist der Tote?"

„Sein Name ist Philip Wachter. Steht jedenfalls auf der Klingel." Kluftinger wollte schon weitergehen, da schob Maier noch nach: „Doktor Wachter übrigens." Scheint hier irgendwo ein Nest zu sein, dachte Kluftinger, verkniff sich aber die Bemerkung. Schließlich gab es jetzt einen weniger in der Gegend.

„Ich geh dann mal rein", sagte Kluftinger zögerlich.

Kluftingers Kollegen wussten, dass er keine Toten sehen konnte. Früher dachte er, er würde im Laufe der Zeit sein Problem in den Griff bekommen, aber dem war keineswegs so. Tote gehörten hier nicht gerade zur Routinearbeit. Wenn sie erst gestorben waren, etwa bei einem Verkehrsunfall, ging es noch. Aber heute Abend hätte er schwören können, dass es bereits im ganzen Haus süßlich roch. Die Blicke seiner Mitarbeiter würden sagen, er solle doch nach Hause gehen, er sei doch wohl krank. Und er wusste, dass sie wussten, dass er sich bei solchen Fällen immer krank fühlte. Doch keiner sprach ihn darauf an. Es war eine Diskretion, die er sehr schätzte. Er hatte nicht einmal das Gefühl, dass sie hinter seinem Rücken über ihn redeten. Über andere Dinge an ihm sicher, aber darüber nicht. Es war einfach so. Sie zogen ihn mit seinem lichten Haupthaar auf, mit seiner knolligen Nase, mit seinem Engagement in der Musikkapelle, nie aber mit seiner sich so eindeutig manifestierenden Leichenunverträglichkeit.

Kluftinger ging durch die Tür ins Wohnzimmer.

Was sich nun vollzog, war so etwas wie ein Ritual. „Kluftingers Kriminal-Ritual", hatte Maier es einmal in einem seiner unzähligen Versuche, witzig zu sein, genannt, nach einem scharfen Blick seines Chefs den Begriff aber nie wieder erwähnt. Und doch war etwas dran. Es lief meist nach dem gleichen Schema ab. Das half Kluftinger nicht nur dabei, seine Übelkeit zu kontrollieren, sollte ein Toter mit von der Partie sein. Es gab ihm auch das sichere Gefühl, nichts zu übersehen. Die Beamten im Wohnzimmer sprachen ihn nicht an. Sie wussten, dass er jetzt seine Ruhe wollte. Und sie wussten auch, dass eine Störung mit ziemlicher Sicherheit einen der seltenen Wutausbrüche des friedfertigen Allgäuers zur Folge haben würde. Zunächst stand Kluftinger einfach nur da. Ließ den Ort auf sich wirken. Ließ seinen Blick schweifen. Die Wohnung war geschmackvoll eingerichtet, auch wenn sie sehr teuer aussah. Meist war das ein Widerspruch, fand Kluftinger, aber in diesem Fall … Sein Blick wanderte von einem wuchtigen antiken Esstisch, auf dem sich eine Kaffeetasse, eine Zeitung und ein Teller mit einer halben Marmeladensemmel befanden, über das Bücherregal, vor dem einige der Bücher kreuz und quer auf dem Boden lagen, hin zur ledernen Couch.

Tote kamen bei seiner Bestandsaufnahme immer zuletzt.

Die Leiche lag auf dem Boden vor der Couch, eine Hand war nach hinten ausgestreckt.

Kluftingers Blick wanderte weiter und blieb am Hals des Toten haften. Dunkelblaue Striemen zogen sich darüber. Kluftinger musste schlucken. Seine Übelkeit meldete sich wieder. Er hatte es ja schon längst gewusst, aber dass er es nun mit eigenen Augen sah, ließ ihn für einen kurzen Moment aus der Fassung geraten. Ein Mord. In seiner Gemeinde. An seinem Abend. Am liebsten hätte er geflucht.

Aber er war noch nicht fertig. Nachdem er alles begutachtet hatte, senkte er den Blick. Mit seinen Fingern massierte er seine Nasenwurzel. Die roten Äderchen auf seinen Wangen traten jetzt deutlich hervor. Das war immer so, wenn er aufgeregt war. Kluftinger versuchte, sich den Tatort einzuprägen. Sein Gedächtnis war gut, manche behaupteten sogar, es sei fotografisch. Eines der wenigen Dinge, auf die er bei sich selbst stolz war.

Noch einmal ging er in Gedanken den Tatort durch. Das Opfer, so viel stand fest, hatte um sein Leben gekämpft. Es hatte …

Kluftinger öffnete die Augen. Irgendetwas stimmte nicht. Etwas an dem Anblick, der sich ihm bot, störte ihn. Gut, es hatte einen Kampf gegeben. Bücher lagen am Boden. Zeitschriften neben dem Couchtisch. Aber der Kampf hatte sich hier abgespielt, zwischen Bücherregal und Couch, da waren die Spuren eindeutig. Und doch … Jetzt wusste er es: Die Vorhänge auf der anderen Seite des Zimmers, vor der großen Balkon-Schiebetür, fehlten. Sie lagen auf einem Tisch, der vor der Schiebetür stand. Sie sahen nagelneu aus, wie gerade erst ausgepackt. Er drehte sich um.

Maier stand bereits hinter ihm. Er hatte darauf gewartet, dass sein Chef sich wieder bewegte, vorher hätte er sich nicht getraut, ihn anzusprechen. Er schwenkte eine durchsichtige Plastiktüte vor Kluftingers Gesicht. „Das war um seinen Hals gewickelt", sagte er mit einem Kopfnicken in Richtung der Leiche. Kluftingers Magen rebellierte wieder. Es war die Vorhangschnur.

So etwas hatte er noch nie gesehen. Ja, im Fernsehen vielleicht. Aber hier? In seiner Siebentausend-Seelen-Gemeinde Altusried? Wenn das bekannt werden würde …

„Vorerst nichts über den Tathergang an die Öffentlichkeit", sagte Kluftinger schnell. Er wollte sich setzen oder gleich gehen, aber er zwang sich, noch ein paar Schritte auf die Leiche zuzugehen. „Wer hat ihn gefunden?"

„Ein Kollege aus dem Milchwerk, wir haben …"

„Ist er noch da?", unterbrach Kluftinger seinen Kollegen.

„Nein, der war völlig fertig. Ich habe seine erste Aussage aufgezeichnet. Willst du mal hören?"

Der Kommissar atmete lautstark. Was Maier bloß immer mit seinem Diktiergerät hatte. „Erzähl's mir einfach."

„Er hat sich den Schlüssel beim Nachbarn geholt, weil Wachter den ganzen Tag nicht zur Arbeit gekommen war. Er ist ein hohes Tier im Milchwerk. Lebensmittel … na irgendwas mit … Moment!" Maier spulte auf seinem Diktiergerät herum, drückte ein paar Mal irgendwelche Knöpfe. Kluftinger wurde ungeduldig. „Ist doch egal …"

„Nein, warte, ich hab's." Er drückte auf Wiedergabe. „Lebensmitteldesigner" war die Bezeichnung, die er suchte. „Lebensmittel … was?" Kluftinger sah seinen Kollegen fragend an. „De-sig-ner."

„Was soll denn das sein?", fragte der Kommissar und ging dabei in die Hocke, um sich die Leiche genauer anzusehen. Er war vielleicht noch einen Meter von ihr entfernt, näher wollte er ihr auf keinen Fall kommen.

„Na ja, also das ist einer, also der macht … das ist schwer zu erklären." Kluftinger hätte beinahe gelacht, wäre die Situation nicht so ernst gewesen. Maier konnte einfach nicht zugeben, wenn er etwas nicht wusste.

„Ich will ihn gleich morgen früh im Büro sehen."

„Wen?"

„Na den, der ihn gefunden hat."

„Ach so, den Bartsch. Habe ich schon erledigt. Er ist für morgen früh um neun bestellt", antwortete Maier und klang dabei ein wenig stolz.

„Hat er Verwandte?"

„Bartsch?"

Kluftingers Wangen fingen an zu leuchten. Er war schon viel zu lange hier. „Nein, der Dings natürlich, der Tote", sagte er und hatte Mühe, nicht unwirsch zu klingen.

„Ach ja, sicher. Das wollte Strobl klären."

Kluftinger stand auf. Er hatte genug gesehen. Er ging nach draußen. Strobl sprach gerade mit einem Beamten in Uniform. Als er Kluftinger sah, lief er ihm entgegen.

„Kein schöner Anblick, was?" Kluftinger verdrehte die Augen.

„Hat er Verwandte?"

„Also Dr. Langhammer hat gemeint, er lebt allein. Er hat aber zwei Töchter, eine wohl im Ausland. Seine Frau lebt irgendwo in Südamerika. Seine Exfrau, meine ich. Wir checken das."

Checken. Das Wort klang in Kluftingers Kopf mehrmals nach. Spricht denn heute überhaupt niemand mehr deutsch? Erst dieser Lebensmitteldesigner und jetzt „Wir checken das". So ein Schmarrn. Die sollten sich lieber mal schleunigst ans Telefon klemmen.

„Wir sehen uns morgen" sagte Kluftinger und ging auf seinen alten Passat zu. Als er an den „Grünen" vorbeikam, wie seine Kollegen die uniformierten Polizisten nannten, bemerkte er ein Grinsen auf ihren Gesichtern. „Ufftata-ufftata", ahmte einer eine Blaskapelle nach.

Er hätte sich doch umziehen sollen.

***

Als er nach Hause kam, sah er einen Zettel neben dem Telefon liegen. „Musikkollegen sauer. Habe gesagt, du musstest dienstlich weg. Morgen Paul anrufen." Kluftinger seufzte. Immerhin hatte er sich heute die Musikprobe gespart. Ein schwacher Trost, wenn man bedachte, was in den nächsten Tagen, vielleicht Wochen, auf ihn zukommen würde. Und jetzt waren auch noch die Kollegen aus der Kapelle eingeschnappt. Als ob er keine anderen Sorgen hätte.

„Saprament." Kluftinger fiel ein, dass er die Trommel noch im Auto liegen hatte. Wurscht, dachte er sich, kann ich morgen auch noch rausräumen.

Er ging ins Wohnzimmer. Seine Frau schlief vor dem Fernseher. Das war ihm gerade recht. Er wollte heute keine Fragen mehr beantworten, er wollte nur noch ins Bett. Just als er sich hingelegt hatte, kam auch seine Frau ins Schlafzimmer. „Gab's etwas Besonderes?", fragte sie ihn. Kluftinger grummelte etwas Unverständliches. Er tat, als schliefe er bereits.

Aber er schlief diese Nacht sehr schlecht. Und diesmal lag es nicht an den Kässpatzen.

Es war eine dieser Nächte, in denen er diese unglaublich heißen Füße hatte. Niemand, den er kannte, hatte ein vergleichbares Problem. Nicht einmal seine Frau konnte nachvollziehen, was so schlimm daran sein sollte, mit mollig warmen Füßen einzuschlafen. Kluftinger hatte sogar schon im Fernsehen ein Gesundheitsmagazin gesehen, in dem gesagt worden war, der Mensch könne nur dann schlafen, wenn er warme Füße habe. Schmarrn.

Zunächst versuchte er es in dieser Nacht damit, seine Beine unter der Bettdecke hervor schauen zu lassen, obwohl er wusste, dass das auf Dauer keinen wirklichen Erfolg bringen würde. Wieder und wieder wälzte er sich hin und her. Sein Hirn wollte nicht zur Ruhe kommen. Ein Mord. In Altusried. Soviel er wusste, hatte es so etwas noch nie gegeben. Es bereitete ihm Unbehagen, dass nun auch sein Heimatort mit diesem Dreck belastet wurde. Das würde ganz schön für Wirbel sorgen. Und wenn das mit der Vorhangschnur herauskam, dann hätten sie hier eine ganz schöne Bescherung. Zeitung, Lokalfernsehen, vielleicht sogar richtiges Fernsehen – alle würden sich um die Geschichte reißen. Das schöne friedliche Allgäu und ein kaltblütiger Mord, der Gegensatz würde die Leute beschäftigen. Gar nicht auszudenken, was das für einen Rattenschwanz nach sich ziehen könnte.

„G'schaicht", nannte sein Vater das. Aber das wollte Kluftinger um jeden Preis verhindern. Er würde öffentlich erst mal alles herunterspielen.

Er hielt es nun nicht mehr aus, er musste zum Äußersten greifen, um überhaupt noch Schlaf zu finden: Der Radiowecker verriet, dass es 2 Uhr 47 war, als er sich ins Bad begab und die Duschwanne mit eiskaltem Wasser voll laufen ließ. Ein Fußbad von zehn Minuten und er würde danach hoffentlich sanft einschlummern. Er blickte in den Spiegel. Sein schütteres, leicht ergrautes Haar stand in alle Richtungen ab.

Seine Frau hatte sicher gehört, dass er das Wasser hatte einlaufen lassen, und er wusste, dass sie ihn fragen würde, was ihm denn nachts den Schlaf geraubt hatte. Aber das würde ihn heute nicht mehr beschäftigen. Kurze Zeit später lag er schlafend im Bett.

***

Als Kluftinger am nächsten Morgen zur Arbeit fuhr, steckte ihm die kurze Nacht noch in den Gliedern. Es regnete, was für diesen Sommer nicht ungewöhnlich war. Immer schien sich irgendwas zusammenzubrauen. Immerhin war für den weiteren Verlauf des Tages wieder Sonnenschein gemeldet. Schade, dachte er sich. Das triste Wetter passte gut zu seiner Stimmung. Nach 15 Minuten Fahrt bog er in den Parkplatz der Kemptener Inspektion. Es waren erst wenige Autos zu sehen. Kein Wunder. Kluftinger war früh dran. Wenn er schon nicht mehr schlafen konnte, wollte er sich wenigstens einmal im Büro ein paar Gedanken um den Fall machen. Außerdem wollte er noch vor seiner Frau aufstehen. Auf gar keinen Fall hätte er heute Morgen ihre Fragen ertragen. Sie hätten ihm nur ganz klar vor Augen geführt, dass es bis zu den Antworten noch ein mühsamer und langer Weg war.

Als er seinen Wagen abschloss, bemerkte er, dass er noch immer die Trommel im Kofferraum liegen hatte. Er fluchte. Das ging ja gut los.

★★★

In seinem Büro räumte er zunächst seinen Schreibtisch auf. Die Akte mit dem Wechselbetrug stellte er ins Regal hinter sich. Das konnte erst einmal dauern, bis er sich darum wieder würde kümmern können. Anschließend kochte er sich einen Kaffee. Er wusste, dass ihm sein Magen diese Tasse am frühen Morgen übel nehmen würde, aber irgendwie brauchte er dieses morgendliche Ritual. Er sah auf die Uhr: Viertel nach Sieben. Es würde noch eine Dreiviertelstunde dauern, bis die ganze Truppe komplett war.

Er setzte sich in seinen Schreibtischstuhl und starrte an die Decke. Wo sollte er anfangen?

„Gütscher Gott, hab ich mich erschrocken." Frau Henske, die Sekretärin, machte erst ein überraschtes, dann ein besorgtes Gesicht. „Dass Sie schon so früh da sind …", sagte sie und legte die Post auf seinen Schreibtisch.

„Ich habe heute viel zu tun", entgegnete Kluftinger nach einer Pause, in der er genau überlegte, was er antworten sollte. Er wollte ihre Neugier nicht unnötig anstacheln, die war so schon groß genug.

„Gibt's etwas Besonderes?"

Kluftinger sah sie an.

Jetzt, wo ihre Augen voller Erwartung waren, fand er sie sogar irgendwie hübsch. Sonst verstand er nicht, warum die Kollegen augenscheinlich so hinter ihr her waren. Sicher: Mit ihren oft recht kurz gehaltenen Röcken und den meist engen Oberteilen bediente sie gewisse Primärreize. Aber Kluftinger fand die versteckten Reize meist die interessanteren. Dennoch war sie nicht unattraktiv. Ein bisschen zu stämmig vielleicht und wenn sie sich einmal für eine Haarfarbe entscheiden würde, hätte er auch nichts dagegen gehabt. Im Moment lagen sie irgendwo zwischen blond und sehr blond.

Dass sie ihm so sympathisch war, machte sie in seinen Augen wohl hübscher, als sie tatsächlich war. Er erinnerte sich noch, als er sie das erste Mal gesehen hatte: Da war er ein wenig erschrocken. Das Wort „Tussi" war ihm kurz in den Sinn gekommen, aber schnell gewann sie ihn durch ihre gewissenhafte Arbeit und ihre freundliche, sympathische Art für sich. Es war schon erstaunlich, dass Menschen beim ersten Zusammentreffen scheinbar ganz anders aussahen als später, wenn man sie einmal kennen gelernt hatte.

Noch immer wartete sie gespannt auf eine Antwort. Sie hätte sich wahrscheinlich sogar gefreut, wenn Kluftinger ihr erzählt hätte, was gestern Abend passiert war.

„Ist bei uns nicht jeder Tag was Besonderes?", entgegnete er und blätterte durch den Briefstapel, den sie ihm gegeben hatte. Sie merkte, dass er nicht reden wollte, und auch wenn sie das meist nicht von weiteren Fragen abhielt, ging sie heute ohne einen weiteren Ton aus dem Zimmer.

Kluftinger legte die Post wieder weg. Er blickte sich suchend im Zimmer um, trommelte mit seinen Fingern auf der Armlehne und wippte mit seinem Stuhl. Er war viel zu früh hier. Er konnte gar nichts tun. Ob die von der Spurensicherung schon was herausbekommen hatten? Er wählte die Nummer. Keiner hob den Hörer ab. Natürlich, die kamen sonst auch nicht vor acht.

Die Tür ging auf und Strobl kam herein. Er sah ebenfalls mitgenommen aus. Seine hageren Wangen schienen noch mehr eingefallen, seine Augenringe noch tiefer als sonst. Er streifte sich die Regenjacke ab und hängte sie zusammen mit seiner Schirmmütze an den Kleiderständer. Dann ging er zum Spiegel und drückte seine strohblonden Haare an seinen Kopf.

„Auch schlecht geschlafen?"

Kluftinger nickte ihm mit einem Lächeln zu. Er freute sich, dass er nicht mehr allein war. „Wie lange wart ihr denn noch gestern, du und der Richard?", wollte er wissen.

„Wir sind eigentlich gleich nach dir gegangen. War ja eh nichts mehr zu tun. Die Spurensicherung war auch fertig." Strobl ging zur Kaffeemaschine und goss sich eine Tasse ein.

Hefele kam herein. „Morg'n. Ganz schöner Scheiß, oder?" Er blickte die beiden Kollegen fragend an. Die Augen des kleinen, rundlichen Mannes schauten heute nicht ganz so verschmitzt aus den Lachfältchen wie sonst. Dennoch ging von dem Mann mit dem buschigen, schwarzen Schnauzer und seinen krausen Locken selbst an einem Tag wie heute eine unterschwellige Heiterkeit aus. Gerne hätte er ein „Ach, das wird's bald haben" gehört, aber die Kollegen nickten nur.

„Das wird ganz schön einschlagen, was meinst du? Mit Pauken und Trompeten …" Strobl sah Hefele erwartungsfroh an. Er hatte verstanden. Sie prusteten los. Auch Kluftinger war ihre Spitze nicht entgangen.

„Schon gut, ich hatte wirklich andere Sorgen, als meine Trommel aufzuräumen."

„Macht ja nichts", sagte Hefele und hatte Mühe, den Satz noch zu vollenden und nicht sofort loszulachen, „irgendeiner muss hier ja den Takt angeben." Wieder brachen er und Strobl in schallendes Gelächter aus.

Maier kam ins Büro. „Habe ich etwas verpasst? Ist irgendetwas? Was gibt es denn zu lachen?" Die beiden Kollegen hatten sich inzwischen wieder gefangen, was auch an Kluftingers düsterer Miene lag. Heute früh war er ganz und gar nicht zu Scherzen aufgelegt. Sie wussten, dass er, wenn man den Bogen überspannte, sehr ungemütlich werden konnte.

„Ach übrigens", sagte Maier mit glänzenden Augen und feierlichem Tonfall, „ich finde, wir sollten den Fall jetzt gleich noch mal durch-pauken." Er begann zu lachen, versetzte Hefele einen Rippenstoß und deutete mit dem Kopf in Richtung Parkplatz. Keiner der Kollegen lachte mit. Kluftinger wurde es zu bunt. Er blickte Maier scharf in die Augen und holte tief Luft. Maier verstummte sofort. „Ich wollte … ich dachte nur, ich meine, wegen der Stimmung, also … ach ja, der Bartsch steht schon draußen."

„Bartsch?", fragte Kluftinger. „Der, der den Toten gefunden hat?"

Kluftinger blickte auf die Uhr. Kurz vor acht. „Ich denke der kommt erst um neun."

„Ja, ich meine, ich dachte …" Maier wurde rot. „Kann sein, dass ich ihn auch schon um acht bestellt habe", sagte er kleinlaut.

Das passte dem Kommissar gar nicht. Er wollte eigentlich erst noch einmal den gestrigen Abend mit seinen Kollegen durchgehen und jetzt stand schon der erste Zeuge vor der Tür. Na ja, auch schon wurscht, dachte er sich. „Soll reinkommen."

***

Bartsch war Kluftinger auf den ersten Blick unsympathisch. Er trug eine rosa Krawatte. Eine rosa Krawatte! Sein Vater hätte ihn früher für so etwas verprügelt. Kluftinger bremste sich selbst. Er mochte es nicht, wenn er in Vernehmungen schon eine vorgefertigte Meinung von seinem Gegenüber hatte. Das vernebelt die Sinne, hatte ihn sein Vater gewarnt. Und in dem Punkt hatte er sogar Recht.

Aber bei Bartsch fiel es ihm schwer, neutral zu bleiben. Der Mann trug einen dunkelgrauen Anzug und ein hellblaues Hemd zu seiner schweinchenfarbenen Krawatte. Von seinem dichten, pechschwarzen Haar hatte er sich ein paar Strähnen ins Gesicht gezupft. Er roch nach Parfüm.

Bartsch blickte zwischen den Kollegen hin und her. Er gab Strobl die Hand: „Wir haben uns ja gestern schon gesehen." Maier nickte er kurz zu. Dann streckte er eine Siegelring-Hand in Richtung Kluftinger. „Bartsch. Robert Bartsch. Ich habe die … ich habe ihn gefunden."

„Kluftinger. Ich weiß. Bitt'schön." Kluftinger deutete auf den Stuhl vor seinem Schreibtisch. Obwohl eine kleine Sitzgruppe im Zimmer stand, führte er Vernehmungen meist am Schreibtisch durch. Nicht nur, weil er sich so bequemer Notizen machen konnte. Er hatte das Gefühl, die Menschen, die ihm gegenüber saßen, waren sich so seiner Autorität besser bewusst. Und sahen sich vielleicht manchmal gezwungen, Sachen zu sagen, die sie in der Sitzgruppe nicht gesagt hätten.

Sicher, er ahnte, dass das ein „studierter" Psychologe ganz anders gesehen hätte. Er würde sogar bald einen solchen „Studierten" in seiner eigenen Familie haben: Markus, Kluftingers

Sohn, belegte im fünften Semester Psychologie. Als er im zweiten Semester ein Seminar über Gesprächsführung belegt hatte, bekam Kluftinger immer, wenn Markus aus Erlangen nach Hause kam, Ratschläge aus der Wissenschaft. Kluftinger hatte damit massive Probleme. Er war lange Zeit gut mit seiner Art der Gesprächsführung und der Vernehmungstaktik gefahren und nun kam sein Sohn und meinte, er habe die Weisheit mit Löffeln gefressen. Zudem hatte sich das Problem mit den Ratschlägen des Sohnes ohnehin bald erledigt, das nächste Semester hatte andere Kurse und darüber hinaus eine neue Freundin für Markus gebracht, was seine Anwesenheit in Altusried auf sporadische Besuche beschränkte und den Effekt hatte, dass sie in der wenigen Zeit, die sie mit dem Sprössling hatten, verständnisvoller und geduldiger wurden.

Bartsch nahm dem Kommissar gegenüber Platz und Strobl, Maier und Hefele ließen sich in die Sessel fallen. Da die weitere Aufgabenverteilung noch nicht besprochen war, konnten sie ebenso gut hier bleiben.

„Wohnen Sie in Krugzell?", wollte Kluftinger wissen. Krugzell, der Ort, in dem die Molkerei stand, in der auch Wachter gearbeitet hatte, war eigentlich ein eigenes Dorf gleich bei Altusried gewesen, aber im Zuge der Gebietsreform war es eingemeindet worden.

„Nein. Ich habe ein Haus am Kalvarienberg in Immenstadt. Es nervt schon etwas, jeden Tag die knapp vierzig Kilometer. Aber ich arbeite eben gerne in Krugzell."

Er erzählt von sich aus, das ist gut, dachte sich der Kommissar. Bartschs Stimme klang angenehm tief und weich. Er wirkte sehr offen und freundlich. Vielleicht war er doch kein so übler Kerl.

„Wieso haben Sie Wachter an diesem Abend besucht?"

„Na ja, er war nicht zur Arbeit gekommen. Das war ziemlich ungewöhnlich. Umso mehr, als an diesem Tag ein wichtiger Termin auf dem Programm stand. Die Herren von der Werbeagentur waren da, um weitere Spots zu besprechen. Für unsere neue Käselinie. Also er kam nicht. Ich habe dann versucht, ihn anzurufen. Erst auf dem Handy, dann privat. Aber er meldete sich nicht."

Bartsch sah den Kommissar an. Kluftinger schwieg.

„Wie gesagt, Philip galt als sehr gewissenhaft in der Firma. Fast schon pedantisch."

Kluftinger zog die Augenbrauen nach oben. Sofort ergänzte Bartsch: „Das ist natürlich Quatsch, aber man hat schnell so einen Ruf weg, wenn man in der Hierarchie weit oben steht und nicht alles durchgehen lässt."

„Stand Wachter über Ihnen?"

Bartsch zögerte etwas, bevor er antwortete.

„Auf dem Papier – schon. Aber wir haben uns eher als Team gesehen. Wir haben uns gut ergänzt. Ich bin etwas lockerer, das ist so mein Naturell. Philip hat manchmal etwas verkrampft gewirkt." Kluftinger machte sich eine Notiz. „Also, ich meine, nur für Leute, die ihn nicht kannten. Er konnte auch ganz schön abgehen, Sie verstehen? Vor allem, wenn irgendeine Frau im Spiel war." Bartsch grinste kurz.

Der ist ja schon wieder ganz munter, dachte Kluftinger. Als hätte Bartsch seine Gedanken erraten, wurden seine Züge schlagartig wieder ernst. „Gott, es ist furchtbar."

„Das ist es. Was ist passiert, als Sie angekommen sind?"

„Ich habe geklingelt. Zweimal, wie immer. Das ist mein Markenzeichen. Jedenfalls hat er nicht aufgemacht. Aber sein Jaguar stand vor der Garage. Da bin ich schon langsam stutzig geworden. Mir fiel auf einmal auf, dass die Tür nicht ganz zu war. Ich also rein – und da lag er dann …"

„Haben Sie gleich die Polizei gerufen?"

„Na, ich ging schon erst mal zu ihm hin. Ich wusste ja nicht, was los war. Aber ich habe es gleich kapiert. Ich meine, ich habe ja nicht jeden Tag einen Toten vor mir, aber so wie er aussah, da wusste ich Bescheid."

„Wie sah er denn aus?"

„Also, seine Augen waren geöffnet, irgendwie herausgequollen. Auch sein Mund stand halb offen." Bartsch rutschte unruhig auf seinem Stuhl hin und her. Er nestelte an seinem Krawattenknoten, öffnete den obersten Hemdknopf. Schweißperlen hatten sich auf seiner Oberlippe gebildet.

„Und am Hals … also am Hals waren diese furchtbaren Striemen. Grauslig. So was hab ich noch nie gesehen. Da bin ich wie von der Tarantel gestochen rausgerannt. Erst mal frische Luft atmen."

„Sie waren sich also sicher, dass er tot war?", fragte Strobl vom Sessel aus.

Bartsch drehte sich zu ihm um. „Na hören Sie mal. Ich habe ihm nicht den Puls gefühlt, wenn Sie das meinen. Aber selbst ich habe gemerkt, dass er nicht mehr lebt. Und das, obwohl ich noch nie einen Toten gesehen habe. Mir ist speiübel geworden."

Beim Wort Übelkeit blickte Kluftinger zu seinen Kollegen. Sie zeigten keine Reaktion auf Bartschs Erwähnung seiner Reaktion auf die Leiche.

„Und weiter?"

„Wie weiter? Ich habe die Polizei gerufen, den Rest kennen Sie ja."

„Haben Sie irgendwas bemerkt? In der Wohnung meine ich? War irgendwas ungewöhnlich?"

„Ja. Ein Toter lag auf dem Boden."

Maier lachte kurz auf, Kluftinger brachte ihn aber mit einem strengen Blick sofort wieder zum Schweigen.

„Ich meine: Lag irgendwas am Boden oder sonst wo im Haus?" Kluftinger klang jetzt ziemlich unwirsch.

„Also mir ist nichts aufgefallen. Ich bin ja gleich wieder hinausgerannt."

„Haben Sie die ganze Zeit vor der Tür gestanden? Ich meine, bis meine Kollegen kamen?"

„Ja, die ganze Zeit. Man hat mir gesagt, ich soll mich nicht wegbewegen und nichts anfassen. Das habe ich dann auch gemacht."

Kluftinger war zufrieden mit den Antworten. Er lehnte sich in seinem Schreibtischsessel zurück und fragte, jetzt in etwas freundlicherem Ton, wie sich Bartsch und Wachter kennen gelernt hatten.

„Moment, das muss jetzt schon so dreizehn, vierzehn Jahre her sein. Ich war schon in der Firma, als Philip, also Herr Wachter, zu uns kam."

Dieser Punkt ließ Kluftinger aufhorchen. „Und trotzdem wurde er Ihr Vorgesetzter?"

„Vorgesetzter! Wie das klingt. Wir waren ein Team. Ja, formal war Philip mein Vorgesetzter. Aber so lief das bei uns nicht. Wir waren wirklich ein Team." Kluftinger entging nicht, wie heftig Bartsch auf diese Frage reagierte. Er würde ein anderes Mal auf diesen Punkt zurückkommen.

„Waren Sie befreundet?"

„Also, wir waren nicht gerade Busenfreunde. Aber wir kamen schon sehr gut miteinander aus. Wenn man im Führungsteam zusammen arbeitet, lernt man sich zwangsläufig näher kennen."

„Hatten Sie auch privat Kontakt?"

„Wir sind, wenn's ging, so einmal die Woche zusammen zum Golfen gefahren. Nach Hellengerst. Wir sind da beide im Club."

„Wie war Herr Wachter denn in der Firma angesehen? Hatte er beruflich Feinde?"

Bartsch antwortete schnell: „Nein, also wirklich nicht. Feinde, wie das jetzt wieder klingt. Klar gab's mal die eine oder andere Auseinandersetzung. Neue Kollegen haben auch schon mal versucht, an seinem Stuhl zu sägen, aber da war nichts zu machen. Er war ein geschätzter Kollege. Und er hatte fachlich echt was drauf."

Kluftinger war irritiert. „Wieso hat er dann hier gearbeitet? Wenn er so gut war, hätte er doch sicher auch woanders Chancen gehabt, oder?"

Bartsch überlegte kurz. „Also der Philip, der wollte hier einfach nicht weg, dem hat es hier viel zu gut gefallen. Im Allgäu. Er hat immer gesagt, dass es eigentlich unbezahlbar sei, hier zu leben. Ich denke, der wäre nicht für viel Geld weggegangen."

Jetzt wollte Kluftinger es wissen: „Haben Sie sich nie Hoffnungen auf seinen Job gemacht?"

„Also jetzt reicht's aber", entgegnete Bartsch wütend. „Ich lasse mich doch hier nicht so hinstellen. Ich werde …"

„Wie steht es denn mit Herrn Wachters Familie?", unterbrach der Kommissar seinen Wutanfall. Bartsch beruhigte sich augenblicklich.

„Da hat er nie viel erzählt. Er hat zwei Töchter, eine davon im

Ausland. In Italien glaube ich oder in Südtirol. Mit der hat er wohl noch Kontakt … ich meine – gehabt. Zu seiner anderen Tochter und zu seiner Exfrau glaube ich nicht. Ich denke, die eine Tochter war mit seinem Lebenswandel nicht ganz einverstanden. Mit den vielen Frauen, meine ich. Überhaupt: Wenn Sie mich fragen, dann sollten Sie da mal ansetzen."

„Wo?"

„Na bei den vielen Frauen. Da haben sich so einige Dramen abgespielt."

„Was für Dramen?"

„So genau weiß ich das auch wieder nicht. Aber nicht alle waren einverstanden, dass er sich relativ schnell wieder einer andern zugewandt hat."

Kluftinger hatte noch irgendetwas fragen wollen, aber es fiel ihm nicht mehr ein.

„Danke, das reicht mir fürs Erste. Aber ich werde sicher noch öfter auf Sie zukommen. Also halten Sie sich bitte bereit. Und wenn Ihnen was einfällt, rufen Sie an", sagte der Kommissar, obwohl er sich sicher war, dass Bartsch ihn nicht anrufen würde.

Mit einem Kopfnicken in die Runde verließ Bartsch das Büro. Als Kluftinger das Gespräch beendet hatte, gönnte er sich und seinen Kollegen eine kleine Pause. Er machte sich einen Pfefferminztee, einen aus dem Teebeutel, der ihn, so hatte er einmal in einer ruhigen Minute ausgerechnet, lediglich 2,5 Cent kostete, plus Wasserkosten und Strom, was hier ohnehin Vater Staat übernahm. Seiner Frau durfte er dieses Rechenexempel freilich nicht preisgeben. Sie hatte dafür keinerlei Verständnis. Er aber konnte sich freuen wie ein Kind, wenn etwas wirklich günstig war.

Kluftinger war nicht geizig, aber seine schwäbische Abstammung und mehr wohl noch die solide kleinbürgerliche Erziehung, die er genossen hatte, ließen ihn immer wieder diese kleinen Glücksmomente spüren.

Mit seiner Tasse in der Hand ging er zu seiner Sekretärin, die zwar Sandra hieß, die alle aber nur Sandy nannten, was ihr nicht eben behagte. Alle außer Kluftinger. Er nannte sie bei ihrem Nachnamen, was nicht etwa die Hierarchie im Dienstverhältnis ausdrücken sollte, es hatte sich bislang nur noch keine Gelegenheit ergeben, dass er ihr das „Du" angeboten hätte.

„Fräulein Henske, wie sieht das jetzt aus mit den Töchtern?", fragte Kluftinger. Schon beim Aussprechen des Satzes wusste er, was folgen würde. Sie würde zunächst nicht wissen, um was es ging. Wenn man es unvoreingenommen betrachtete, war dies auch kein Wunder. Er hatte mit ihr noch nicht über die Töchter gesprochen. Vor allem aber konnte sie nicht wissen, dass er mit dem Satz eigentlich fragen wollte, ob sie die Töchter des Opfers bereits benachrichtigt habe und ob und wann sie im Allgäu ankommen würden. Aber insgeheim erwartete er doch, sie würde es verstehen. Seine Frau konnte das.

Sandy hingegen verstand es nicht, zumindest zeigte sie es nicht. Schließlich sollte er sich doch endlich etwas Mühe geben, sich klarer auszudrücken, wenn er schon Dialekt sprach und dabei – sie hatte keine Scheu, ihm das immer wieder zu sagen – Ober- und Unterkiefer höchstens zwei Millimeter öffnete. Sekretärinnen aus dem Allgäu sind seit frühester Jugend daran gewöhnt, dass Männer sich hier so artikulieren, Sandy aber kam aus einem kleinen Ort nahe Dresden und da, so musste Kluftinger annehmen, sprachen Männer offenbar anders.

Kluftinger bat sie schließlich, ihn über die Ankunft der beiden Töchter zu unterrichten, und erfuhr, dass die ältere der beiden noch heute aus München ankomme und sich dann zuerst um die Beerdigung kümmern wolle, dann würde sie sich bei der Polizei in Kempten melden. Die jüngere Tochter lebe, wie er schon wisse, in Italien und es sei nicht einfach gewesen, sie zu erreichen.

„Sie ist nämlich Künstlerin und daher viel unterwegs, um zu malen", sagte Sandy. Dass er auch schon um den Beruf der jungen Frau wusste, sagte er nicht; er nahm an, sie würde einigermaßen stolz sein, ihm Neuigkeiten, die sie selbst herausgefunden hatte, mitteilen zu können. Sie habe einen älteren Herrn am Telefon gehabt, der nur italienisch sprach, und diesem habe sie – der Volkshochschule sei Dank – erklärt, dass Signorina Wachter bei der Kemptener Polizei zurückrufen sollte, was aber noch nicht geschehen sei.

Von sich aus fragte die Sekretärin, ob es keine Frau Wachter gebe, die zu benachrichtigen wäre. Kluftinger war davon regelrecht begeistert. Sandy, für sich nannte auch er sie so, dachte einfach mit. Der Kommissar klärte sie über die Frau auf und fragte, ob sie meine, sie könne die Adresse irgendwie herausbekommen. Zwar war Sandy in so etwas Spezialistin, sie fand im Internet auf verschlungenen Pfaden immer irgendwie Adressen heraus, hier aber machte sie Kluftinger keine Hoffnungen. Irgendwo in Mittel- oder Südamerika war als Ortsangabe zu ungenau und man wusste nicht einmal sicher ihren derzeitigen Namen. Mit diesen Angaben würde selbst das CIA niemanden finden, sagte sie, woraufhin er sich erlaubte zu fragen, wie es dann mit dem KGB aussehe. Was sie mit einem gestellten Lächeln quittierte, das ihm sagte, sie verstehe diese Scherze zwar nicht falsch, es sei aber an der Zeit, sie durch andere auszutauschen, um gewisse Abnutzungserscheinungen zu verhindern.

Kluftinger war bereits wieder in sein Büro zurückgegangen, als er noch einmal kehrt machte. Bartsch hatte doch ganz deutlich darauf hingewiesen, dass die Polizei seiner Meinung nach bei Wachters Freundinnen ansetzen solle. Das war Kluftinger beim Gespräch recht seltsam vorgekommen. Warum tat er das? Wollte er den Beamten helfen oder wollte er ihre Aufmerksamkeit gezielt in eine Sackgasse lenken? Bartschs Mitteilungsbedürfnis passte hier nicht zu seinem sonstigen Auftreten.

„Um halb zehn Konferenz im Besprechungszimmer", sagte er abwesend. Er hatte selbst das Gefühl, dass er etwas neben sich stand, was er auf den mangelnden Schlaf letzte Nacht schob. Er fühlte sich noch nicht bei vollem kriminalistischem Verstand. Er ging in sein Büro und wartete auf die kleine Konferenz, die er anberaumt hatte, auch wenn er fand, dies sei ein zu wichtiges Wort für etwas ganz Alltägliches.

***

Gegen neun Uhr vierzig hatte sich auch der letzte Kollege im Konferenzraum eingefunden und an einem Flipchart – ein Wort, über das Kluftinger nur lachen konnte, sagte er doch immer „die Tafel mit Papier drauf" – sammelten die Beamten, was sie bisher über den Fall wussten.

Philip Wachter, Lebensmitteldesigner, war also mit einer Vorhangschnur erdrosselt worden.

Strobl erzählte vom Anruf bei der Gerichtsmedizin, deren Bericht noch nicht vorlag, man sagte ihm jedoch, dass Wachter den Erstickungstod durch Strangulation gestorben sei, zwischen acht und zehn Uhr morgens. Am Hinterkopf finde sich eine Verletzung durch einen stumpfen Gegenstand, die aber nicht zum Tode geführt haben könne.

„Nichts Spektakuläres also", sagte Strobl.

Der Kollege von der Spurensicherung gab an, dass sich an der „Tatwaffe" keine Fingerabdrücke finden ließen, eine Vorhangschnur eigne sich dafür nicht, ansonsten gebe es natürlich Wachters Abdrücke und die von mehreren anderen Personen, die sich jedoch nicht eindeutig zuordnen ließen. Es habe in der Wohnung keinerlei Einbruchsspuren gegeben, das Opfer habe den oder die Täter also offenbar freiwillig in seine Wohnung gelassen, wenn sie nicht einen Schlüssel besaßen. „Soweit man dies sagen kann, hatte es der Täter nicht auf Wertsachen abgesehen. In der Wohnung lagen neben Bargeld auch zwei teure Armbanduhren, die Vitrine mit den antiken Taschenuhren war unversehrt", schloss der Beamte seinen Bericht.

Kluftinger verteilte kurz die Aufgaben, wies noch einmal eindringlich darauf hin, dass der Presse gegenüber zumindest für diesen Tag noch Stillschweigen herrschen solle, und wollte seine Kollegen gerade in den weiteren Arbeitstag entlassen, als ihr oberster Vorgesetzter, der Leiter der Polizeidirektion Kempten-Oberallgäu, Dietmar Lodenbacher, ohne anzuklopfen den Raum betrat. Lodenbacher, ein großer, hagerer Mann, immer gut gebräunt und mit perfekt sitzendem, weißen Haar, war aus Niederbayern. Aus Passau, wie er selbst sagte. Seit dem letzten Betriebsfest wusste man aber, dass er aus Hauzenbergersöll stammt, ein Ortsname, der bei Kluftinger immer ein kleines Grinsen auslöste. Er war nach Kempten versetzt worden, nachdem der ehemalige Leiter in Ruhestand gegangen war, und war nun seit zwei Jahren hier im Allgäu. Man hatte das Gefühl, dass er weder mit der hiesigen Mentalität noch mit der hiesigen Sprache noch mit den hiesigen Kollegen besonders warm geworden war. Und dieses Gefühl hatte auch er selbst.

Lodenbacher grüßte kurz und fing sofort an zu reden.

Er habe gerade „g'hert", was gestern in Altusried „bossiert" sei. Das sei eine „ganz heiße G'schicht", für die es jede Menge „Fingerschbidsngfui" brauche. Dann machte er Kluftinger klar, dass er schnell „hiab- und schdichfesde" Ergebnisse erwarte. Außerdem wolle er über alle Fortschritte sofort informiert werden. Kluftinger sollte aus diesem Grund gleich bei ihm im Büro vorbei schauen.

So schnell, wie er gekommen war, war der Vorgesetzte wieder verschwunden und die kleine niederbayerische Dialekteinlage war vorbei.

„So, jeds wissmas, meine Herrn, und schdrengans eana bloos o!", ahmte Hefele den Chef zur allgemeinen Erheiterung nach, bevor Kluftinger die Konferenz endgültig beendete.

Das Gespräch zwischen Lodenbacher und Kluftinger war schnell erledigt. Noch gab es keine wirklichen Ergebnisse. Erneut wies Lodenbacher auf die Brisanz des Falles hin, wie „unbandig wichdig des ois sei" und entließ Kluftinger wieder an die Arbeit.

★★★

Für den weiteren Vormittag hatte sich der Kommissar vorgenommen, den Betrieb zu besuchen, in dem Wachter gearbeitet hatte. Er wies Frau Henske an, seinen Besuch in Krugzell anzukündigen, ließ sich von der Fahrbereitschaft einen Dienstwagen geben, was er fast nie tat. Heute zwang ihn aber der leere Tank seines Passats dazu. Noch bevor er bei den Wagen angekommen war, musste er seine Jacke ausziehen, so warm war es inzwischen geworden. Der Regen hatte einer angenehmen Sommersonne Platz gemacht. Am Parkplatz musste er feststellen, dass wieder einmal nur der „Blitzkombi" zur Verfügung stand, ein Kleinbus mit verdunkelten Scheiben und einer Radarkamera an Bord. „Auch schon egal", dachte sich Kluftinger und fuhr los. Beim Milchwerk angekommen, ließ er sich den Spaß nicht nehmen, das Auto parallel zur Straße abzustellen und noch kurz sitzen zu bleiben, um zu sehen, was geschehen würde. Es war wie immer: Die Autos bremsten abrupt ab, als sie den „Blitzkombi" sahen. „Verkehrserziehung" nannte er das.

Er ging über den Betriebshof, auf dem reges Treiben herrschte: Zwei „Milchautos", eigentlich Tanklastzüge für Lebensmittel – aber für Kluftinger wie für jeden Allgäuer waren es einfach „Milchautos" – wurden gerade leer gepumpt und ein alter Traktor ohne Verdeck mit mehreren Milchkannen auf einem kleinen Anhänger fuhr auf das Gelände. Offenbar sparte sich der Besitzer, ein etwa siebzigjähriger, völlig „zug'wachsner" Landwirt, dessen Bart kaum etwas vom Gesicht frei ließ, das Geld, das er für das „Milchauto" hätte bezahlen müssen. „Ein schönes Bild", dachte sich Kluftinger, der nicht wusste, dass das Milchwerk so seine Probleme mit dieser Art Bauern hatte und vor allem mit den Keimzahlen in ihrer Milch.

An der Pforte wies man Kluftinger den Weg ins Büro des Senior-Firmenchefs. Er ging einen Treppenaufgang nach oben, dessen Wände voll waren mit Werbetafeln für die Käseprodukte, die die Firma vertrieb. Es waren Plakate mit jungen, dynamischen, durchtrainierten und braungebrannten Menschen, die zur Brotzeit Fitnesskäse aßen. Im Hintergrund sah man Kletterfelsen, Surfbretter, Mountainbikes, Kanus, Snowboards oder Inline-Skates und stets die Berge des Allgäus. Besonders ins Auge stach Kluftinger ein Poster mit einer südländisch aussehenden Surferin im knappen Bikini, die ein Käsebrot aß. „Priml", sagte er halblaut, eine bei Kluftinger übliche Verballhornung des Wortes „prima", das seiner Meinung nach den ironischen Sinn der Vokabel noch besser hervortreten ließ. „Früher hat man mit Kühen und Älplern für Käse geworben, und jetzt mit nackerte Weiber. Na dann Mahlzeit …"

Kluftinger fiel noch auf, dass die modernen Werbeplakate nicht recht zum etwas abgestandenen Siebzigerjahre-Charme des mit dunkelgrünem Teppich und orangebraunen Fliesen gestalteten Treppenhauses passten. Dann klopfte er an die Tür des Seniorchefs.

Dort fand Kluftinger das, was das Treppenhaus versprach. An einem großen, ehrwürdigen Eiche-Rustikal-Chefschreibtisch saß ein Mann Mitte sechzig, also etwa zehn Jahre älter als Kluftinger selbst, klein, mit einer dicken Hornbrille, hinter der helle, wache und sympathische Augen hervorblinzelten. Er trug einen hellgrauen, etwas zu großen Anzug, der ihn noch kleiner erscheinen ließ. Der Mann liebt seinen Käse wirklich, dachte Kluftinger: Hinter ihm waren auf einer Theke an der Wand Käseschachteln ausgestellt, allerdings solche der „klassischen" Produkte der Käserei, nicht für die „Lean-Line", die die Plakate im Treppenhaus bewarben. Camembertschachteln standen einträchtig neben einem Emmentalerlaib aus Kunststoff und einer natürlich leeren Romadurverpackung. Hier war die Käsewelt noch in Ordnung.

„Karl Schönmanger, guten Tag", sagte der Mann und lächelte freundlich.

Kluftinger nahm mit ihm in der schwarzen Ledergarnitur Platz, lehnte ein Kaffeeangebot dankend ab und begann das Gespräch, nachdem der Chef seiner offenbar aufrichtig gemeinten Bestürzung über das Geschehene Ausdruck verliehen hatte.

„Was können Sie über Herrn Wachter sagen, wie war er bei der Arbeit?"

„Wissen Sie", begann Schönmanger in ruhigem Ton zu erzählen, „Philip Wachter war in professioneller Hinsicht absolut vorbildlich und integer. Er war Leiter unserer Entwicklungsabteilung. Ich meine, was er privat machte, seine Frauengeschichten, das geht mich nichts an, hier im Betrieb war er ein Mitarbeiter, wie man ihn sich nur wünschen kann."

Kluftinger registrierte, dass Schönmanger der Zweite innerhalb weniger Stunden war, der Wachters angebliche Frauengeschichten erwähnte.

„Er war so etwas wie unser Star im Labor. Wachter ist, pardon, Wachter war fleißig, absolut genau und korrekt und er war, nun, er war eine Führungspersönlichkeit, was früher oder später auch alle akzeptierten. Ein Mann mit einem solchen fachlichen Können, das ist ein Glücksfall für einen mittelständischen Betrieb wie wir es sind, wissen Sie."

„Woran arbeitete Wachter denn gerade in Ihrer Entwicklungsabteilung?" fragte Kluftinger.

„Er hat es geschafft, unsere Light-Produkte nochmals im Fett-
gehalt zu senken, ohne den Geschmack zu beeinträchtigen. Er
war Weltspitze auf diesem Gebiet. Am Anfang war ich selbst
nicht so sehr für diese fettarmen Produkte, aber sie schmecken
wirklich gut und sind ja auch gesund. Nicht, dass Sie jetzt denken, das sei Käse, der vollgestopft ist mit Chemie. Es ist ein
besonderes Herstellungsverfahren, das Wachter entwickelt hat.
Zwei neue Geschmacksrichtungen der ultraleichten Weich-
käselinie stehen kurz vor der Markteinführung: grüner Spargel
und Ruccola. Ich sage Ihnen ganz offen, ohne Wachter und
seine Ideen wäre unser Betrieb jetzt nicht da, wo er ist. Nach
Ansicht meines Sohnes wären wir sogar schon bankrott …
Wissen Sie, mein Sohn macht bei uns das Marketing, und das
macht er zwar auf moderne Art, aber die Zahlen, die in unseren Büchern stehen, geben ihm Recht."

„Wachter war also mit für Ihren momentanen Erfolg und das
Florieren der Firma verantwortlich?", hakte Kluftinger nach.

„Absolut. Er wusste das, wir wussten das. Und offen gestanden,
wir ließen uns Wachter auch etwas kosten. Er hatte mit Abstand
das beste Gehalt hier. Star-Lebensmittelchemiker bekommt
man eben nicht umsonst."

„Herr Schönmanger, verstehen Sie mich nicht falsch," Kluftinger wand sich etwas bei dieser Frage, „wenn Wachter so
exzellent auf seinem Gebiet war, hätte er nicht, ich meine, hätte
er nicht auch woanders, ich meine, in einem noch größeren
Betrieb arbeiten können?"

Zum ersten Mal zögerte Schönmanger bei einer Antwort, was
dem Kommissar nicht entging.

„Sehen Sie, wir hatten einfach Glück, dass wir Wachter damals,
als es ihm, nun, als er sich gerade von seiner vorigen Firma trennte, für uns gewinnen konnten. Und er kam ja aus dem Allgäu,
und Sie wissen ja, irgendwann zieht es jeden wieder in die
Heimat zurück, gerade, wenn es dort so schön ist wie bei uns …"

Das letzte Argument hatte der Kommissar schon einmal gehört.
Er wollte später noch darauf zurückkommen.

Schönmanger machte eine kurze Pause und dachte nach. Dann sagte er zögernd: „Wissen Sie, ich will nicht unbescheiden klingen. Aber auch in unserer Firma hat es ihm, glaube ich, gefallen. Wir haben hier ein außergewöhnliches Betriebsklima. Das liegt vielleicht daran, dass die Firma seit drei Generationen in Familienbesitz ist. Ich habe mir hier schon als Kind mein erstes Milchgeld verdient. Das alles haben mein Vater und mein Großvater aufgebaut." Bei diesen Worten machte er eine Handbewegung, mit der er auf die Fotos an der Wand zeigte, auf denen historische und neue Ansichten des Betriebs zu sehen waren. „Das ist mein Leben, verstehen Sie? Daran ist sogar meine Ehe zerbrochen. Meine Frau konnte einfach nicht verstehen, dass ich mehr mit der Firma verheiratet war. Sie hatte wohl Recht."

Kluftinger nickte verständnisvoll, ging aber auf die privaten Einlassungen Schönmangers nicht weiter ein.

„Könnte ich das Labor einmal sehen? Wachters Arbeitsplatz meine ich?"

„Nun ja, das ist ein sehr sensibler Bereich, aber Ihnen kann ich ihn wohl zeigen. Ich sage Ihnen aber gleich, dass ich mich dort so gut wie gar nicht auskenne. Mein Metier sind mehr die Zahlen, ich bin eher Betriebswirt, auch wenn ich damals auf Wunsch meines Vaters Käser lernen musste …"

Vor dem Betreten des Labors musste sich Kluftinger einen weißen Kittel, Überschuhe aus Plastikfolie und eine alberne Laborhaube anziehen, die auch die Mitarbeiter im Produktionsbereich der Käserei, in den man durch einige Fenster im Gang blicken konnte, trugen. Auch Schönmanger zog die Sachen über.

„Wie gesagt, ich kenne mich hier nicht so aus und Bartsch hat sich heute frei genommen. Es ist nur unsere Assistentin im Entwicklungslabor und die hat gerade Mittagspause. Und das Untersuchungslabor wird Sie ja weniger interessieren", entschuldigte sich Schönmanger.

Tatsächlich konnte Kluftinger ohne Hilfe nichts im Labor anfangen. Er sah Fläschchen, Reagenzgläser und Apparaturen, die ihm nicht weiterhalfen. Er würde noch einmal wiederkommen.

„Herr Schönmanger, vielen Dank für Ihre Geduld, ich kündige aber gleich einen weiteren Besuch an, wenn eine Laborführung möglich ist."

„Kein Problem, auch uns ist natürlich sehr an der Aufklärung dieses schrecklichen Unglücks gelegen."

Unglück, dachte Kluftinger, interessanter Begriff für ein solches Verbrechen.

„Bevor Sie gehen, Herr Kluftinger, möchte ich Ihnen aber noch etwas Käse mitgeben. Sie mögen doch Käse? Wir lassen alle unsere Besucher gern von unseren Produkten probieren."

„Gern", sagte Kluftinger, der insgeheim schon damit gerechnet hatte, etwas mit nach Hause zu bringen.

Schönmanger ging in die Produktionshalle und kam kurz darauf mit einer Papiertüte zurück. Er hielt sie Kluftinger hin.

„Also, Emmentaler, Camembert, Camembert leicht und eine kleine Auswahl unserer Lean-Produkte, sogar der mit Ruccola. Sie sind quasi Testperson, den Käse gibt es ja eigentlich noch gar nicht. Wenn Sie wollen, gebe ich Ihnen noch vom Weißlacker mit …"

Natürlich wollte Kluftinger. Kluftinger liebte diesen Käse. Es war für ihn ein Käse, den man hassen oder lieben musste. Seine Frau hasste ihn und kaufte ihn auch nie. Kluftinger kam nur an diesen Käse, wenn er von seiner Frau zum Einkaufen geschickt wurde. Sie verpackte den Weißlacker dann sofort in eine Tupperdose, weil sie den ihrer Meinung nach bestialischen Gestank im Kühlschrank nicht ertragen konnte.

Kluftinger selbst musste, wenn er ehrlich war, zugeben, dass diese Art Käse etwas „räs", also für feine Nasen geradezu eine Kriegserklärung war. Sein Sohn hatte einmal gesagt, er rieche wie seine Turnschuhe, wenn er sie zehn Tage am Stück ohne Socken getragen hatte, und insgeheim musste er seinem Sprössling zustimmen.

Kluftinger verabschiedete sich und ging zum Auto. Er beschloss, den Käse zu Hause noch in den Kühlschrank zu legen, da er ja schon so gut wie in Altusried war. Einen Teil des Weißlackers nahm er wieder mit ins Auto, das würde sein Mittagessen sein. Er wollte sich auf dem Weg ins Büro noch frische Semmeln kaufen. Er dachte gar nicht daran, den Rest in eine Tupperdose zu packen und fuhr zurück nach Kempten.

★★★

Auf dem Weg klingelte sein Handy. Frau Henske informierte ihn, dass Wachters ältere Tochter bereits im Büro auf ihn wartete. Den Umweg zum Bäcker sparte er sich daher.

Er ging in sein Büro, orderte bei Frau Henske vorher noch eine Tasse Kaffee und ein Nusshörnle, begrüßte seine Gesprächspartnerin und sprach ihr sein Beileid aus. Julia Wagner, geborene Wachter, war eine junge Frau um die dreißig. Sie trug ein strenges, dunkles Kostüm, dem man ansah, dass es teuer gewesen war. Sogar Kluftinger sah das. Darunter trug sie ein roséfarbenes T-Shirt.

Auf einmal klingelte Frau Wagners Handy und die junge Dame nahm den Anruf an, nachdem sie sich beim Kommissar dafür entschuldigt hatte. Kluftinger nutzte die Zeit, Julia Wagner genauer zu mustern.

Sie war eine attraktive junge Frau, gute Figur und „Zahnpastalächeln". Gleichzeitig aber merkte er, dass für ihn etwas an ihrem Erscheinungsbild nicht stimmte. Vielleicht lag es am Tod ihres Vaters, vielleicht trug sie Trauer, ihre Kleidung war jedenfalls übertrieben streng und passte nicht recht zu ihrem sonstigen Auftreten. Wenn es nicht an der Trauer über den verstorbenen Vater lag, versuchte sie offenbar, als ernst zu nehmende, seriöse Karrierefrau zu erscheinen.

Die Schatten um ihre Augen verrieten, dass sie die letzen Tage mitgenommen hatten. Sie versuchte aber, nach außen einen gefassten und ruhigen Eindruck zu machen.

„Du solltest wirklich schauen, dass du schleunigst kommst, was kann denn jetzt noch wichtiger sein? Ja klar, ich muss mich wieder um alles kümmern. War ja auch dein Vater … Na gut, morgen … Bis dann, Theresa." Julia Wagner klappte ihr Mobiltelefon zu, rang sich ein Lächeln ab und entschuldigte sich nochmals beim Kommissar: „Das war meine Schwester, wissen Sie? Sie ist so unorganisiert … Sie kommt doch erst morgen, weil sie noch niemanden gefunden hat, der auf ihre Kinder aufpasst. Soll sie sie eben mitbringen zur Beerdigung ihres Großvaters, das hielte ich eh für passender, als sie in Italien irgendwo abzugeben", sagte sie ärgerlich. „Wir sollten nun mit unserem Gespräch beginnen, ich habe noch sehr viel zu erledigen, die Zeit drängt."

„Natürlich", sagte Kluftinger und merkte, dass es fast unterwürfig klang. Sie hatte schließlich gerade in seinem Büro fünf Minuten lang telefoniert, während er warten musste.

„Ich habe übrigens gleich noch eine Frage an Sie, Herr Kluftinger: Wann wird der Leichnam meines Vaters denn nun freigegeben? Wann kann ich also den Termin für die Beerdigung festsetzen?"

Es klopfte an der Bürotür. Frau Henske betrat den Raum, brachte den gewünschten Kaffee und entschuldigte sich dafür, dass es nur noch Quarktaschen gegeben habe. Kluftinger nickte, brummte ein kaum identifizierbares „Isch scho recht" und wandte sich wieder der Tochter des Opfers zu. Als Sandy schon wieder bei der Tür war, bat er sie noch, bei der Gerichtsmedizin in München anzurufen und sich nach der Freigabe des Leichnams zu erkundigen.

„Ich denke, die Beerdigung wird in zwei bis drei Tagen stattfinden können", sagte der Kommissar und konnte nun endlich die Befragung beginnen.

„Frau Wagner, erzählen Sie mir bitte ein bisschen von Ihnen und Ihrer Familie", fing Kluftinger an, und an der ausbleibenden Reaktion seines Gegenübers merkte er, dass er noch hinzufügen musste: „Ich möchte mir zunächst ein Bild von Ihrer Familie und von den Verhältnissen machen, in denen Ihr Vater gelebt hat."

„Ich bin die Ältere von uns beiden. Theresa, meine Schwester, ist vier Jahre jünger als ich. Was die Verhältnisse angeht, in denen mein Vater lebte ... nun ... versprechen Sie sich da nicht zu viel von mir. Ich lebe seit langem in München und der Kontakt zu meinem Vater wurde im Lauf der Jahre immer spärlicher."

„Was machen Sie beruflich, Frau Wagner?"

Julia machte nicht den Eindruck, als ob sie Hausfrau und

Mutter wäre und vielleicht würde das Eis brechen, wenn die mutmaßliche Karrierefrau über ihren Beruf erzählen könnte.

„Ich arbeite in der Werbebranche. Es ist ein harter Job, der fast meine ganze Zeit in Anspruch nimmt. Zum Glück ist mein Mann ebenso wie ich Creative Art Director in der Firma, sonst würden wir uns so gut wie nie sehen. Aber wir brauchen dieses Business-Life. Ich könnte nicht wie meine Schwester zwei Kinder aufziehen und dafür auf jeglichen Erfolg und jegliche Anerkennung im Beruf verzichten."

Kluftinger vermied es, nach der Bedeutung der Wörter „Creative Art Director" zu fragen.

„Sie haben also keine Kinder?"

„Nein, Gott bewahre, woher sollte ich dafür im Moment die Zeit nehmen? Wissen Sie, meinem Vater missfiel diese Situation auch etwas, glaube ich. Obwohl er selbst ja eher der Karrieretyp war als ein treu sorgender Vater. Aber meine kleine Schwester in Italien, seine kleine Theresa mit seinen kleinen Enkelkindern, das war schon etwas für ihn. Frauen und Karriere, ich glaube, das ging für ihn nicht recht zusammen. Der Mann sollte erfolgreich sein und die Frau sollte nach außen hin etwas repräsentieren und ansonsten still die Familie versorgen."

Julia Wagner war während ihrer Ausführungen etwas in Rage geraten, was nicht recht zu ihrem glatten, beherrschten Auftreten passte. Das wurde offenbar auch ihr klar, weshalb sie nachschob: „Nein, nicht, dass Sie jetzt denken, mein Vater hätte sich nie um die Familie gekümmert, das nun auch nicht …"

„Frau Wagner", hakte Kluftinger ein, „mir ist sehr daran gelegen, dass wir offen miteinander sprechen. Wieso hatten Sie so wenig Kontakt zu Ihrem Vater?"

„Als die Familie ins Allgäu zog, war ich gerade sechzehn. Das ist wohl ohnehin das Alter, in dem man etwas Schwierigkeiten mit den Eltern hat. Ich habe es meinem Vater nie recht verziehen, dass ich damals mein ganzes Umfeld verlassen und hierher aufs Land gehen musste. Er war oft auf Geschäftsreisen unterwegs, gerade in der Zeit, als wir und vor allem unsere Mutter ihn am nötigsten gebraucht hätten. Er brachte uns von jeder Reise Mitbringsel, teure Sachen, wissen Sie. Im Nachhinein dachte ich oft, er tat das nur aus schlechtem Gewissen heraus." Die Erinnerung schien sie aufzuwühlen. Sie unterbrach ihre Erzählung und bat um ein Glas Wasser. Kluftinger zapfte es selbst aus der Leitung, da im Kühlschrank nur Bier und Saft standen.

Etwas gefasster fuhr sie fort: „Ich denke auch, dass, wenn der Schmuck für meine Mutter besonders üppig ausfiel, er damals schon andere Frauen hatte. Und als wir hierher umgezogen waren, spitzte sich die Situation in unserer Familie zu. Mein Vater war zuerst nicht eben glücklich über die neue Arbeit und den Umzug, wie Sie sich vielleicht denken können."

Anscheinend gab es verschiedene Meinungen zu Wachters Motiven, ins Allgäu zu ziehen. Er hatte bereits mehrmals gehört, Wachter sei gewissermaßen aus Lokalpatriotismus und wegen seiner innigen Liebe zu seiner Heimat wieder zurückgekommen. Und nun sollte er sich wieder denken können, dass Wachter über den Umzug nicht glücklich sein sollte? Julias Drang, weiter zu erzählen, hinderte Kluftinger im Moment daran, einzuhaken.

„Und hier angekommen, wurden seine Affären mit anderen Frauen immer heftiger. Er gab sich nicht einmal mehr große Mühe, sie vor meiner Mutter geheim zu halten. Die Scheidung meiner Eltern war lediglich eine Frage der Zeit, wissen Sie …"

Nach diesem „Wissen Sie" sah Kluftinger die Zeit gekommen nachzufragen.

„War Ihr Vater denn nicht froh, wieder im Allgäu zu sein? Er war doch hier aufgewachsen?"

„Man kann nicht gerade sagen, dass er darüber froh war. Er hatte in Köln nicht nur einen überaus lukrativen, sondern auch einen sehr interessanten Job. Er ging darin wirklich auf und ich kann das nachvollziehen, darin sind wir, ich meine, darin war mein Vater mir wohl sehr ähnlich. Und er war sehr angesehen. Auf seinem Gebiet war er der ungekrönte König, er sprach auf Kongressen und Fortbildungen für Lebensmittelchemiker und war dort der gefeierte Star."

„Warum gab Ihr Vater dann diese Stellung auf?", fragte der Kommissar.

„Er gab sie nicht auf. Er ging nicht, er wurde gegangen. Und der Job hier, na ja, war für seine damalige Stelle kein wirklich angemessener Ersatz. Am Anfang zumindest. Ich glaube, er machte dann auch hier seinen Weg; und es stimmt: Er liebte das Allgäu. Aber erst einmal wollte er mit allen Mitteln unseren und wohl vor allem seinen Lebensstandard sichern."

Interessant, dachte Kluftinger. Der Star der Lebensmittelchemie wurde gekündigt und musste zusehen, dass er seinen Lebensstandard halten konnte.

„Was war denn vorgefallen, dass ihr Vater seine Stellung verlor?" Er war gespannt auf die Antwort, denn bisher hatten alle, denen er diese Frage gestellt hatte, eine andere Interpretation der Ereignisse parat gehabt.

„Er hatte eben Schwierigkeiten im Beruf. Etwas, was er tat, gefiel der Firma nicht. So genau weiß ich darüber auch nicht Bescheid. Sie müssen bedenken, ich war damals praktisch noch ein Kind. Das meiste weiß ich auch nur aus nachträglichen Erzählungen. Hören Sie, ich will nicht unverschämt erscheinen, aber ich möchte doch sicherstellen, dass mit der Beerdigung alles klappt. Ich fühle mich auch etwas angeschlagen. Ich wäre sehr froh, wenn wir das weitere Gespräch vertagen könnten. Die Organisation bleibt wieder an mir hängen, auch wenn meine Schwester morgen kommt. Sie kann Ihnen sicher auch noch mehr über Papa erzählen, sie hatten ja ziemlich regen Kontakt."

Kluftinger war nicht entgangen, dass Julia zum ersten Mal „Papa" gesagt hatte. Auch wenn er im Moment nicht recht einschätzen konnte, ob sie es bewusst getan hatte, appellierte diese Äußerung an das Taktgefühl des Kommissars, an das Engelchen in ihm. Er hatte das einmal in einem Film gesehen: Auf der Schulter eines Mannes waren abwechselnd ein Engelchen und ein Teufelchen erschienen, die ihm zu jeweils gegenteiligen Handlungen rieten.

Sein Engelchen sagte nun, dass ihr Vater gerade ermordet worden war und er nicht länger auf dem Gespräch insistieren sollte, wenn sich die junge Frau nicht wohl fühlte. Sein Kriminalerteufelchen sagte etwas anderes. Es gab noch einige

Punkte, an denen es gerne in die Tiefe gegangen wäre. Und Kluftingers Kriminalerteufelchen war ein schlechter Verlierer.

***

Kluftinger war geschafft. Nicht, dass es ein außergewöhnlich anstrengender Arbeitstag gewesen wäre. Was ihm am meisten zusetzte, war die Tatsache, dass ihn der heutige Tag kein Stück weitergebracht hatte. So fühlte er sich jedenfalls. Auf der Fahrt nach Hause versuchte er sich einzureden, dass in den Gesprächen in der Firma und mit der Tochter des Ermordeten irgendein Hinweis lag, der ihn, vielleicht erst später, auf die richtige Spur bringen würde. Aber er glaubte selbst nicht daran. Er zermarterte sich das Hirn, ging die Fakten noch einmal durch – nichts. Als er seinen Wagen vor der Garage abstellte und die Tür abschloss, wusste er nicht mehr, welchen Weg er genommen hatte: Autobahn oder Landstraße? Er konnte es nicht sagen. Der Gedanke entlockte ihm ein kurzes Lächeln. Wie konnte sein Chef erwarten, dass er einen Mordfall lösen würde, wenn er nicht einmal sagen konnte, auf welcher Straße er soeben nach Hause gefahren war?

Sein Lächeln verflog, als er sich in der Scheibe des Wagens sah: Er sah so aus, wie er sich fühlte. Und das war noch die schmeichelhafteste Formulierung, die ihm dazu einfiel. Er zögerte, bevor er ins Haus ging. Irgendetwas musste er noch finden, einen kleinen positiven Gedanken, der ihm den Abschied von diesem Arbeitstag erleichterte. Einen Strohhalm, an den er sich klammern konnte. Er wusste, wenn er heute Abend so ins Bett gehen würde, würde er wieder kein Auge zubekommen.

Ich geh morgen und schau mir noch mal den Tatort an, sagte er zu sich selbst. Das war es. Irgendwas würde er da schon finden. Irgendwas fand er immer.

***

Als er seine Jacke auszog, hörte er den Fernseher im Wohnzimmer. Schlagartig sank seine eben mühsam gebesserte Laune wieder. Ihm wurde bewusst, dass das, was ihm jetzt bevorstand, vielleicht die schwierigste Aufgabe des ganzen Tages war. „Servus", rief er in Richtung der Tür und erntete ein „Hallo" von drinnen. Schnell ging er in Richtung Küche, um sich ein kaltes Bier aus dem Kühlschrank zu holen. Er musste es ihr sagen, daran bestand kein Zweifel. Aber wie würde sie reagieren? Es würde eine Menge Ärger bedeuten, das war ihm klar, aber genau davon hatte er im Moment wirklich mehr als genug. „Ich kann jetzt unmöglich mit in Urlaub fahren", sagte er halblaut, als er das Bier eingoss und dabei etwas zu schwungvoll war und den überquellenden Schaum abschlürfen musste. Ein paar Tropfen liefen auf den Tisch. Kluftinger nahm ein Geschirrtuch und wischte darüber.

„Was machst du denn da?", fragte seine Frau verwirrt. „Fängst du jetzt auf einmal an, bei der Hausarbeit zu helfen?" Er blickte auf das Geschirrtuch in seiner Hand und gab es ihr mit einem Schulterzucken. Er ärgerte sich, dass er nicht einfach ins Wohnzimmer gegangen war. Jetzt hatte sie ihn mit einem Geschirrtuch „erwischt" und würde gleich merken, dass etwas nicht stimmte.

„Stimmt was nicht?", fragte sie.

„Was soll nicht stimmen?", brummte er, nahm einen Schluck und musterte sie über den Rand des Krugs hinweg. Sie blieb stehen und beobachtete ihn. Jetzt musste er es ihr sagen, sie würde sich nicht abwimmeln lassen.

„Naja, der Anruf gestern Abend. Und heut' bist du auch ohne einen Ton verschwunden."

Psychologisch vorgehen, befahl er sich selbst.

„Ich muss was mit dir besprechen", sagte er und merkte an ihrem erschreckten Blick, dass, von allen Sätzen, die ihm die deutsche Sprache zur Verfügung stellte, um das ungeliebte Gespräch zu beginnen, dies genau der falsche war. Jedenfalls, wenn es seine Absicht gewesen war, möglichst harmlos zu klingen.

„Ist was passiert?", flüsterte sie erschrocken, während sie sich hinsetzte.

Sie fragte immer, ob was passiert sei, und setzte dabei diesen

Blick auf, als sei jemand umgebracht worden. Dabei war noch nie etwas passiert. Jedenfalls nicht ihm oder ihrem Sohn oder sonstwem aus der Verwandtschaft.

„Du immer mit deinem ‚passiert'", kritisierte er.

Sie ging gar nicht darauf ein, sondern wartete auf seine Erklärung. „Also, Schatz", begann er und überlegte im gleichen Augenblick, wann er sie das letzte Mal so genannt hatte, „das mit dem Urlaub, also, darüber sollten wir noch mal sprechen, da könnt's sein, dass das nicht so geht wie geplant." Kluftinger fand sein eigenes Herumgestopsel fürchterlich. Hätte er sich selbst bei einem Verhör vor sich gehabt, er hätte geglaubt, er wäre schuldig.

Sie ging wie auf Stichwort hoch: „Das darf doch wohl nicht wahr sein. Das glaub ich nicht, also …" Kluftinger zog den Kopf zwischen die Schultern. Au weh, dachte er, da hab ich sauber daneben gelangt.

„Wir hatten das fest ausgemacht!", schloss seine Frau mit erhobenem Zeigefinger. Und das klang nicht, als ob sie bereit wäre, diese Sache erneut zu verhandeln.

Dabei hatte sie natürlich völlig Recht. Urlaub war bei ihnen immer schon ein Reizthema gewesen. Eigentlich hatten sie sich, bis auf ihre Hochzeitsreise, nie so richtig auf ein Ziel einigen können. Und damals waren sie auch nur an die Ostsee gefahren, weil eine Arbeitskollegin von ihr dort Verwandte mit einer kleinen Pension hatten, in der sie kostenlos wohnen konnten. Geld hatten sie damals keines.

Das war inzwischen nicht mehr das Problem. Sie hatten nur einfach unterschiedliche Vorstellungen vom Urlaubsziel. Kluftinger fuhr am liebsten nach Südtirol, Österreich oder dergleichen, um zu wandern. Da kannst du gleich daheim im Allgäu bleiben, pflegte seine Frau dann zu sagen. Wie Recht sie damit hatte, hatte er ihr immer tunlichst verschwiegen. Denn wenn es nach ihm ginge, würden sie wirklich zu Hause Urlaub machen. Ihm verhagelte es die Urlaubsstimmung regelmäßig schon bei den Reisevorbereitungen: Prospekte wälzen, auf die Frage „Ist das nicht schön?" ein aufmerksames „Oh ja, sehr" antworten, um nicht ein „Du interessierst dich ja gar nicht dafür" zu ernten. Sich im Reisebüro von irgendwelchen braungebrannten Ex-Animateuren sagen lassen, „dass es diese Saison sehr in ist, sich beim Wellness-Package auf der Teneriffa-Finca seelisch zu erneuern". Ja vielen Dank. Wellness, schon das Wort trieb ihm die nicht vorhandene Urlaubsstimmung aus allen Poren wie das Heilfasten die Körperschlacke. Übrigens auch sehr „angesagt", wie er lernen musste.

Hatte man sich dann endlich entschlossen, galt es, sich die Kleidung für drei Wochen im Voraus zu überlegen und am Urlaubsort auf ein Klo zu gehen, das schon mindestens 200 Menschen vor einem benutzt hatten. Und gesellig sollte er dann immer sein, denn seine Frau maß den Wert des Urlaubs auch immer daran, wie viele Adressen sie am Ende mit den neuen Bekanntschaften getauscht hatte. Ja, er wäre wirklich am liebsten daheim geblieben.

Am schlimmsten aber war die Tatsache, dass sie immer irgendwohin wollte, wo es heiß war, wo man beim Weg vom Swimming-Pool zum Liegestuhl schon wieder ins Schwitzen kam, wo sie Bier mit Bananengeschmack servierten und wo man sich abends schick machte, um irgendeine Promenade abzulaufen.

Deswegen war ein kleiner Teil von ihm sogar ganz froh, dass sie durch den aktuellen Fall die Reise würden verschieben müssen. Denn diesmal hatte sie sich durchgesetzt. Nach Mallorca sollte es gehen. Oder „Auf Malle", wie der Depp vom Reisebüro gesagt hatte. Mit dem Flugzeug! Wenn er Wasser sehen wollte, fuhr er an den Vilsalpsee und sie wollte nun gleich auf eine Insel.

Aber Gnade ihm Gott, wenn sie seine Erleichterung bemerken würde.

„Ja, wir haben das ausgemacht", fuhr er deshalb mit trauriger Stimme fort. „Aber jetzt hab ich einen unheimlich wichtigen Fall bekommen, ich kann unmöglich weg." Für den nächsten Satz musste er sein ganzes Schauspieltalent zusammenkratzen: „Meinst du, ich bin nicht enttäuscht?"

Sie sah ihn prüfend an. „Aber was sollen wir denn jetzt machen? Ist doch alles gebucht. Ich glaub, du hast einen Knall oder was? Ich schieß doch nicht zweitausend Euro in den Wind." Ihre

Stimme klang jetzt zerbrechlich. Sie würde weinen, das war ihm klar. Herrgott noch mal, es war doch niemand gestorben.

„Was soll ich denn machen? Da musst du doch Verständnis dafür haben. Du willst doch immer, dass ich auch an meine Karriere denke."

Sie zuckte, der hatte gesessen.

„Ja, ich muss immer … Weißt du was? Dann fahr ich eben ohne dich!"

Jetzt fiel er aus allen Wolken. Sie waren noch nie ohne den anderen verreist.

„So? Dann fahr halt! Das ist mir auch ganz wurscht", sagte er, stand auf und ging ins Wohnzimmer. Das Lächeln, das die Lippen seiner Frau umspielte, konnte er nicht mehr sehen.

***

Er hatte sich gerade hingesetzt und TV-Allgäu-Nachrichten eingeschaltet, um zu sehen, ob trotz ihrer Entscheidung, die Presse erst am folgenden Tag zu informieren, etwas durchgesickert war, da kam seine Frau herein. Sie sah gar nicht mehr so wütend aus, was Kluftinger mehr wunderte, als dass es ihn freute.

Sie setzte sich neben ihn, nahm sich eine Zeitschrift vom Tisch, die auf dem Titelblatt die „Fünf Kilo weg mit Kohlsuppe"-Diät anpries, und blätterte darin herum. Keiner sagte etwas.

„Was ist das eigentlich für ein Fall, wegen dem du nicht weg kannst", fragte sie schließlich beiläufig, ohne von ihrer Zeitschrift aufzublicken.

Gott sei Dank, dachte er, ihre Neugierde hatte gesiegt. Sie würde keine Ruhe geben, bis sie die Details kannte, das war ihm klar. Dennoch ließ er sich darauf ein. Denn jetzt hatte er ganz unverhofft wieder die Oberhand, konnte sich mit seinen Informationen ein wenig ihrer Zuneigung zurückkaufen.

„Ach, ein Mord halt. Hier in Altusried."

Sie legte die Zeitung weg. Ihr Mund stand offen wie bei einem Batterie-Dackel, dem der Saft ausgegangen war. Er musste ob dieses Vergleichs unwillkürlich grinsen. In seinem Lächeln lag aber auch eine gehörige Portion Selbstzufriedenheit. Auch wenn ihm der Fall an sich schwer zu schaffen machte, war er doch ein bisschen stolz darauf, ihr eine solche Sensation bieten zu können.

„Ein Mord? Bei uns? Ja um Gotts Willen! Wer? Ich hab überhaupt nix mitgekriegt!", sagte sie ein wenig vorwurfsvoll.

„Der Wachter. Vom Milchwerk."

„Der Wachter vom Milchwerk?", wiederholte sie. Sie brauchte ein paar Sekunden, um wieder zu Atem zu kommen. „Aber den hab ich doch gestern erst noch gesehen."

Kluftinger setzte sich kerzengerade hin. „Du hast ihn gesehen? Wo?"

„Beim Bäcker halt. Da hab ich ihn öfter getroffen. Der geht eben nicht so früh zur Arbeit wie du. Ging, meine ich, ging."

Er überhörte den Vorwurf, der in ihren Worten mitschwang. „Hat er was gesagt? War jemand bei ihm?"

„Nein, kannst ganz ruhig bleiben. Er hat nur was gekauft und ist gleich wieder gegangen. So wie immer, wenn ich ihn gesehen habe. Habt ihr schon einen Verdächtigen?"

Kluftinger ging auf ihre Frage nicht näher ein. „Was hat er gekauft?", wollte er wissen.

„Weiß ich nicht. Irgendwas. Habt ihr schon jemand?"

„Herrschaftsakrament, was er gekauft hat, will ich wissen."

Seine Frau zuckte zusammen, weil er plötzlich einen so scharfen Ton anschlug. Sie merkte aber, dass es ihm wichtig war, und antwortete: „Ein Hörnle und zwei Vollkornsemmel. Was er immer kauft. Gekauft hat, mein ich. Gekauft hat."

Auf seine Frau war eben Verlass. Ihr entging nichts. Manchmal dachte er, sie wäre der bessere Kommissar geworden.

„Und dann?"

„Nix und dann. Dann war er weg. Habt ihr jetzt schon jemanden? Und wie ist er ermordet worden? Und wann? Jesses, mir wird ganz heiß …"

„Nein, mit einer Schnur, gestern", sagte Kluftinger kurz angebunden.

„Mit einer Schnur?" Kluftinger hatte Angst, dass ihr Kopf gleich anfangen würde zu rauchen.

„Sag ich doch. Mit der Vorhangschnur." Der Kommissar nahm die Fernbedienung und drehte lauter. Ein Füssener Feuerwehrler erklärte gerade neue Maßnahmen zum Hochwasserschutz. Frau Kluftinger stand wortlos auf, ging zum Fernseher und schaltete ihn ab.

„He, ich wollt das …"

„Jetzt hör mir mal zu: In unserem Ort ist jemand ermordet worden und du wirst mir jetzt ganz genau erzählen, was da los war, sonst …"

Sie ließ immer dieses „sonst …" im Raum stehen, wenn sie ihren Worten Nachdruck verleihen wollte. Er hatte noch nie gefragt, was denn sonst passieren würde, und auch diesmal riet ihm sein Verstand, es sein zu lassen.

„Er ist gestern, vermutlich am Vormittag, erdrosselt worden. So glauben wir jedenfalls. Aber der Bericht von der Obduktion ist noch nicht da. Sein Arbeitskollege hat ihn gefunden. Soweit wir das sehen können, fehlt nichts in der Wohnung", berichtete Kluftinger in nüchternem Amtston.

„Sag das aber ja niemandem weiter", mahnte er.

„In der Wohnung erdrosselt", sagte sie halb zu sich selbst. „Habt ihr schon mal bei seinen Weibergeschichten nachgeforscht? Da soll es ja drunter und drüber gegangen sein."

Er zog die Augenbrauen hoch. Seine Frau wusste anscheinend eine ganze Menge.

„Ja, ist uns bekannt."

„Und?"

„Was und? Es hat sich noch keine enttäuschte Liebhaberin gestellt", erwiderte er patzig. Es passte ihm nicht, dass er schon wieder so viel erzählt hatte. Aber unter den gegebenen Umständen war ihm schließlich nichts anderes übrig geblieben.

„Was für eine Vorhangschnur?", fragte sie.

„Gibt's da Unterschiede?"

„Allerdings." Sie stand auf und ging zum Fenster. „So eine?" Kluftinger betrachtete sich ihre Schnur.

„Ja, so ähnlich. Aber sie hat so metallisch geglänzt."

Seine Frau ging zum Schrank und schloss ihn auf. Sie holte einen Stapel Kataloge heraus und legte sie auf den Tisch. Sie breitete sie aus und sah sie sich an. „Wahrscheinlich so was", sagte sie halblaut und griff sich den Ikea-Katalog.

Der Kommissar betrachtete das geschäftige Treiben aufmerksam. Sie ist schön, schoss es ihm plötzlich durch den Kopf, als sie sich eine Haarsträhne hinters Ohr klemmte.

Manchmal traf ihn diese Erkenntnis völlig unvermittelt und mit einer emotionalen Wucht, die er sonst gar nicht bei sich kannte. Aber es stimmte: Sie war schön. Schon als er sie kennen gelernt hatte, damals, auf der Allgäuer Festwoche, hatte ihn ihre Erscheinung sofort in ihren Bann gezogen. Er hatte lange nicht verstanden, warum sie ausgerechnet ihn ausgesucht hatte, denn er hielt sich nicht für besonders attraktiv. Gefragt hatte er sie das allerdings nie. Das Erstaunlichste für ihn war, dass ihre Schönheit in all den Jahren geblieben war. Sicher, sie hatte etwas zugenommen. Aber er mochte das. Genau wie ihre gepflegte Erscheinung, auf die sie so viel Wert legte. Ungeschminkt ging sie nicht aus dem Haus. Allerdings trug sie nie zu viel auf, immer nur ein leichtes Make-up. Am meisten faszinierte ihn, dass sie – ganz im Gegensatz zu ihm – so wenig Falten bekommen hatte. Nur ihre grauen Strähnen verrieten ihr wirkliches Alter. Aber die färbte sie sich immer weg, sodass ihre kinnlangen Haare einen gleich bleibenden, hellbraunen Farbton aufwiesen. Er wischte diese Gedanken schnell wieder weg, denn im Moment schienen sie ihm unpassend.

„So?", fragte sie und hielt ihm den Katalog hin. Kluftinger beugte sich vor und staunte. Genauso hatte die Schnur ausgesehen. Er dachte zwar nicht, dass ihnen das irgendwie weiterhelfen würde, aber er war ehrlich beeindruckt. Er nickte.

„Frekvens", flüsterte seine Frau.

Er verstand nicht.

„Frekvens. So heißt die Schnur. Bei Ikea haben alle Sachen Namen. Und die Schnur heißt eben Frekvens."

„Worauf willst du hinaus?"

„Auf nichts. Ich sag nur, dass euer Mörder mit einer Frekvens-Schnur von Ikea getötet hat."

Tatsächlich, da stand es. Jetzt hatte die Mordwaffe auch noch einen Namen.

„Damit kann man schon jemand die Luft abschneiden", sagte seine Frau im Expertenton und nickte dabei.

„Wenn du's sagst", seufzte er.

„Ach, ich kann das wohl nicht beurteilen, dazu ist die Hausfrau wohl zu blöd oder was? Weißt du was? Dann mach deinen Schmarrn doch alleine." Mit diesen Worten knallte sie ihrem entgeisterten Gatten den Katalog auf den Schoß und verschwand im Hausgang. Ein paar Sekunden später steckte sie noch einmal ihren Kopf zur Tür herein. „Und glaub ja nicht, das mit dem Urlaub sei schon gegessen. Ich geh jetzt zur Annegret."

Bevor er noch etwas sagen konnte, war sie verschwunden.

„Niemandem was verraten", rief er ihr noch nach, als er die Tür ins Schloss fallen hörte.

„Weiber", sagte er schließlich laut und schüttelte den Kopf. Dann nahm er die Fernbedienung und schaltete den Fernseher wieder an.

Er wusste nicht mehr, wann er vor dem Fernseher eingeschlafen war, wusste aber sofort, dass er das Sexmagazin, das gerade auf dem Privatsender lief, nicht willentlich eingeschaltet hatte. Er griff zur Fernbedienung und „zappte", wie sein Sohn es nannte. Programm zwanzig, der amerikanische Sportkanal brachte Baseball. So ein Schmarr'n, dachte er bei sich, das Spiel kapiert doch wirklich keiner, die stehen ja nur rum. Er blickte auf die Wanduhr: Es war kurz vor zwölf. Wenn seine Frau schon zurückgekommen war, hatte er sie nicht gehört. Ausgerechnet zu Annegret musste sie gehen. Das tat sie doch nur, um ihn zu bestrafen. Annegret war die Frau von Dr. Langhammer, und auch wenn er keinen Grund hatte, sie nicht zu mögen, fiel doch immer noch genug Antipathie, die er für ihren Gatten empfand, für sie ab. Schon die Tatsache, dass sie immer so betont elegant gekleidet war und sich anscheinend regelrecht in Parfüm badete, bot ihm Angriffsfläche für seine Kritik. Und wie alt sie war, wusste auch niemand so genau. Womöglich schnippelte der Doktor in seiner Freizeit noch ein bisschen an ihr herum. Kluftinger ärgerte sich: über seine Frau, darüber, dass er hier zur Untätigkeit verurteilt war und dass nichts Gescheites im Fernsehen lief. Am liebsten wäre er jetzt gleich noch einmal zum Tatort gefahren. Es gab genügend Punkte, die er genauer untersuchen wollte. Etwa den Umstand, dass Wachters Leiche offenbar eine Prellung am Kopf aufwies, die auf einen Schlag hindeutete. Wegen der Müdigkeit, die schnell wieder die Übermacht über den kriminalistischen Verstand gewann, beließ er es aber bei seinem ursprünglichen Vorhaben, am folgenden Tag den Tatort aufzusuchen. Er schaltete den Fernseher aus und ging ins Bad.

★★★

Es klopfte an Kluftingers Bürotür.

„Herein", sagte er und sah sich mit einem äußerst aufgebrachten Kollegen der Verkehrspolizei konfrontiert.

„Findest Du das witzig, ja? Meinst Du, das ist irgendwie komisch? Seltsame Art von Humor ist das, Kluftinger. Nicht genug, dass Ihr unsere Autos nehmt, Ihr meint auch noch, Ihr könnt Euch einen Spaß erlauben und einen stinkenden Käse dahin legen, wo wir den ganzen Tag sitzen und die Geschwindigkeit messen? Ich habe gute Lust und melde diesen bescheuerten Lausbubenstreich beim Chef. Sind wir eigentlich in der Schule hier? Eine Frechheit, echt, also da hat der Spaß ein Loch, wir sind fertig miteinander."

Die Tür knallte ins Schloss, ohne dass Kluftinger ein Wort hätte sagen können. Was wollte der? Plötzlich fiel ihm das Stück Weißlacker von gestern ein. Es musste unter den Sitz gerutscht sein, er hatte es beim Aussteigen auch nicht mehr gesehen, sonst hätte er ja daran gedacht und es mitgenommen. Nun war der Kombi den ganzen letzten Nachmittag in der prallen Sonne gestanden …

Ein kurzes Grinsen huschte über Kluftingers Gesicht, bevor er eilfertig beschloss, am Abend oder am nächsten Tag dieses pikante Missverständnis aufzuklären und sich mit einer Flasche Wein bei den betroffenen Kollegen zu entschuldigen.

Der kleine Zusammenstoß mit seinem Kollegen sollte der einzige Höhepunkt an Kluftingers Vormittag bleiben. Auch wenn er relativ früh ins Büro gefahren war, um seiner Frau aus dem Weg zu gehen, die durch das Mitbringen einer eigenen Decke ins eheliche Schlafzimmer gestern Nacht deutlich signalisiert hatte, dass sie nun einen handfesten Streit hatten, wusste er eigentlich nicht so recht, was er mit seiner Zeit anfangen sollte. Eine kurze Lagebesprechung mit Maier, Hefele und Strobl brachte auch keine wesentlich neuen Erkenntnisse.

Die drei sollten sich nun erst einmal bei den Nachbarn umhören, vielleicht würde sie das ja weiter bringen. Auch die Finanzen des Mordopfers sollten geprüft werden. Schließlich wollte sich noch ein Kollege aus einer anderen Abteilung um den Computer des Toten kümmern; in Kluftingers Team kannte sich keiner so richtig gut mit diesen Dingern aus.

Jetzt saß der Kommissar an seinem Schreibtisch und wippte unruhig auf seinem Stuhl. Was sollte er tun? Ihm fiel die jüngere Tochter ein. Er hatte ja beim Telefongespräch von Wachters Ältester mitbekommen, dass sie noch heute Abend im Allgäu eintreffen wollte. Er hatte sich von Julia Wagner auch ihre Handynummer geben lassen. Kluftinger wählte ihre Nummer, ohne eigentlich richtig zu wissen, was er sie fragen wollte, was nicht bis heute Abend hätte warten können.

„Pronto?", hörte er am anderen Ende. Er stellte sich kurz vor und fragte noch einmal, was er sowieso schon wusste: „Wann kommen Sie denn heute an?"

Theresa, die den klangvollen Nachnamen Ferro trug, nannte ihm dieselbe Ankunftszeit, die ihm auch Julia und später seine Sekretärin schon gegeben hatte. Sie solle sich auf ihrer Fahrt noch einmal alle Details genau überlegen, nachdenken, ob ihr Vater vielleicht irgendwelche Feinde gehabt haben könnte. Oder ob ihr irgendetwas aus der Vergangenheit einfalle, was wichtig für die Ermittlungen sein könnte. „Jedes Detail kann uns möglicherweise weiterhelfen", zitierte er ein Klischee, das er noch während seiner Ausbildung gelernt hatte, das sich aber schon mehr als einmal als richtig erwiesen hatte. Schließlich wünschte er noch eine gute Fahrt und legte den Hörer auf.

Er begann wieder mit seinem Stuhl zu wippen.

Gerichtsmedizin, schoss es ihm plötzlich durch den Kopf. „Irgendwo muss ich doch diese Nummer …", murmelte Kluftinger vor sich hin und öffnete eine Schreibtischschublade. Er musste die angebrochene Keks-Schachtel zur Seite schieben, um den Blick auf den Haufen Papier freizubekommen, den er seine „Adressensammlung" nannte. Dutzende Visitenkarten lagen zwischen handgeschriebenen Zetteln und Computerausdrucken mit wichtigen Nummern. Kluftinger war selbst erstaunt, wie schnell er die richtige Notiz fand. Ich muss das unbedingt mal ordnen, dachte er sich – wie jedes Mal –, als er die Schublade wieder schloss.

Das Telefongespräch mit dem Gerichtsmedizinischen Institut in München dauerte kaum länger als seine Suche nach der Telefonnummer. Der Bericht werde wohl heute Abend noch vorliegen, hörte Kluftinger, die Leiche könne dann freigegeben werden für die Beerdigung, die bereits vermutete Todesursache werde sich wohl bestätigen.

Kluftinger brachte dieses Gespräch nicht mehr als die Erkenntnis, dass die Kollegen ziemlich fix gearbeitet hatten; er vermutete, dass von anderer Stelle, möglicherweise mit niederbayerischem Akzent, Druck gemacht worden war.

Kluftinger wippte.

Irgendwas wollte er doch noch … genau, Wachters Wohnung. Das hatte er sich ja schon gestern vorgenommen. Weil Sandy gerade nicht da war, kritzelte er „Bin Tatort" auf einen Zettel, legte ihn ihr auf den Schreibtisch und verließ eilig die Inspektion. Diesmal nahm er seinen eigenen Wagen.

★★★

Er hatte ein komisches Gefühl, als er das polizeiliche Siegel aufbrach und die Tür zu Wachters Wohnung öffnete. Kluftinger sah sich, bevor er das Haus betrat, nach allen Seiten um, fast als würde er etwas Verbotenes tun. Er war ein wenig erleichtert, als die Tür hinter ihm ins Schloss fiel. Er atmete vorsichtig durch die Nase ein. Es roch neutral, stellte er beruhigt fest. So neutral jedenfalls, wie eine fremde Wohnung eben riechen konnte. Er hatte sich oft gefragt, wie seine Wohnung wohl roch. Man selbst konnte das ja nicht wahrnehmen, aber immer wenn man in ein fremdes Haus kam – und sein Beruf brachte es mit sich, dass das ziemlich häufig passierte –, nahm man einen ganz speziellen, einzigartigen Geruch wahr. Und nur in den seltensten Fällen war der von vornherein angenehm. Man brauchte immer eine Weile, um sich daran zu gewöhnen.

Hier fiel es ihm komischerweise leicht.

Wachters Haus roch neutral, nein sogar freundlich, irgendwie frisch. Jedenfalls ganz und gar nicht nach Leiche.

Das Nichtvorhandensein dieses „Dufts" machte Kluftinger ruhig und selbstsicher. Langsam ging er durch den Hausgang auf die Wohnzimmertür zu, ließ seinen Blick schweifen. Sein Urteil, das er sich am Mordabend gebildet hatte, bestätigte sich: Er fand Wachters Wohnung sehr geschmackvoll. Hell und einladend, die Wände in erdigen Tönen gestrichen. Kluftinger dachte, dass er das bei sich zu Hause auch so machen könnte. Früher hatte man eben automatisch zur Raufasertapete gegriffen und sein Vater hätte ihn wahrscheinlich sofort in Handschellen gelegt, wenn er ihn dabei erwischt hätte, wie er die Wohnung in Erdtönen streicht. Aber inzwischen ist man da ja viel toleranter, dachte er. Er nahm sich vor, bald mit seiner Frau über eine mögliche Farbveränderung zu sprechen – sobald sie wieder mit ihm sprechen würde.

Kluftinger schüttelte die Gedanken ab. Er wollte sich jetzt ganz auf den Tatort konzentrieren. Das war eine seiner Stärken: dass er die Orte „lesen" konnte, wie einmal ein Vorgesetzter nach einer aufgeklärten Diebstahlserie zu ihm gesagt hatte. Er hoffte, dass das auch heute wieder funktionieren würde.

Als er die Tür zum Wohnzimmer öffnete, zögerte er ein wenig, bevor er eintrat. Er sah auf den leeren Fleck, wo vor zwei Tagen noch die Leiche gelegen hatte. Eine Gänsehaut huschte über seinen Arm, obwohl es ein recht warmer Sommertag war. Gerade durch ihre Abwesenheit schien die Leiche besonders präsent zu sein. Kluftinger ging zum Sofa, zögerte kurz und setzte sich dann in einen Sessel gegenüber der Couch. Er blickte sich um. Was war passiert, fragte er sich immer wieder. Er versuchte, aufgrund der spärlichen Fakten, die sie bereits hatten, einen Tathergang zu konstruieren. Er blickte zum Esstisch. Vor seinem geistigen Auge erschien Wachter, wie er am Tisch sitzt, einen Kaffee vor sich, und in sein Hörnchen beißt. Die Allgäuer Zeitung liegt vor ihm auf der Tischplatte. Er fragte sich, was wohl das Letzte war, das er in seinem Leben gelesen hatte. Der Wetterbericht? Die Börsenkurse? Oder gar die Todesanzeigen? Er versuchte sich vorzustellen, was er gerne als letzte Information aufnehmen würde, wenn er wüsste, dass es mit ihm zu Ende geht. Aber Wachter wusste es nicht.

Es klingelt. Kluftinger stellte sich einen melodiösen, mehrstimmigen Klingelton vor. Er nahm sich vor, nachher noch auszuprobieren, ob er damit Recht hatte. Wachter geht zur Tür und öffnet. Wer steht draußen? Ein Bekannter? Ein Freund? Jedenfalls lässt Wachter ihn rein.

Es muss ein Mann gewesen sein, dachte sich Kluftinger. Alles andere würde ihn sehr überraschen. Und das nicht nur, weil laut Statistik die meisten Gewaltverbrecher Männer sind. Wachter war nicht gerade schmächtig; es bedurfte schon einer gehörigen Portion Kraft, ihn mit der Vorhangschnur zu erledigen. Aber vielleicht konnte sich der Kommissar einfach nur nicht vorstellen, dass eine Frau zu einer solchen Tat fähig gewesen wäre.

Sie gehen zusammen ins Wohnzimmer. Setzen sich vielleicht auf die Couch. Kluftinger blickte auf die Sitzecke gegenüber. Wachter und der Mann ohne Gesicht unterhalten sich. Es kommt zum Streit, die beiden stehen auf, gestikulieren wild.

„Du hattest nicht vor, ihn umzubringen", sagte Kluftinger laut und nickte dabei. „Du hattest keine Waffe dabei." Vielleicht wollte der Gesichtslose über etwas Bestimmtes reden, Wachter zu etwas bewegen. Aber offenbar hatte er keinen Erfolg.

Es folgt ein Handgemenge, ein Schlag mit einem Gegenstand oder ein harter Aufprall auf der Erde, Wachter geht zu Boden. Was jetzt passiert, macht aus dem Besucher einen kaltblütigen Mörder, auch wenn er das ein paar Sekunden vorher noch nicht vorhatte. Er sieht sich um, greift sich die Schnur, die auf dem Wohnzimmertisch neben den Vorhängen liegt, schlingt sie mehrmals um Wachters Hals und zieht zu. Wachter bäumt sich auf, taumelt, reißt Bücher aus dem Schrank, fegt Zeitschriften vom Tisch, aber er hat keine Chance.

Kluftinger schauderte bei der Vorstellung. Irgendetwas zwischen den beiden Menschen hatte den einen an diesem Vormittag zu einem Mörder und den anderen zu seinem Opfer gemacht. Aber was? Er hatte keine Antwort darauf. Dennoch hatte er das Gefühl, klarer zu sehen. Die Tatsache, dass der Mörder die Vorhangschnur benutzt hatte, schien ihm auf einmal gar nicht mehr so abstrus und abwegig wie noch vor zwei Tagen. Sie lag eben griffbereit. Und Wachter war bereits angeschlagen.

Aber was geschah nach dem Mord? In der Wohnung fehlte nichts. „Du bist weggerannt", sagte er wieder laut. Natürlich, das passte zusammen. Die Tür stand offen, als er kam, hatte Bartsch gesagt. Vermutlich war der Mörder verstört, wollte weg.

Kluftinger sah zum Tisch mit den Vorhängen hinüber. Irgendetwas irritierte ihn. Plötzlich schlug er sich mit der flachen Hand gegen die Stirn, zückte sein Handy und wählte die Nummer des Präsidiums. Sandy meldete sich. „Der Maier oder der Strobl sollen unbedingt sofort in Erfahrung bringen, ob der Wachter eine Haushälterin oder Putzfrau hatte." Als er seinen Befehlston bemerkte, schob er noch ein „Bitte, Frau Henske, wären Sie so nett, das den beiden schleunigst auszurichten?" nach.

Dass ihm das nicht gleich aufgefallen war! Nach allem, was er über den Toten wusste, hätte es ihn schwer gewundert, wenn er seine Vorhänge selbst aufgehängt hätte. Und auch die Wohnung sah so sauber aus, dass er sich kaum vorstellen konnte, dass Wachter, bei dem Geld, das er offenbar hatte, selbst zum Spültuch griff. Da er auch keine Frau mehr hatte, jedenfalls nie lange, wie ihm alle, mit denen er sprach, versicherten, lag dieser Schluss nahe. Sollte es eine Putzfrau geben, könnte die vielleicht wichtige Hinweise geben. Vielleicht fehlte ja doch etwas in der Wohnung.

Der Kommissar stand auf und ging rasch zur Tür. Als er schon fast auf der Straße angelangt war, machte er noch einmal kehrt. Er stellte sich ganz nah an die Haustür und drückte den Klingelknopf. Drinnen ertönte ein sonorer, mehrstimmiger Dreiklang.

Mit einem Lächeln ging Kluftinger zu seinem Wagen.

★★★

Es war Nachmittag geworden, ohne dass Kluftinger dies richtig gemerkt hatte. Offenbar hatte er sehr viel Zeit in der Wohnung von Wachter verbracht. Als er im Auto saß, beschlich ihn ein leises Hungergefühl, das sich auf dem Weg nach Kempten zu einem ordinären Kohldampf ausgeweitet hatte. Wie ferngesteuert bog Kluftinger am Eisstadion ab und hielt vor einem Imbisswagen. Er hatte nicht darauf geachtet, was es für ein Wagen war, für ihn zählte jetzt nur die schnelle Nahrungsaufnahme. Doch als er vor dem kleinen, dunkelhaarigen Mann mit der weißen Schürze stand, der ihn erwartungsfroh anlächelte, zuckte er zusammen. Ausgerechnet ein Dönerstand. Priml, dachte er. Ein riesiger Fleischberg drehte sich in der hinteren Ecke des Wagens, in der Auslage glänzten Artischocken und Tomaten, Schafskäse und Peperoni. Doch jetzt gab es kein Zurück mehr. Nicht nur, dass der immer noch freundlich lächelnde Mann es sicher als eine grobe Unhöflichkeit empfunden hätte, wenn er einfach auf dem Absatz kehrt gemacht hätte. Es wäre ihm selbst auch furchtbar peinlich gewesen.

Also sagte er, als hätte er sich den ganzen Tag schon darauf gefreut: „Einen Kebab bitte."

Die Frage „Mit allem?" erwischte ihn noch einmal kalt. Überrumpelt sagte er „Ja, bitte" und sah dann apathisch dem Mann im Wagen zu, wie er aus einem großen blauen Plastiksack ein Viertel eines Fladenbrotes zog, es in eine Mikrowelle steckte und dann mit einem großen elektrischen Rasierapparat vom Fleischspieß dünne Locken abschnitt. Es war einer dieser Pressfleisch-Spieße, darüber hatte Kluftinger einmal gelesen. Kein sorgfältig aufgefädeltes, geschnittenes Fleisch mit Tomate und Zwiebel obenauf, sondern ein unförmiger Kloß aus einer Masse, die ihn an Leberkäse erinnerte. Leberkäse! Was würde er jetzt für eine Leberkäs-Semmel geben.

Stattdessen wurde das Brot, das der Mann inzwischen mit dem Fleisch gestopft hatte und in das er nun unaufhörlich allerlei Gemüse schaufelte, immer größer. Kluftinger hatte schon Döner gegessen, so war es nicht. Eine Zeitlang gab es zu Hause welchen, als sein Sohn, Freund internationaler Snacks, noch bei ihnen wohnte. Wenn Frau Kluftinger in der Stadt war und sich in der Zeit verschätzt hatte, brachte sie schon mal drei Döner mit, zur Freude ihres Sohnes und zum Missfallen ihres Gatten. Der zerlegte ihn dann stets auf dem Teller und aß ihn in seinen Einzelteilen, das Brot extra dazu.

Doch dieser Döner kam am Stück. Der Mann hatte ihn noch mit einer roten Würzmischung versehen und mit den Worten „Scharf gut bei Hitze" über den Tresen gereicht. Kluftinger bedankte sich. Da er nicht wusste, wie er sein Essen heil im Auto bis zum Präsidium transportieren sollte, gesellte er sich an einem Stehtisch mit Sonnenschirm zu zwei türkischen Bauarbeitern, die offenbar ebenfalls eine verspätete Mittagspause hielten.

Er nahm einen Bissen und lächelte den beiden dabei zu. Sofort stiegen ihm die Tränen in die Augen: Jesses, war das scharf. Kluftinger schnappte unwillkürlich nach Luft, was seine Tischgenossen mit heiserem Gelächter quittierten. „Scharf gut bei Hitze", sagte einer. Kluftinger nickte und biss noch einmal ab, als wollte er zeigen, dass ihm die Schärfe nichts anhaben konnte. Dabei sammelte sich etwas von der weißen Joghurtsoße unten an seinem Döner und tropfte ihm großzügig auf die Hose. „Kruzitürken" entfuhr es dem Kommissar. Erschrocken blickte er auf: Dieser Fluch war hier denkbar fehl am Platze. Doch seine Tischgenossen lachten nur. Jetzt schmeckte ihm sein Essen nicht mehr. Er warf den Rest eilig in den Abfalleimer und hastete zu seinem Wagen. Die beiden Männer sahen ihm grinsend nach. Kluftinger ließ den Motor an und startete so schnell durch, dass die Reifen quietschten. Erst als der Imbissstand nicht einmal mehr im Rückspiegel zu erkennen war, atmete er auf. Peinliche Situation. Er würde versuchen, sie schnellstmöglich aus seinem Gedächtnis zu streichen.

★★★

Noch immer leicht errötet ging Kluftinger die Treppe hoch, die in sein Büro im zweiten Stock führte. Frau Henske, die damit beschäftigt war, Reisekostenabrechnungen in ihren PC einzugeben, sah kurz auf, grüßte, als ihr Vorgesetzter den Raum betrat, und wandte sich gleich wieder ihrer Arbeit zu. Der Kommissar trat näher.

„Frau Henske, wenn Sie bitte die beiden Töchter noch einmal anrufen würden und ihnen sagen, dass sie schleunigst herkommen sollen …"

Frau Henske sah ihn verwundert an. „Bitte was? Entschuldigen Sie …"

Sie war so in ihre Abrechnungen vertieft gewesen, dass sie nur noch das letzte „sollen" wahrgenommen hatte. Kluftinger wiederholte seine Bitte und fügte hinzu, er wolle Maier kurz sprechen.

„Ja, natürlich, Herr Kluftinger."

Als der Kommissar sich in sein Büro zurückziehen wollte, streckte Sandy ihm noch ihre Dose mit den Pfefferminzbonbons entgegen.

„Die sind gut gegen Knoblauch …", sagte sie mit einem so einnehmenden Lächeln, dass Kluftinger nichts übrig blieb, als es zu erwidern und sich zwei der Pastillen zu nehmen.

Ein paar Minuten später klopfte es und die beiden jungen Damen wurden von Frau Henske in Kluftingers Büro geführt. Diesmal wollte er das Gespräch in der Sitzecke führen, wo er mit den beiden Töchtern Platz nahm.

Theresa Ferro saß Kluftinger nun zum ersten Mal gegenüber. Sie hatte zwar in den Gesichtszügen Ähnlichkeit mit ihrer älteren Schwester, wirkte aber völlig anders als sie. Sie war zierlicher und machte einen zerbrechlichen Eindruck. Ganz in Schwarz gekleidet war sie viel stärker als Julia Wagner von der Trauer um ihren Vater gezeichnet. Sie hatte lange, hochgesteckte braune Haare und ihre braunen Augen trugen dunkle Schatten. Ihren fast knochigen Körper bedeckte eine weite Pluderhose aus Leinen, zu der sie ein schwarzes schillerndes Seidenhemd trug. Ein großes Tuch war um ihre Schultern gelegt. Das einzig Farbige an ihrer Erscheinung waren große grüne Kupferohrringe in Vogelform, die etruskische Muster zierten. Kluftinger kannte die etruskische Kunst, seit ihn seine Frau zu dieser einwöchigen Toskanareise im Bus überredet hatte, bei der die Reiseführerin immer wieder auf die „fantasmagorische etruskische Kunsthandwerkung" hingewiesen hatte. An Theresas Brust fand sich dasselbe grüne Vogelmotiv als Brosche. Kluftinger fiel auf, dass die Vögel jedoch rote, funkelnde Steine als Augen hatten. Er wusste, dass sie unter anderem auch Schmuck entwarf, und nahm an, dass diese Stücke von ihr stammten.

Während ihre Schwester neben ihr wieder ein dunkles Business-Kostüm trug, merkte man Theresa ihre Künstlernatur an. Ihre Haare waren mit einer groben, vermutlich ebenfalls selbst entworfenen Holzspange völlig chaotisch und zufällig an ihrem Hinterkopf verankert und ihre Kleidung wirkte wie das, was Kluftinger von – wenn er gehässig war, nannte er sie so – den „Öko-Weibern" kannte. Jedes Jahr im Herbst, zum alternativen Markt, fielen besonders viele von ihnen in seinem Dorf ein. Vermutlich, um dort ihre Garderobe zu erweitern und ihren Jahresbedarf an Räucherstäbchen zu decken. Auf Theresa Ferro passte dieses „Öko-Weib-Klischee" dennoch nicht ganz, aber ihre alternative Lebensweise schien sich zumindest ein bisschen in ihrer äußeren Gestalt zu manifestieren.

„Willkommen im Allgäu, Frau Ferro, meine aufrichtige Anteilnahme", sagte Kluftinger und fügte hinzu, dass er leider nicht umhin könne, auch ihr einige möglicherweise lästige Fragen zu stellen.

„Theresa, welches Verhältnis hatten Sie zu Ihrem Vater?"

„Papa", sie betonte das Wort italienisch auf der ersten Silbe, „war für mich … er war für mich die Familie." Kluftinger blickte bei diesem Satz zu ihrer Schwester, konnte aber keine Reaktion feststellen.

„Alles, was mir noch geblieben war, nachdem meine Mutter nach ihrer Scheidung nach Südamerika gegangen war. Von ihr hörte man nur noch aus Briefen, die sie uns schrieb. Nach und nach wurden diese Briefe weniger und schließlich schlief der Kontakt ganz ein."

„Das heißt, Sie wissen nicht, wo Ihre Mutter gerade lebt und wie es ihr geht?", hakte Kluftinger ein.

„Nein, ich weiß nur, dass sie einen Mann gefunden hat, der in Ecuador in einer Art Kommune lebt, die alle Kontakte zur

Außenwelt ablehnt. Aus ihren Briefen wurde nach und nach klar, dass auch sie sich sehr verändert hat", antwortete Theresa.

„Und Ihr Vater kümmerte sich weiter um Sie?"

„Wissen Sie, ich war ja beinahe erwachsen. Papa verstand mich immer. Mit ihm konnte ich über alles reden, auch wenn er oft nur an den Wochenenden zu Hause war. Er verwöhnte uns immer mit Geschenken. Er war der großzügigste Vater, den man sich vorstellen kann." Kluftinger bemerkte, dass Theresas Augen feucht wurden.

„Er ermöglichte mir nach der Schule mein Kunststudium in Florenz. Immer wieder besuchte er mich in Italien, und als ich Giuseppe kennen lernte, gab er uns ohne mit der Wimper zu zucken hundertfünfzigtausend Mark, damit wir unser altes Bauernhaus kaufen konnten. Wissen Sie, ich brauche viel Platz für mein Atelier. Und als wir zuerst Schwierigkeiten hatten, von unserer Kunst zu leben, unterstützte er uns, wo er nur konnte. Er war so liebevoll zu Carla und dem kleinen Enzo. Das sind meine Kinder, Herr Kommissar. Er blühte richtig auf, bekam ein Leuchten in den Augen, wenn er seine zwei ‚Engelchen', wie er immer sagte, sah. Er war ein so stolzer und liebevoller Großvater."

Kluftinger hatte beobachtet, wie Julia Wagner schon seit einer Weile unruhig in ihrem Sessel hin und her gerutscht war, nun hielt sie nichts mehr.

„Ein liebevoller Großvater, ja? Der großzügigste Vater, den man sich vorstellen kann? Theresa, du bist so naiv wie eh und je", sprudelte es aus ihr heraus. „Er hat deine Zuneigung mit seinem Geld gekauft, nachdem er erkannt hatte, dass ihm das bei Mutter und bei mir nicht mehr gelingt. Du warst immer die kleine naive Träumerin und er wusste, dass du ihn nicht durchschauen würdest."

Theresa hatte Tränen in den Augen und schrie ihrer Schwester entgegen: „Ihr wart immer nur gemein zu Papa, du und Mutter. Er hat Tag und Nacht gearbeitet, um uns dieses Leben zu ermöglichen, und ihr habt das nie gewürdigt. Mama hat ihm jeden Tag vorgeworfen, dass er ein Versager sei, als wir ins Allgäu ziehen mussten, weil sie Vater in der Firma so betrogen hatten.

Er hat trotzdem alles für uns getan. Und Mutter ließ sich dann noch von ihm scheiden, weil er ihr nicht mehr gut genug war."

„Nicht gut genug? Ihre Ehe bestand nur noch aus Lügen unseres Vaters. Er hat sie hinten und vorne betrogen und sie vor unseren Augen gedemütigt! Hast du mit deinem Kunstkram denn jeglichen Bezug zur Realität verloren? Komm erst mal wieder zurück ins echte Leben, Schwesterchen! Du hast das alles nicht mitbekommen, damals, weil du dich nur mit Kunst und Bildchenmalen beschäftigt hast. Du warst das verwöhnte Püppchen auf Wolke sieben!"

Es war an der Zeit, dass Kluftinger eingriff, um das Gespräch wieder in einigermaßen überschaubare Bahnen zu lenken. Er hatte wieder bei der Passage mit dem Umzug ins Allgäu gestutzt. Theresa hatte gesagt, ihre Mutter hätte Wachter immer wieder als Versager bezeichnet. Er bohrte nach.

„Frau Ferro, was genau wissen Sie über den Bruch in der Karriere Ihres Vaters?"

„Ich bin mir nicht sicher", sagte Theresa, bei der nun die Trauer den Zorn gegen ihre Schwester wieder überwog. „Papa sagte zu mir nur immer, dass sie ihn in der Firma betrogen hätten, und er könne und wolle da um keinen Preis mehr arbeiten, weil sie ihn so hintergangen hätten."

„Siehst du? Er hat dich nur belogen, und du hast es ihm geglaubt, du warst ja sein Prinzesschen. Herr Kluftinger", Julia Wagner wandte sich an den Kommissar, „ich kann Ihnen nicht genau sagen, was damals vorgefallen ist, aber ich bin mir sicher, dass Vater die Hauptschuld trug. Wäre er ungerecht behandelt worden, hätte er sich das sicher nicht gefallen lassen. Er war keiner, der den Schwanz gleich einzieht. Ich kann es Ihnen wirklich nicht sagen, darüber sprach meine Mutter nicht einmal mit mir, aber ich glaube, Vater hatte sich mit seinen Chefs angelegt." Plötzlich stockte Julia Wagner in ihrer Ausführung. Irgendwie schien es dem Kommissar, als bereute sie ihre Äußerungen bereits wieder. Es wirkte, als wolle sie nun ihre Fassung, die sie kurzzeitig verloren hatte, wiederfinden. Mitten in diesen Versuch platzte Theresa mit ihrer Gegenrede:

„Julia, du bist so ungerecht und herzlos! Wie kannst du jetzt so über Papa reden? Du bist noch immer neidisch, weil er mich dir vorzog. Das geschah aber nur, weil ich die Einzige in der Familie war, die ihn verstanden hat. Und die ihn geliebt hat. Für euch, Mutter und dich, war er doch nur der Idiot, der für euren Unterhalt zu sorgen hatte! Du bist noch immer die gleiche kalte und berechnende Ziege wie …"

An dieser Stelle unterbrach Julia Wagner die beinahe hysterisch wirkenden Ausführungen ihrer Schwester, offenbar, weil sie ihre Fassung wiedergefunden hatte.

„Theresa, beruhige dich. Du bist angegriffen und mitgenommen, lass uns jetzt gehen. Du sagst Sachen, die du nicht ernst meinen kannst. Der Kommissar hat sicher Verständnis dafür, nicht wahr, Herr Kluftinger, Sie sehen, meine Schwester ist außer sich."

Kluftinger merkte nun, dass die für ihn günstigste Zeit der Unterredung vorbei war. Julia Wagners Raison hatte wieder die Oberhand gewonnen und würde das Gespräch stärker kontrollieren. Wenn er mehr über den Bruch in Wachters Berufsleben erfahren wollte, würde sich das Kriminalerteufelchen auf seiner linken Schulter noch einmal vertrösten lassen müssen. Kluftinger gab sich also dem Engelchen auf der rechten Schulter geschlagen, verabschiedete die beiden Schwestern mit der Ankündigung eines weiteren Gesprächs und machte sich nach kurzer Zeit auf den Heimweg, nicht ohne Maier nochmals auf seinen Auftrag hinzuweisen, etwas über die Haushälterin zu erfahren. Im Eifer des Gefechts hatte er nämlich vergessen, Wachters Töchter zu fragen, ob ihr Vater jemanden beschäftigt hatte, der ihm den Haushalt machte.

***

Als Kluftinger am nächsten Morgen ins Präsidium kam, wartete zur Abwechslung einmal eine positive Überraschung auf ihn. Er hatte Recht gehabt: Wachter hatte eine Haushälterin. Sie hieß Elfriede Sieber, war 71 Jahre alt und wohnte in Kimratshofen. Maier hatte gestern Abend noch ihre Adresse herausbekommen und wollte es Kluftinger heute Früh voller Stolz erzählen. Als er jedoch ins Präsidium gekommen war, war Frau Sieber schon da gewesen. Sie hatte aus der Zeitung erfahren, was passiert war. Entsprechend sauertöpfisch guckte Maier drein, als Kluftinger ins Büro trat.

„Morgen."

„Morgen."

Maier sah Kluftinger an. „Gibt's was?", fragte der.

„Ja, die Haushälterin ist da."

„Von Wachter?"

„Genau die."

„Hast du die aufgetrieben?", fragte Kluftinger und schon in der Frage lag Anerkennung.

„Ja und nein", wand sich Maier, der das Lob seines Chefs nicht kampflos aufgeben wollte. „Es war so …", setzte er an, wurde jedoch von Kluftingers „Ist ja auch wurscht. Soll schleunigst reinkommen", unterbrochen.

Mit gesenktem Kopf zog Maier ab und kam mit einer einfach, aber ordentlich gekleideten Frau zurück. Sie hatte einen Mantel an, das fiel Kluftinger zuerst auf, denn an diesem Morgen war es sehr schwül und er konnte sich nicht vorstellen, wie jemand freiwillig in einem solchen Aufzug erscheinen konnte. Vielleicht lag es daran, dass sie mit dem schwarzen Mantel ihre Trauer ausdrücken wollte, denn das Kleid, das sie darunter trug, war aus grobem, blauem Stoff. Sie hatte die Haare hochgesteckt und prüfte noch einmal ihren Sitz, als sie auf Kluftinger zukam.

Elfriede Sieber gab dem Kommissar die Hand und blickte dabei so traurig drein, dass er ihr, ohne es eigentlich zu wollen, „Mein Beileid" wünschte. Sie bedankte sich, als sei es selbstverständlich, auch der Haushälterin eine Trauerbezeugung zukommen zu lassen.

„Ich hab's heute erst gelesen und bin dann gleich mit dem Bus hergekommen", fing Frau Sieber an zu erzählen, ohne dass Kluftinger ihr noch irgendeine Frage gestellt hätte.

Er warf Maier einen Blick zu, woraufhin dieser mit den Schultern zuckte. Sie war also von selbst gekommen. Vielleicht war die Idee, den Mord erst einen Tag später an die Medien zu geben, doch nicht so gut gewesen. Dann hätten sie sie vielleicht schon gestern oder gar vorgestern auf dem Revier gehabt. Aber andererseits war es sicher auch eine gute Entscheidung gewesen: So hatten sie genügend Zeit, sich zu überlegen, was sie der Presse mitteilen wollten. Wer weiß, vielleicht hätte einer in der Hitze des Gefechts eine unbedachte Äußerung getan. Und womöglich noch die genaue Todesursache verraten. Das war Kluftingers Alptraum. Wenn das mit der Vorhangschnur rauskommen würde, hätten sie sicher keine ruhige Minute mehr. Er hatte das schon erlebt, bei Freunden in benachbarten Revieren. Da standen auf einmal sogar Bild-Zeitung und RTL und so weiter vor der Tür. Das wollte er vermeiden. Deswegen hatten sie im täglichen Pressebericht der Polizei am Dienstagabend nur eine kleine Meldung zwischen einem Fahrraddiebstahl und einem Einbruch versteckt, die besagte, dass ein Mann ermordet worden sei.

Natürlich hatten die Leute von der Presse gleich nachgehakt, so leicht konnte man die nicht abspeisen. Jedenfalls die von der Zeitung nicht. Die Fernsehleute würden sich mit einem kurzen Interview zufrieden geben, ebenso die vom Radio, das wusste Kluftinger. Aber der Lokalchef der Zeitung rief schon wenige Minuten, nachdem der Pressebericht verschickt worden war, bei ihm an. Nein, wir wissen noch nichts Genaues über die Todesursache. Nein, wir haben noch keinen Verdächtigen, ließ sich Kluftinger jede Information mühsam aus der Nase ziehen. Auch wenn er eigentlich immer ein gutes Verhältnis mit den Herrschaften von der Presse gepflegt hatte: In diesem Fall wollte, musste er Ruhe haben. Deswegen nur diese spärlichen Informationen. Die hatten eh schon ausgereicht, um heute ganz groß im Allgäu-Teil der Zeitung zu erscheinen. Im Radio lief es noch am Vorabend. Mit einem kurzen, unkommentierten Interview mit dem Kommissar. Wie er es vermutet hatte. Wenigstens die überregionalen Medien hatten sich noch nicht dafür interessiert. Er hoffte, dass das noch möglichst lange so bleiben würde.

Kluftinger konzentrierte sich jetzt wieder ganz auf die Frau, die ihm gegenüber saß. Und das war nicht leicht, denn obwohl er ihr noch keine Frage gestellt hatte, redete sie ohne Unterlass.

Wie gern sie doch bei Philip Wachter gearbeitet habe, wie sehr sie seine korrekte Art geschätzt habe, wie wenig sie im Haus habe machen müssen, weil er doch ein so ordentlicher Mensch gewesen sei. Kluftinger hatte Mühe, sein Lachen zu unterdrücken, als sie ihm dann noch ihr Alibi für die Tatnacht lieferte: Sie sei wie jeden Montagmorgen in der Frühmesse gewesen und dann habe sie für ihre kranke Schwester eingekauft, mit der sie zusammenlebe und die fast taub sei und deswegen nicht selbst … „Wieso sind Sie denn nicht zum Haus von Herrn Wachter gefahren?", unterbrach sie Kluftinger ungeduldig.

„Na, ich bin immer nur in der zweiten Wochenhälfte bei ihm gewesen. Er hat das so gewollt, wissen Sie", sagte sie und fügte dann misstrauisch hinzu: „Aber Sie glauben doch nicht, dass ich etwa …"

„Nein, das glaube ich nicht", seufzte der Kommissar.

Die weitere Vernehmung brachte keine neuen Hinweise für die Ermittlungen. Allerdings wollte Kluftinger unbedingt noch mit ihr zum Tatort fahren. Wenn jemand feststellen würde, dass etwas fehlte, dann doch wohl sie. Doch seine Hoffnung wurde enttäuscht. Elfriede Sieber fand alles so vor wie immer. Behauptete sie jedenfalls. Kluftinger fuhr sie missmutig nach Hause.

★★★

Als sich Elfriede Sieber am nächsten Tag für die Beerdigung ihres ermordeten Arbeitgebers fertig machte, wusste sie noch nicht, dass sie an diesem Tag dem Fall eine entscheidende Wendung geben sollte. Die Vorbereitung auf den Trauerakt lief ganz normal ab. Frau Sieber hatte darin eine gewisse Routine entwickelt im Laufe der Jahre. Die Beerdigungen häuften sich. Viele ihrer Bekannten und auch einige Freundinnen waren bereits „gegangen", wie sie sich ehrfürchtig ausdrückte. Während die meisten anderen Frauen in ihrem Alter Totenfeiern mieden, ging sie sehr gerne auf Beerdigungen. Sie wusste nicht warum, hatte auch nie darüber nachgedacht. Möglicherweise würde ein Psychologe sagen, dass sie sich im Angesicht des Todes anderer Menschen besonders lebendig fühlte. Aber Elfriede Sieber wusste nichts von Psychologen und sie hatte auch nicht vor, das zu ändern.

Vielleicht mochte sie die Beerdigungen auch nur, weil sie meist in einem gemütlichen Kaffeekränzchen endeten. Für viele war dieser so genannte „Leichenschmaus" eine perverse Sitte, aber im Allgäu war das nun mal so Brauch. Und meist waren die Toten ja nicht überraschend aus dem blühenden Leben gerissen worden. Oft lag jahrelanges Siechtum hinter ihnen. Wenn sie ihre Freundinnen am Grab traf, sagte sie häufig: „Es war sicher besser für sie" – oder für ihn, je nachdem, wer zur letzten Ruhe gebettet wurde – und erntete dafür ein verständnisvolles Kopfnicken. Ja, sie wusste, für wen es besser war. Und das waren eigentlich so ziemlich alle, denen sie in den letzten Jahren Weihwasser ins offene Grab gespritzt hatte. Bis auf ihren Mann vielleicht. Obwohl auch er sehr lange mit seinem Lungenkrebs zu kämpfen gehabt hatte und am Schluss nur noch ein Schatten seiner selbst war, konnte der Satz sie in diesem einen Fall nicht so recht überzeugen. Auch wenn ihn ihr viele in dieser Zeit mit auf den Leidensweg gaben: „Er hat jetzt wenigstens keine Schmerzen mehr. Es war besser für ihn." Vielleicht hatten sie Recht, aber es war ganz sicher nicht besser für sie gewesen. Auch der Leichenschmaus schmeckte ihr damals nicht besonders und es lag nicht nur daran, dass sie ihn selbst bezahlen musste.

Doch diesmal war es ganz anders. Wachter war tot und er war zu jung gewesen. Und dann war er auch noch ermordet worden. Elfriede Sieber schüttelte es bei dem Gedanken, als sie sich ihr dunkelblaues Kleid für die Beerdigung zurecht zupfte. Sie würde wieder ihren schwarzen Mantel tragen müssen, denn sie besaß kein schwarzes Kostüm. Obwohl sie auf so viele Beerdigungen ging, hatte sie sich das nie leisten wollen. Dafür hatte sie ja ihren schwarzen Mantel. Und der Himmel zeigte sich heute wolkenverhangen, sodass es sicher nicht verkehrt war, mit einem Mantel ausgerüstet zu sein.

Sie ging die mit dickem Teppich ausgelegten Treppen hinab ins Wohnzimmer, wo ihre Schwester wie immer auf der Couch saß und den Fernseher auf volle Lautstärke gestellt hatte.

„Jetzt mach doch mal leiser, ich versteh ja mein eigenes Wort nicht mehr", rief sie, doch ihre Schwester reagierte nicht.

„Leiser", rief sie ihr direkt ins Ohr und jetzt hatte sie verstanden. Auch wenn sie schwerhörig war, schlecht gehen konnte und auch sonst manchmal eine große Last für Elfriede Sieber war, war sie froh, eine Familienangehörige bei sich zu haben. Nachdem ihr Mann vor vier Jahren gestorben war, war sie ganz allein. Kinder hatten sie keine. Irgendwann hatte sie sich dann entschlossen, ihre drei Jahre ältere Schwester aus dem Altenheim zu sich nach Hause zu nehmen. Besser als allein zu sein, dachte sie sich.

„Ich geh jetzt gleich zur Beerdigung", rief sie ihrer Schwester ins Ohr.

„Was ist?" Diese zwei Worte waren ihre Standardantwort auf so ziemlich jede Frage.

„Beerdigung. Friedhof. Hörst du, Cilly? Fried-hof!"

Ihre Schwester nickte und machte sich daran, aufzustehen.

„Nein. Ich geh zum Friedhof. Du bleibst da", rief sie und drückte Cilly wieder in die geblümte, beige-rot-grüne Couch, deren gepolsterte Lehnen mit geschwungenen Leisten aus Eiche umrandet waren.

„Was ist?"

Elfriede schüttelte nur den Kopf, drehte den Fernseher, in dem gerade irgendeine Talkshow lief, auf volle Lautstärke und drückte ihrer Schwester die Fernbedienung in die Hand. Solange der Fernseher lief, das wusste sie, würde ihre Schwester genau dort bleiben, wo sie war. Einmal, knapp zwei Jahre musste es inzwischen her sein, hatte sie sie gerade noch an der Bushaltestelle erwischt. Sie hatte sich mit ihrem Gehwägelchen selbst dorthin bewegt – die längste Strecke, die sie seit Jahren zurückgelegt hatte. Als sie Cilly wieder in der Wohnung hatte, bemerkte sie auch den Grund für ihren Ausflug: Die Bildröhre war schwarz gewesen und gab keinen Mucks mehr von sich. Von Cillys Ersparnissen hatten sie dann ein neues, zuverlässiges Gerät gekauft. Schließlich war gar nicht auszudenken, wo Cilly bei ihrer Busfahrt hätte landen können …

Ein Blick auf die Kuckucksuhr, ein Mitbringsel von ihrer

Hochzeitsreise in den Schwarzwald, zeigte ihr, dass es Zeit wurde. Sie ging nach draußen und sah auf den wolkenverhangenen Himmel. Zur Sicherheit nahm sich Elfriede Sieber noch einen Schirm mit, verschloss die Haustür zweimal und machte sich auf den Weg zur Bushaltestelle.

***

Zur selben Zeit trat auch Kluftinger nach draußen. Er nahm keinen Schirm mit. Zum einen, weil er nicht glaubte, dass es heute noch regnen würde, zum anderen – und das war der Hauptgrund –, weil er keinen gefunden hatte.

Er ging nur äußerst ungern auf Beerdigungen, aber in diesem Fall war es etwas anderes. Vielleicht würde er ja das eine oder andere nützliche Detail aufschnappen, dachte er, als er seinen Wagen aufschloss und sein Blick auf die Trommel fiel, die noch immer im Kofferraum seines Passats lag.

„Kruzines'n", fluchte er.

Ein Blick auf die Uhr sagte ihm, dass er das Aufräumen wohl auf nach der Beerdigung würde verschieben müssen. Er breitete aber eine Decke über die Trommel, denn irgendwie war es ihm peinlich, damit bei der Beisetzung vorzufahren.

Das einzig Gute an seinem Instrument war, dachte er, als er den Rückwärtsgang einlegte, dass sie bei Beerdigungen, wenn überhaupt, nur ein paar Bläser brauchten. Nach der Trommel hatte zu diesem Anlass noch nie jemand verlangt.

***

Elfriede Sieber öffnete das schwere Kirchenportal. Sie tauchte ihre Hand in den Weihwasserbehälter, bekreuzigte sich kurz und ließ den Blick schweifen. Sie betrat die Kirche immer von hinten, das ließ ihr genug Zeit, beim Nach-vorne-Gehen zu sehen, wer schon alles da war. Außerdem konnte sie sich so länger über ihre Platzwahl Gedanken machen. Sonntags, ja, sonntags war das gar kein Problem. Da hatte sie immer ihren Stammplatz. Fünfte Reihe links, Mittelgang.

Als ihr Mann noch lebte, saß er immer auf der rechten Seite des Mittelgangs, gleich „neben" ihr. Denn die Männer und die Frauen saßen getrennt. Links die Frauen, rechts die Männer. Jedenfalls bei den anständigen Paaren. Inzwischen gab es ja sogar Pärchen, die Händchen haltend in die Kirche kamen und sich zusammen in einer Reihe niederließen. Dann schüttelte Frau Sieber jedes Mal den Kopf. Wenn sie recht überlegte, war sie ihr ganzes Leben nie auf der rechten Seite der Kirche zu sitzen gekommen. Frauen saßen eben links, das war einfach so. Warum, das wusste sie auch nicht.

Elfriede Sieber schaute sich beide Reihen genau an. Heute gestaltete sich ihre Platzwahl schwieriger, denn bei Beerdigungen brachten die Familienmitglieder immer alles durcheinander. Sonst nie in der Kirche und dann für Tohuwabohu sorgen, dachte sie sich. Die ersten drei Reihen waren frei geblieben, dann sah sie die beiden Töchter, die sie von Bildern kannte. Rechts natürlich.

Es waren viele Menschen da, die sie aus Wachters Haus kannte. Arbeitskollegen, Freunde und Bekannte. Sogar der Bürgermeister war mit seinem Büroleiter da. Wachter war eben ein wichtiger Mann gewesen, dachte sie nicht ganz ohne Stolz. Im Augenwinkel nahm sie links eine Bewegung war. Lina Riedmüller, die sie vom Altennachmittag kannte, wollte sie zu sich herwinken. Unter normalen Umständen wäre Frau Sieber sicher zu ihr hingegangen, aber heute verschwendete sie daran keinen Gedanken. Sie stand dem Toten ja fast so nahe wie eine Verwandte, da konnte sie sich nicht einfach irgendwohin setzen. Sie nahm in der Reihe hinter den Töchtern Platz. Allerdings auf der linken Seite. Kaum hatte sie sich hingesetzt, nahm sie ihr Taschentuch heraus und schnäuzte laut hörbar hinein. Die Töchter drehten sich um, sie nickte ihnen mit tieftrauriger Miene zu.

***

Wenn ich sterbe, dann werde ich in meinem Testament verfügen, dass ein anderer Pfarrer die Totenmesse hält, dachte sich

Kluftinger während der Zeremonie. Er stand ganz hinten in der Kirche, gleich am Eingang. Nicht, dass es keine Plätze mehr gegeben hätte. Obwohl die Kirche für eine Beerdigung ungewöhnlich voll war – es waren viele Neugierige gekommen –, hätte er sich setzen können. Aber er wollte etwas Distanz zu der ganzen Veranstaltung bewahren und er hatte das Gefühl, dass ihm das im Stehen besser gelang.

Der Pfarrer hatte gerade seine Predigt begonnen. Predigt! Kluftinger fand, dass die Ansprache das Wort gar nicht verdiente. Er war nicht oft in der Kirche, aber doch häufiger als viele seiner Kollegen. Das brachte sein Engagement in der Musikkapelle so mit sich. Andauernd war irgendeine Fahnenweihe oder ein anderes „Großereignis", für das es sich den göttlichen Segen abzuholen galt. Aber Kluftinger machte das nichts aus. Er konnte in der Kirche gut nachdenken. Komischerweise aber nur, wenn Betrieb war. Er hatte auch schon versucht, wenn ihn ein Problem besonders belastete, einfach so in die menschenleere Kirche zu gehen, um sich darüber klar zu werden. Aber das hatte nie funktioniert.

Wenn aber der Altusrieder Pfarrer sprach, konnte er hervorragend abschalten. Was vielleicht daran lag, dass seine Predigten die letzten zehn, fünfzehn Jahre alle ähnlich klangen. Manchmal fing er mit einem aktuellen Aufhänger, etwa der Nahost-Problematik oder einer bestimmten Fernsehsendung, die kürzlich gelaufen war, an und früher war Kluftinger darauf auch noch reingefallen. Wurde plötzlich aus seinen Gedanken gerissen und hörte gespannt zu, was jetzt wohl käme. Aber sehr schnell verfiel der Pfarrer wieder in seinen inhaltsfreien Singsang. Kluftinger hatte auch als Einziger sein Geheimnis entdeckt: Der Pfarrer predigte nach der Kirchenuhr. Er hatte das mehrmals beobachtet und immer war es genau gleich gewesen. Er fing an zu predigen, ohne Konzept, und hörte immer kurz nach dem 11-Uhr-Läuten auf. Jedenfalls sonntags, bei der Halbelf-Uhr-Messe. Inzwischen war dieses Läuten auch für Kluftinger zu einer Art Signal geworden, dem Gottesdienst wieder zu folgen. So war es auch heute. Nachdem der Kommissar die ersten paar Worte der Predigt vernommen hatte und feststellte, dass der Pfarrer, wie immer, nicht fähig war, eine auf die Persönlichkeit des Toten zugeschnittene Ansprache zu halten, sondern ihn nur einmal kurz erwähnte, schaltete er innerlich ab.

Er ließ seinen Blick über die Trauergäste schweifen. Die beiden Töchter schienen jetzt nicht mehr so gefasst, wie er sie noch vor kurzem erlebt hatte. Vielleicht fuhr den beiden der Schock über den Tod ihres Vaters erst jetzt so richtig in die Glieder. Die beiden waren allerdings die Einzigen, die einen wirklich betroffenen Eindruck machten. Na ja, bis auf Elfriede Sieber vielleicht, die er in der Nähe der jungen Frauen erblickte.

Er sah Bartsch, der sich im stilvollen dunkelgrauen Zweireiher etwa in der Mitte der Kirche niedergelassen hatte; Schönmanger saß daneben, darauf folgte ein junger, ebenfalls sehr gut gekleideter, blonder Mann. Es war Schönmangers Sohn, den Kluftinger, soweit er sich erinnern konnte, noch nie in der Kirche gesehen hatte. Er sah auch einige fremde Gesichter – kein Wunder, wollten doch viele ihren Verwandten und Bekannten erzählen können, dass sie bei der Beerdigung eines echten Mordopfers waren, dachte Kluftinger bitter.

Sein Blick ging auf Wanderschaft, aber in Ermangelung weiterer interessanter Trauergäste richtete er ihn nach oben an die Decke des Kirchenschiffs. Die Gemälde faszinierten ihn immer wieder. Er konnte nicht sagen, ob es große Kunst war, was da in der Kirche zu sehen war, dazu verstand er zu wenig davon. Aber groß waren sie, so viel stand fest. Sein Blick blieb an einer Darstellung des Kirchenpatrons, des heiligen Blasius, hängen. Er beugte sich mit wallendem Gewand, Bischofsstab, Heiligenschein und zwei Kerzen zu einem Kind hinunter, das verstört aussah. Der Kommissar kannte die Geschichte: Blasius hatte das Kind mit einem Gebet vor dem Erstickungstod bewahrt. Er wurde von Soldaten abgeführt, der Junge drohte an einer Gräte zu ersticken. Das musste so im 4. Jahrhundert gewesen sein. In Religion war Kluftinger immer gut gewesen. Später wurde daraus dann ein Segen, bei dem der Pfarrer die Worte sprach „Auf die Fürsprache des heiligen Blasius bewahre dich der Herr vor Halskrankheit und allem Bösen."

Es war schon eine Ironie des Schicksals, dass Wachter ausgerechnet in dieser Kirche zu Grabe getragen wurde. Kluftinger
fragte sich, ob Wachter wohl jemals den Blasiussegen empfangen hatte. Und selbst wenn: Ob der auch gegen Strangulation
half, wagte Kluftinger zu bezweifeln. Als er bemerkte, dass er bei
dem Gedanken lächeln musste, vertiefte er sich schnell schuld-
bewusst in ein Gebet.

***

Als sich der Pfarrer auf den Weg nach draußen machte, nickte
ihm Elfriede Sieber dankbar zu. Es war wieder ergreifend
gewesen, fand sie, der Pfarrer hatte wie immer genau die richtigen Worte gehabt. Worte über Gott und Liebe und … na ja,
eben Worte, wie sie nur der Pfarrer fand. Sie ließ die beiden
Töchter des Toten vorbeiziehen und reihte sich dann sofort in
den Trauerzug ein. Als sie schon draußen waren, bemerkte sie
den Kommissar, in dessen Büro sie gestern noch die Aussage
gemacht hatte. Sie wollte ihn grüßen, aber er war in ein
Gespräch mit dem Bürgermeister vertieft. Gesenkten Hauptes
folgte sie dem Pfarrer ans Grab.

***

Als die Kirche zu Ende war, beeilte sich Kluftinger, als einer der
ersten nach draußen zu kommen. Zum einen wollte er vermeiden, dass ihn alle Trauergäste sahen, zum anderen wollte er gute
Sicht auf diejenigen haben, die bei der Zeremonie anwesend
waren. Als er durch das Portal auf den Friedhofsvorplatz trat,
hatte es gerade zu nieseln begonnen. Er stellte den Kragen seines Sakkos hoch. Seine Frau hätte das wahrscheinlich ziemlich
unpassend gefunden. Immer noch besser als nass zu werden,
dachte er sich hingegen.
Auf dem Vorplatz waren bereits einige Menschen zusammenge-
kommen, die zwar der Beerdigung beiwohnen, sich die Kirche
aber sparen wollten. Vermutlich kannten sie den Pfarrer.
Kluftinger erblickte ein paar betont elegant gekleidete Männer

und Frauen, von denen er annahm, dass sie zu Wachters Golf-freunden gehörten. Er nickte in die Runde, sein Gruß blieb jedoch unerwidert.

Plötzlich spürte Kluftinger eine Hand auf seiner Schulter. „Hab mir schon gedacht, dass du auch da bist", sagte die dazugehöri-ge, tiefe Stimme. Es war Paul, der erste Posaunist der Musik-kapelle.

Kluftinger seufzte. Einerseits war er froh, ein vertrautes Gesicht zu sehen, andererseits wusste er genau, was jetzt kommen wür-de. Und es ging sofort los: „Sag mal", fing Paul mit gedämpfter Stimme an und legte dabei einen Arm auf die Schulter des Kommissars, „wie sieht's denn aus mit euren Ermittlungen? Habt ihr schon was Konkretes?"

Kluftinger blickte in erwartungsfrohe Augen.

„Du weißt doch, dass ich darüber nichts sagen darf, Paul."

„Jetzt komm schon. Ich will ja nur wissen, ob es schon einen Verdächtigen gibt oder so was?"

„Unsere Ermittlungen laufen derzeit in verschiedene Rich-tungen, etwas Konkretes können wir aber noch nicht sagen", antwortete Kluftinger und fand selbst, dass er dabei ein bisschen klang wie Lodenbacher, wenn er eine seiner nichts sagenden Presseerklärungen abgab.

Auch Paul war dieser sachliche Ton nicht entgangen: „Mit mir brauchst du nicht zu reden wie mit irgendeinem Fernsehfuzzi", sagte Paul und deutete dabei mit seinem Kinn in Richtung des TV-Allgäu-Teams, das sich am Eingang der Kirche platziert hatte. Das auch noch, dachte sich Kluftinger beim Anblick der Fernsehleute.

„Hör zu Paul, wegen neulich Nacht, da konnte ich mich leider nicht mehr melden …", versuchte Kluftinger das Gespräch in eine andere Richtung zu lenken.

„Ja, ich weiß schon. Der Mordabend. Aber wenigstens anrufen hättest du schon können." Paul klang beleidigt. Ob es wegen Kluftingers Informationspolitik war oder wegen seines Fern-bleibens von der Musikprobe, wusste der Kommissar nicht zu sagen. Vermutlich beides.

Ein Pfiff beendete ihr Gespräch: Die drei anderen Bläser winkten Paul zu sich. „Wir sprechen uns noch", sagte er zu dem Kommissar und es klang fast wie eine Drohung.

Kluftinger ging ebenfalls auf das Portal zu. Aus allen drei Türen strömten die Menschen ins Freie. Sogar Dieter Hösch, der Bürgermeister, war da. Kluftinger hatte ihn vorhin nicht gesehen. Er nickte ihm zu. Als der ihn erblickte, drängelte er sich an den Trauergästen vorbei auf Kluftinger zu. Der sah sich Hilfe suchend um, weil er dem Gespräch gern entgangen wäre.

„Kluftinger, grüße dich. Wie geht's dir? Wie laufen die Ermittlungen?" Auch Hösch war keiner, der gern um den heißen Brei herumredete.

„Servus, Dieter. Es geht so."

„Es geht so? Klingt nicht sehr überzeugend. Habt ihr schon irgendeine Spur?"

Kluftinger blickte den Bürgermeister an. Sein schwarzer Schnauzer war rechts und links zu einer Schnecke gezwirbelt, er trug einen dunklen Trachtenanzug, der ihn noch schlaksiger aussehen ließ als sonst. Für Kluftinger sah Hösch lächerlich aus. Er kam aus Bremen. Es schien, als trüge er seinen Bart und seine immer betont folkloristische Kleidung wie Insignien, die ihm, dem „Preiß'n", die Macht als Gemeindechef in Bayern legitimeren sollten. Vielleicht gefiel er sich als Seppel aber einfach auch nur besonders gut, dachte Kluftinger.

„Dieter, du weißt doch: Ich kann darüber nichts sagen", versuchte Kluftinger die zweite Frage des heutigen Tages nach seinen Dienstgeheimnissen abzuwimmeln. Er sah, dass dem Bürgermeister die Zornesröte ins Gesicht stieg.

„Ich bin nicht irgendwer, Kluftinger, das weißt du, also hör auf mit diesem Dienst-Gedöns. Wenn in meiner Gemeinde so etwas passiert, hab ich sehr wohl das Recht und auch die Pflicht, darüber Bescheid zu wissen." Hösch musterte sein Gegenüber durchdringend. Kluftinger hatte schon von derartigen Ausbrüchen des Bürgermeisters gehört. Er wusste, dass sich viele Menschen von ihm einschüchtern ließen. Er gehörte nicht dazu.

„Da sagt das Dienstrecht etwas anderes", kommentierte der Kommissar die Erwähnung von „Recht" und „Pflicht" in der

Rede des Bürgermeisters. Er war es nicht gewohnt, dass sich die Politik für seine Fälle interessierte, was sicher auch daran lag, dass Kluftinger für gewöhnlich keine interessanten Verbrechen bearbeitete. Immer wieder einmal hörte man zwar von versuchten Einflussnahmen, die meist ganz „harmlos" als Ratschläge, Empfehlungen oder Bitten daherkamen. Ihm selbst war ein solches Verhalten allerdings noch nicht begegnet. Und auch das Ansinnen des Bürgermeisters wertete er nicht als ein solches. Irgendwie konnte er ja sogar verstehen, dass der sich für den Fall interessierte. Nicht nur, weil es seine Gemeinde war, in der sich die schreckliche Tat ereignet hatte. Auch wusste Kluftinger von Gerüchten, dass Hösch sich zu höheren Ämtern berufen fühle. Die Begriffe Landrat und Bundestagsabgeordneter waren in diesem Zusammenhang bereits gefallen. Auch von hohen Ämtern in der Partei war zu hören. Genau wie Kluftinger wollte Hösch einen Skandal verhindern. Wenn auch aus anderen Motiven.

Dennoch konnte er im Moment nichts für den Bürgermeister tun. Als dieser gerade Luft holte, um etwas zu erwidern, legte Kluftinger den Zeigefinger an die Lippen und deutete mit dem Kopf in Richtung der Kirchentür, aus der bereits Pfarrer, Töchter und der Rest des Trauerzugs herausgekommen waren und nun in Richtung Grab zogen. Auch Kluftinger schloss sich dem Zug an und hörte den Bürgermeister von hinten etwas zischen. Er verstand nicht genau, was es war, hörte aber, dass der Name „Lodenbacher" darin vorkam.

Als die Trauergesellschaft am Grab stand, hatte es zwar nicht aufgehört zu nieseln, aber die Sonne war für einen kurzen Moment durch die Wolken gekommen. Die Folge war ein Regenbogen, der sich quer über den Horizont spannte. Das Grab von Philip Wachter lag auf der dritten Ebene des Friedhofs, gleich am Eingang. Man konnte die Berggipfel von hier aus sehen – jedenfalls wenn das Wetter schön war. Der Regenbogen erstreckte sich wohl von der Zugspitze bis in Höhe des Daumens, sinnierte Kluftinger. Wie gern wäre er jetzt dort gewesen, anstatt hier auf einer Beerdigung zu stehen. Vor seinem geistigen Auge sah er sich auf dem Gipfel stehen, seine

Nase in die frische Bergluft halten, sah, wie ihm die Wanderer vom Gipfel aus zuwinkten, wie sie immer wieder winkten und winkten … Kluftinger löste sich aus seiner Phantasie. Irgendjemand winkte tatsächlich.

***

Elfriede Sieber ging direkt hinter den Töchtern auf das offene Grab zu. Daneben stand, auf einem kleinen Podest aufgebahrt, der Sarg. Der plötzliche Anblick traf sie wie ein Schock. Mit einem Mal wurde ihr die Grausamkeit des Verbrechens, das sich hier, praktisch in ihrem zweiten Wohnzimmer ereignet hatte, bewusst. Auf einmal fuhr es ihr in alle Glieder: Was wäre gewesen, wenn sie an dem Tag nicht frei gehabt hätte? Was, wenn sie den Mörder überrascht hätte, als er sich gerade über den toten Wachter beugte? Ihr wurde es für einen kurzen Moment ganz schlecht. Nicht auszudenken, wenn heute nicht nur Philip Wachters, sondern auch ihre Beerdigung begangen worden wäre …

Sie ließ ihren Blick schweifen, wollte irgendetwas, irgendjemanden finden, den sie ansehen konnte, der ihrem Blick Halt geben und sie auf andere Gedanken bringen würde. Sie hatte Angst, sie würde sonst schwach werden und mit einem Schlag im offenen Grab landen. Und sollte sie sich dabei nicht das Genick brechen, so würde sie ganz sicher aus Scham über die Peinlichkeit dieser Situation sterben.

Da sah sie den Regenbogen. Gott, wie schön, dachte sie. Das ist ein Zeichen, das muss ein Zeichen sein. Sie stellte sich das Farbenspiel als Brücke vor, über die Philip Wachters Seele in den Himmel aufsteigen würde. Sie begleitete seine Seele mit den Augen auf ihrer Reise, fing unten an, stieg höher und höher um dann … Plötzlich wurde es still. Jedenfalls empfand Elfriede Sieber es so. Es war, als wären auf einmal alle Geräusche um sie herum verschwunden. Denn dort, etwa in der Mitte des Regenbogens, ein klein wenig abseits vom Rest der Trauergemeinde, aber doch noch nicht weit genug weg, dass es auffallen würde, stand ein Mann. Ein Mann, den sie kannte. Ein

Mann, der erst einen Tag vor Wachters Tod noch bei ihm gewesen war.

An sich war es ja nichts Ungewöhnliches, dass auch mal Besuch da war. Aber eigentlich kannte sie die Freunde und Kollegen ihres Arbeitgebers. Und noch etwas war ungewöhnlich gewesen an diesem Besuch: Normalerweise pflegte Wachter derartige Einladungen auf Tage zu legen, an denen sie da war. Denn die anderen gehörten seinen Freundinnen. So hatte Frau Sieber jedenfalls gehört, aber sie hatte sich natürlich an diesen Spekulationen nie beteiligt. Auch wenn sie an ihren Putztagen schon mal das eine oder andere Utensil gefunden hatte – etwa eine Seidenstrumpfhose – das darauf hinwies, dass Wachter weiblichen Besuch empfangen hatte.

Wie auch immer: Mit diesem Mann war es anders gewesen. Wachter hatte ihr den Nachmittag frei gegeben, weil er wichtige Sachen zu erledigen hatte. Sie hatte nicht gefragt, um was es sich handelte, schließlich war sie nicht neugierig. Aber interessiert hätte es sie schon. Und als sie nach dem Einkaufen doch noch einmal in die Wohnung zurückgekommen war, hatte sie die lauten Stimmen der Männer aus dem Wohnzimmer gehört. Sie hatte – ganz zufällig – durch einen Spalt in der Türe das Gesicht des jungen Mannes gesehen, der jetzt unter dem Regenbogen stand.

Sie hatte sich schon damals gedacht, dass der irgendwie geheimnisvoll aussah. Er hatte dunkle Augen und buschige, schwarze Augenbrauen. Das wusste sie noch. Auch seine Haare waren dunkel und dicht. Außerdem war er sehr groß gewesen, das war ihr aufgefallen. Elfriede Sieber hatte dann schleunigst zugesehen, dass sie aus der Wohnung kam, denn sie wollte nicht, dass Herr Wachter dachte, sie würde spionieren.

Sie wusste auch nicht, warum ihr das erst jetzt einfiel, aber so war es nun einmal im Alter, rechtfertigte sie sich vor sich selbst. Nun stand aber der Mann nur wenige Meter von ihr entfernt und wirkte seltsam abwesend. Er passte irgendwie nicht auf eine Beerdigung. Sie wusste erst nicht, warum, dann fiel es ihr auf: Er sah kein bisschen traurig aus.

Was sollte sie jetzt tun? Frau Sieber fielen die Worte wieder ein, die ihr der Kommissar eingebläut hatte: Alles, was ihr einfällt, solle sie ihm mitteilen, auch wenn es ihr noch so unwichtig erscheine. Das erschien ihr nun aber überhaupt nicht unwichtig.

Der Kommissar! Natürlich, er war doch auch auf der Beerdigung. Beim Verlassen der Kirche hatte sie ihn gesehen. Sie blickte sich suchend um. Wo stand er nur? Bei den nächsten Verwandten und Bekannten, die sich ganz vorne am Grab versammelt hatten, gleich neben dem Sarg, jedenfalls nicht. Auch bei ihren Bekannten konnte sie ihn nicht ... da! Jetzt sah sie ihn. Er stand auf der gegenüberliegenden Seite des Grabes, links, etwas hinter den anderen Trauergästen. Er blickte von ihr aus gesehen nach rechts, Richtung Regenbogen. Ob er den Mann auch erkannte ...? Nein, verwarf sie den Gedanken gleich wieder, er wusste ja gar nichts von ihm.

Wie sollte sie ihm aber mitteilen, dass der Mensch, der etwa 20 Meter von ihm entfernt stand, eine eingehendere Betrachtung verdiente? Der sollte das ja schließlich nicht mitbekommen. Elfriede Sieber fiel nichts Besseres ein: Sie hob ihre Hand, an der ihre Tasche baumelte, etwa bis zur Hüfte, hielt sie ganz nah am Körper – und winkte.

Kluftinger musste die Augen etwas zusammenkneifen, um den Ursprung der Bewegung zu identifizieren. Er erkannte die Frau, von der das Winken ausging. Es war Wachters Haushälterin. Wie hieß sie doch gleich noch mal? Biber oder Sieber, glaubte er sich zu erinnern. Und diese Frau – der Vorname fiel ihm nun wirklich nicht mehr ein – stand am Grab ihres Ex-Chefs und winkte. Es war ein bizarres Bild, die zierliche Frau mit ihrem kleinen Hütchen, dem dunklen Mantel und dem ekstatischen Winken. Kluftinger drehte sich um. Dort stand niemand. Jetzt erst merkte er es: Sie winkte ihm!

Als ihm das bewusst wurde, fingen seine Wangen an zu glühen. Es war ihm schrecklich peinlich. Er hatte sich ja nicht umsonst etwas abseits gestellt. Er wollte nicht bemerkt werden. Und jetzt das. Er nickte leicht mit dem Kopf, die Augen dabei ruckartig nach links und rechts bewegend um sicherzugehen, dass noch niemand ihr Winken bemerkt hatte.

Als er seinen Blick wieder nach vorn richtete, wurde er blass. Sie winkte immer noch. Priml.

Der Pfarrer stimmte gerade das Scheidegebet an und die Umstehenden senkten die Köpfe, um in den monotonen Chor einzustimmen. Kluftinger nutzte diesen Moment, um seine Hand ganz leicht nach oben zu kippen und drei-, viermal mit ihr hektisch hin und her zu wischen. Mit diesem angedeuteten Zurückwinken würde sich die Haushälterin zufrieden geben und ihn in Ruhe lassen, hoffte er.

Und für einen kurzen Moment sah es tatsächlich so aus. Doch als die Köpfe sich mit einem „…das ewige Licht leuchte ihm, Amen" wieder hoben, hatte Sieber zwar zu winken aufgehört, schaukelte nun aber nicht minder auffällig mit ihrem Kopf hin und her. Dabei behielt sie den Kommissar stets im Blick.

Kluftinger spürte, wie ihm allmählich heiß wurde. Konnte diese Person nicht einfach aufhören, ihm irgendwelche Zeichen zu geben? Er sah, dass die ältere Dame, die neben der Haushälterin stand, bereits darauf aufmerksam geworden war. Und schnell hatte sie auch Kluftinger als das Ziel ausgemacht. Jetzt wurde es ihm aber zu bunt. Er bekreuzigte sich und senkte seinen Kopf wie zu einem stillen Gebet. Nach ein paar Sekunden rollte er die Augen so weit nach oben, dass es weh tat. Er war erleichtert, denn er konnte erkennen, dass Elfriede Sieber jetzt ganz still dastand. Er seufzte und hob den Kopf. Wie aufs Stichwort fing ihr Kopf wieder an zu wackeln. Unter anderen Umständen hätte Kluftinger bestimmt lachen müssen, so komisch sahen die Bewegungen der Haushälterin aus: Sie schob ihren Unterkiefer vor und beschrieb damit von unten nach oben einen Halbkreis, der am Schluss in einem kantigen, nach rechts oben gerichteten Zucken kulminierte. Dabei riss sie, je länger die Bewegung dauerte, immer weiter die Augen auf, so dass sie ihr fast aus dem Gesicht zu quellen schienen. Den Blick hatte sie dabei die ganze Zeit auf den Kommissar gerichtet.

Fast schien es, als wolle sie ihm irgendein Zeichen geben. War es das? Wollte sie ihm etwas zeigen? Der Kommissar blickte sich in beide Richtungen um, aber er konnte nichts Verdächtiges erkennen.

Jetzt wurde es ihm zu bunt. Er schob sich mit einem unverständlich gemurmelten „Tschuldigung" an den Trauernden vorbei auf Frau Sieber zu. Je näher er dem Grab kam, desto dichter wurde die Menschenmenge und Kluftinger erntete auf seinem Weg heftiges Kopfschütteln. Die Putzfrau hätte ihm auch etwas entgegenkommen können, dachte er sich.

Dann hatte er sie endlich erreicht. „Was gibt's denn?", zischte er lauter, als er eigentlich wollte, und erntete dafür einen strengen Blick des Pfarrers.

„Öch könne dön Mönn", flüsterte die Sieber und Kluftinger verstand sie kaum, weil sie dabei ihren Mund nicht öffnete, sondern beinahe wie ein Bauchredner ohne Lippenbewegung sprach.

„Ich verstehe kein Wort, Sie müssen schon deutlicher sprechen", erwiderte Kluftinger nun ziemlich gereizt.

„Den Mann. Ich kenne den Mann", kam es nun etwas verständlicher von ihr.

„Wen?", fragte er. Als Antwort ruckte ihr Kopf wieder von links nach rechts und ihr Unterkiefer wies in eine bestimmte Richtung. Kluftinger folgte dieser Richtung mit seinen Augen, wusste aber immer noch nicht, wen sie meinte.

„Kreuzkruzitürk'n, wen meinen Sie denn jetzt?", schimpfte er.

„Na den da!", schrie die Frau plötzlich aus vollem Hals, streckte dabei ihren Arm nach vorne und deutete mit dem Zeigefinger. Schlagartig wurde es still. Alle Köpfe ruckten herum und unzählige Augenpaare glotzten auf den Kommissar und die Haushälterin.

Kluftinger schluckte. Dennoch ignorierte er die Hitze, die ihm jetzt in den Kopf stieg. Er folgte dem Finger, der starr von Siebers Körper nach rechts wies. Er wusste sofort, wen sie meinte. Nicht nur, weil sich dort, hinter dem Grab, nur wenige Menschen locker postiert hatten. Nein, er sah die Erkenntnis in den Augen des anderen, dass er gemeint war. Er sah das kurze Entsetzen in diesen Augen aufflackern. Einen Blick, den er von ungezählten Festnahmen kannte. Auch die anderen Trauergäste blickten in die gewiesene Richtung, wussten aber nicht so recht, wer denn nun gemeint war. Kluftinger wusste es, aber auch der andere wusste, dass Kluftinger es wusste. Ganz langsam drehte er sich um und ging.

„Halt!", schrie Kluftinger. „Bitte bleiben Sie stehen."

Der Mann drehte sich nicht mehr um. Statt dessen fing er an zu laufen. Er rannte nach rechts in Richtung Ausgang. Sofort setzte sich auch Kluftinger in Bewegung. Er schob unsanft Elfriede Sieber zur Seite, drängte sich am Grab vorbei durch die dichte Menge, setzte Ellenbogen ein, schrie „weg, weg", um sich Platz zu verschaffen, aber die Menschen blieben wie angewurzelt stehen. Der Schreck war ihnen in die Glieder gefahren und machte sie schwer und unbeweglich. Kluftinger handelte ganz instinktiv, sah sich selbst dabei zu, wie er die Menschen beiseite schob, wie er dem Pfarrer versehentlich in die Rippen stieß und dieser ins Straucheln geriet, wobei sein Gebetbuch herunterfiel und den Weihwasserkübel so ungünstig traf, dass dieser umfiel. Endlich hatte sich Kluftinger aus der Menschenmenge befreit. Er sah in die Richtung, in die der Mann gelaufen war. Er war bereits bei der Treppe angelangt, die ihn hinunter zur nächsten Ebene des Friedhofs bringen würde. Die war durch dichte Hecken von Blicken aus der oberen Ebene abgeschirmt.

Kluftinger musste sich beeilen, wenn er ihn noch erwischen wollte. Aber der Mann war schnell und vor allem war er wesentlich jünger als der Kommissar. Kluftinger entschied sich deshalb für den direkten Weg, übersprang ein Grab nach dem anderen und näherte sich mit Riesenschritten der Treppe. Er konnte den Mann jetzt nicht mehr sehen, aber er hatte aufgeholt. Nur noch ein frisch aufgeschütteter Grabhügel mit ein paar vertrockneten Kränzen lag zwischen ihm und der Treppe. Kluftinger setzte zum Sprung an.

Noch bevor er richtig losgesprungen war, wusste er schon, dass er es nicht schaffen würde. Er war auf dem feuchten Kiesboden leicht nach hinten weggerutscht und fühlte, wie er auf halber Strecke über das Grab an Geschwindigkeit verlor. Deutlich sah er die Gestecke auf dem Grab immer näher kommen, roch die frische, vom Regen durchnässte Erde – und legte sich mit einem lauten Krachen, das das provisorische Holzkreuz verursachte, das als Grabsteinersatz in der Erde steckte, mitten hinein. Ein stechender Schmerz in seinem Knie ließ einen grünen Blitz vor seinen Augen aufleuchten.

Für einen Augenblick war es still. Totenstill, würde Kluftinger später einmal mit einem Schmunzeln sagen, wenn er die Geschichte erzählen würde. Aber im Moment war ihm nicht nach Lachen zumute. Er versuchte aufzustehen. Seine Beine pflügten durch den frischen Erdhügel, bis sie endlich Halt fanden. Er taumelte hoch, musste sich am benachbarten Grabstein abstützen, und hinkte zur Treppe. Von dem Mann war weit und breit nichts mehr zu sehen.

Kluftinger fluchte. Sein rechtes Bein tat höllisch weh. Er hinkte die Treppe hinauf und hielt sich dabei das Knie. Als er oben angekommen war, sah er in entsetzte Gesichter. Münder standen offen, Augen waren weit aufgerissen, niemand wagte, ein Geräusch von sich zu geben. Kluftinger sah an sich selbst herunter. Seine graue Hose war von der Graberde fast schwarz, seine Schuhe waren in zwei große Dreckklumpen gehüllt. Noch schlimmer sah seine Jacke aus. Der linke Ärmel war an der Schulter eingerissen, vermutlich als er versucht hatte, sich an dem Holzkreuz festzuhalten. Das Sterbebild einer alten Frau, das am Kreuz geprangt hatte, hing nun an Kluftingers Ärmel. Als er es sah, wischte er es mit einer hektischen, fast panischen Bewegung weg, als wäre es ein giftiges Insekt. Als es den Boden berührte, kam von irgendwo aus der Menge ein spitzer Schrei. Kluftinger bückte sich schnell, hob das Bild auf und legte es auf das zerwühlte Grab.

Am groben Stoff seines Mantels waren zahllose Trockenblumen und Blütenblätter hängen geblieben.

Kluftinger wünschte sich, in einem dieser Träume zu sein, in denen man auch von allen angestarrt wird, die aber einen Vorteil haben: Man kann aufwachen und alles ist vorbei. Hier war nichts vorbei. Nach wie vor waren alle Augen auf ihn gerichtet. Mit zitternden Händen pflückte er die Blumen von seinem Mantel und legte alles auf das Grab, auf dem er vor wenigen Augenblicken noch der Länge nach gelegen hatte. In einer Verlegenheitsgeste schob er mit dem unverletzten Bein etwas Erde vom Weg. Er versuchte zu grinsen, aber es wurde nur eine Grimasse.

Er tastete mit seinem Blick die versteinert wirkenden Gesichter ab. Aus einigen glaubte er einen stummen Vorwurf herauszulesen. Dann blieb sein Blick auf einem bekannten Gesicht hängen. Es gehörte Paul, dem Posaunisten, dessen Instrument an seinem ausgestreckten Arm baumelte.

„Spielt", zischte Kluftinger, doch Paul konnte ihn nicht hören. Aber er verstand den flehenden Blick des Kommissars und gab seinen Musikern ein Zeichen. Die Töne, die aus ihren Hörnern klangen, wirkten wie ein Bannspruch, der die Menschen aus ihrer Erstarrung löste. Plötzlich kam wieder Bewegung in die Menge, einige fingen an, miteinander zu tuscheln, während andere sich still bekreuzigten.

Kluftinger wollte das jetzt schnell hinter sich bringen. Zielstrebig ging er auf die Menschentraube zu, in der Elfriede Sieber stand, packte sie unsanft am Arm und schob sie vor sich her vom Grab weg. Als er am Pfarrer vorbei kam, der gerade sein Gebetbuch mit einem Ärmel seines Messgewandes zu säubern versuchte, fauchte er nur ein „Weitermachen", ohne den Geistlichen anzusehen. Als sie eine Treppe weiter nach oben gegangen und um die Hecke aus dem Blickfeld der übrigen verschwunden waren, ließ Kluftinger seine Begleiterin endlich los.

Er stieß einen tiefen Seufzer aus, bevor er zu sprechen begann. „Frau Sieber …" Kluftinger versuchte mit einer ungeheuren Kraftanstrengung, freundlich zu klingen, denn die Frau vor ihm sah völlig verängstigt aus. Sie nickte nur schnell und heftig.

„Wer war der Mann?"

Sie zog die Schultern langsam nach oben.

Kruzifix, das gibt's doch nicht, dachte Kluftinger, sagte aber ruhig: „Sie kennen ihn nicht?"

„N…Nein, also doch, ich meine, ich habe ihn wohl schon einmal gesehen." Die Sieber schien den Schreck über die Ereignisse langsam zu überwinden.

„Wer war das?", fragte Kluftinger nun etwas forscher und deutete mit der Hand in Richtung untere Friedhofsebene.

„Also, ich habe ihn nur einmal gesehen. Zufällig. Erst vor ein paar Tagen. Er hat sich mit Herrn Wachter getroffen, sie haben gestritten ..." Plötzlich weiteten sich ihre Augen: „Meinen Sie ...?" Sie formulierte die Frage nicht aus, zu unerhört schien ihr die Vorstellung, gerade einem Mörder gegenüber gestanden zu haben.

„Herrgottsakrament", fluchte Kluftinger und zog sein Handy aus der Hosentasche. Während er die Nummer des Präsidiums wählte, ärgerte er sich maßlos über sich selbst und seine verunglückte Verfolgung. Hatte er den Täter entwischen lassen? Er wusste es nicht, aber er wusste, dass dieser Mann etwas zur Klärung des Falles beitragen konnte. Sonst wäre er nicht weggelaufen. Als er darauf wartete, dass einer der Kollegen am anderen Ende der Leitung abnahm, drehte er sich zu der mit den Tränen kämpfenden Elfriede Sieber um und sagte: „Gut gemacht."

***

Keine Viertelstunde später war Kluftinger von Kollegen umgeben. Zwei Streifenwagen standen am Eingang, ein uniformierter Polizist wartete daneben, während ein anderer im Wagen mit Frau Sieber sprach. Zwei hatten sich an den Ausgängen postiert. Kluftinger hatte eigentlich eine Fahndung in Auftrag geben wollen, als er im Präsidium anrief; allerdings war ihm im Verlauf des Telefongesprächs sehr schnell klar geworden, dass er nicht den geringsten Anhaltspunkt hatte. Immerhin: Er hatte den Mann gesehen. Darauf wollte er sich nun konzentrieren.

Strobl und Maier waren ebenfalls gekommen, nur Hefele hielt im Büro die Stellung.

„Richard", rief Kluftinger Maier zu sich, „ist die Beerdigung schon aus?"

„Liegt, glaube ich, gerade in den letzten Zügen", antwortete er und wurde sich erst ein paar Sekunden später des Wortspiels bewusst, das er gebraucht hatte. Er quittierte es mit einem stolzen Grinsen, das von Kluftinger jedoch nicht erwidert wurde.

„Hör zu, wenn alles vorbei ist, sorg' du bitte dafür, dass wir die

Adressen der Leute haben, die heute hier waren. Vielleicht können die uns ja noch mal weiterhelfen."

Maier nickte und ging in Richtung Grab. Auf seinem Weg sprach er etwas in sein Tonbandgerät, das Kluftinger nicht verstand.

„Wir müssen so schnell wie möglich ein Phantombild des Mannes anfertigen", sagte Kluftinger zu Strobl. „Kannst du schon mal im Präsidium anrufen, dass die alles bereithalten sollen?"

„Schon erledigt."

„Danke, Eugen." Kluftinger klopfte ihm auf die Schulter. Es tat gut, sich in solch extremen Situationen auf seine Kollegen verlassen zu können.

Plötzlich hörten sie lautes Rufen von der unteren Ebene des Friedhofs: „Alle mal herhören. Bleiben Sie bitte noch hier, wir müssen noch Ihre Personalien aufnehmen. Sollte jemand etwas zu dem Vorfall beitragen können, so möge er das jetzt sagen."

Es war Maiers Stimme, die da über den gesamten Friedhof schallte. Kluftinger und Strobl liefen schnell zur Treppe, um ihren lautstarken Kollegen zu mäßigen. Etwas mehr Fingerspitzengefühl war jetzt vonnöten. Als sie um die Ecke bogen, glaubten sie ihren Augen nicht zu trauen: Maier war auf das Podest gestiegen, auf dem vor wenigen Minuten noch der Sarg gestanden hatte, vermutlich um sich besser Gehör zu verschaffen. Ja, war der Depp denn noch nie auf einer Beerdigung? Mit knallroten Wangen blickte Kluftinger zu Strobl.

„Ich mach' das schon", beruhigte er den Kommissar.

Der seufzte nur und nickte. Wenn das sein größtes Problem gewesen wäre, hätte er wahrlich keinen Grund, sich zu beklagen. Er machte sich gerade auf den Weg zu den Streifenwagen, da hörte er eine aufgebrachte, schrille Stimme hinter sich: „Also so geht das nicht. Nein, das ist jetzt wirklich das Letzte. Nicht genug, dass Sie anscheinend nicht fähig sind, den Mörder meines Vaters zu finden, jetzt versauen Sie ihm auch noch die Beerdigung." Die beiden Töchter kamen im Laufschritt auf ihn zu, aber gesprochen hatte nur die Ältere. Sie waren äußerst aufgebracht, das sah er.

„Wir werden uns über Sie beschweren, so viel steht schon mal fest", stimmte schließlich die Junge in die Schimpftiraden mit ein. Wieder hatte Kluftinger Mühe ruhig zu bleiben. Er wusste, dass es für die beiden nicht einfach war, auch wenn sie sich bisher sehr kühl gegeben hatten. Jedenfalls die Ältere. Aber das ging nun doch ein bisschen zu weit.

„Hören Sie zu", sagte der Kommissar völlig ruhig und so klar, dass er selbst von der Schärfe seiner Worte überrascht wurde. „Ich sage Ihnen das nur einmal: Meine Aufgabe ist es, den Mörder Ihres Vaters zu finden. Und ich werde alles daran setzen, das auch zu tun. Dagegen können Sie ja vernünftigerweise nichts haben. Im Gegenteil, Sie sollten mich nach besten Kräften unterstützen. Tun Sie das nicht, macht Sie das nicht nur lästig, sondern auch verdächtig …"

Der letzte Satz tat ihm schon leid, noch während er ihn aussprach. Er wusste, dass er dafür nun wirklich Schwierigkeiten bekommen konnte. Nicht für seine Verfolgungsjagd von vorhin; da hatte er sich korrekt verhalten. Aber jetzt … Er blickte die ältere der beiden Wachter-Töchter an. Ihr war für einen Moment buchstäblich die Luft weggeblieben.

Dann passierte etwas, womit er überhaupt nicht gerechnet hatte. Sie brach urplötzlich in Tränen aus. Alle Schleusen öffneten sich, sie brach förmlich vor ihm zusammen. Er wusste nicht, was er tun sollte. Er wusste nie, was er tun sollte, wenn Frauen zu weinen anfingen. Also tat er das, wovon er glaubte, dass es Menschen tun würden, die wissen, was zu tun ist: Er ging einen Schritt vor und nahm sie in den Arm.

★★★

Die nächste Woche pendelte Kluftingers Gefühlslage zwischen himmelhoch-jauchzend und zu-Tode-betrübt. Einerseits war er froh, dass sie jetzt eine konkrete Spur hatten, die sie verfolgen konnten, andererseits führten die Ermittlungen auf dieser Spur ins Leere. Gleich nach der Beerdigung hatten sie ein Phantombild anfertigen lassen, hatten mit ungezählten Menschen gesprochen, das Bild herumgezeigt – nichts. Er verwünschte sich immer mehr für seine tölpelhafte Verfolgung bei der Beerdigung. Sein Knie tat ihm immer noch weh, vom Polizeiarzt war er sogar bandagiert worden. Aber sein Knie war nicht die einzige schmerzliche Erinnerung an diesen Tag, den er so gern aus seinem Gedächtnis gestrichen hätte.

Als seine Frau davon erfahren hatte, war sie außer sich gewesen. Wie man sich nur so benehmen könne, ob das jetzt die neue Polizeimethode sei, anderen die Beerdigung zu versauen ... Kluftinger wusste natürlich, dass es ihr vor allen Dingen peinlich war. Die Geschichte war innerhalb eines halben Tages im ganzen Ort herum gewesen, alle wussten Bescheid. Sogar beim Einkaufen schaue man sie ganz komisch an, war sich seine Frau sicher.

„Wenigstens bin ich nicht der Mörder, sondern der, der ihn jagt", hatte Kluftinger mit bitterem Sarkasmus entgegnet. So ganz wohl war ihm aber auch nicht in seiner Haut. Seine Kollegen hatten den Vorfall nicht mehr angesprochen, und auch seine Freunde hüteten sich, ihn zu erwähnen. Dennoch machte er ihm zu schaffen. Es war ihm peinlich. Und er ärgerte sich darüber, dass es ihm peinlich war.

Am meisten aber ärgerte er sich darüber, dass die ganze Aktion scheinbar überhaupt nichts gebracht hatte. Wer war der Mann auf der Beerdigung? Worüber hatte er mit Wachter einen Tag vor dessen Ermordung so heftig gestritten? Wäre Wachters Haushälterin doch nur ein bisschen neugieriger gewesen, wünschte er sich.

Parallel lief die Recherche zu Wachters Frauengeschichten. Doch auch diese Spur brachte sie nicht weiter. Sie stießen lediglich auf ein paar abgelegte Geliebte des Ermordeten, die als Täterinnen aber alle nicht in Frage kamen. Immerhin hatten zumindest die Hinweise auf Wachters ausschweifendes Leben gestimmt, versuchte Kluftinger wenigstens etwas Positives an den für die Ermittlungen wenig hilfreichen Ergebnissen zu finden.

Wäre, hätte, sollte ... nach einer Woche gestand er es sich selbst ein: Sie kamen einfach nicht weiter.

Zu allem Überfluss wollte seine Frau nun auch noch mit ihrer Androhung ernst machen und tatsächlich ohne ihn verreisen.

Das hatte es noch nie gegeben. Als ihm seine Frau ihre Pläne mitteilte, war er für einen kurzen Moment ehrlich geschockt. Andererseits konnte er ihr nun wirklich keine Vorwürfe machen, schließlich war ihr gemeinsamer Urlaub an ihm gescheitert.

Und als ob das alles nicht schon schlimm genug gewesen wäre, hatte sie zu allem Überfluss auch noch ein besonderes „Abschiedsgeschenk" parat: Zu Ehren ihrer beiden Strohwitwer hatten Annegret und seine Frau ein gemeinsames Abendessen der Paare vereinbart. Und das sollte am heutigen Samstag bei Kluftingers stattfinden.

***

Als Kluftinger sich von seinem Nachmittagsschlaf erhob, sich das immer noch leicht angeschwollene Knie rieb und ins Bad humpeln wollte, fiel ihm ein seltsamer, unangenehmer Geruch auf. Er kam aus der Küche, das roch er deutlich. Seine Frau stand dort inmitten eines Berges aus Töpfen, Tellern, Gemüse und Geschirr.

„Hast du was Größeres vor?", fragte er.

„Du weißt doch, dass heute Abend die Langhammers zu uns kommen …"

„Ja, wie könnte ich das vergessen."

Seine Frau überhörte den Sarkasmus in seiner Stimme.

„ … na, und da wollte ich eben was Besonderes machen."

„Was gibt's denn?", fragte er mit einem skeptischen Blick auf die Zutaten, die in der Küche herumlagen. Er erblickte eine Menge Reis, Zwiebeln, etwas Grünzeug, schwarze, glänzende Dinger, offenbar Muscheln, von denen er hoffte, dass sie nur zur Dekoration da wären und – Krebse. Grau-grünlich lagen sie auf einem Brettchen neben dem Herd, glotzten mit ihren toten schwarzen Augen in die Küche und streckten ihre Fühler oder Tentakeln oder was das auch immer sein mochte, in alle Richtungen. Kluftinger schwante Böses.

„Ich mache Paella mit Meeresfrüchten", trällerte seine Frau und machte sich mit einem Messer an den Zwiebeln zu schaffen.

„Was für ein Ding?"

„Paella. Das ist ein spanisches Nationalgericht", sagte sie, ohne sich dabei zu ihm umzudrehen.

„Und die Dings da, die Krebse, kommen die auch rein?", fragte er besorgt.

„Das sind Riesengarnelen und die kommen natürlich hinein. Genauso wie der Tintenfisch da drüben", sie zeigte auf eine Tüte, die in der Spüle stand, „und die Muscheln hier."

Jessesmariaundjosef, also doch Muscheln. Er bekam eine Gänsehaut bei dem Gedanken, diese schleimigen Viecher auf seinem Teller zu haben.

„Hätt's da nicht eine Brotzeitplatte auch getan?", fragte er mit leidender Miene.

Seine Frau reagierte nicht. „Erika? Hätt's da nicht eine Brotzeitplatte auch getan, will ich wissen."

Jetzt drehte sie sich um, sah ihn mit versteinerter Miene an und sagte: „Nein."

Dann wandte sie sich wieder ihrer Arbeit zu und trällerte mit demonstrativer Fröhlichkeit ein Lied.

„Gibst du mir mal die Tüte aus der Spüle?", forderte sie ihren Gatten auf.

Er zögerte erst, griff dann mit spitzen Fingern die Tüte, drehte den Kopf in die andere Richtung und ging mit seinem Paket zu seiner Frau. Angewidert dachte er daran, dass sich darin ein Tintenfisch, also praktisch ein Seemonster, befand. Als er ihr die Tüte reichte, fiel sein Blick auf das Preisschild. „Ja bist denn du narrisch? Ja spinnst denn du?", kam es wie aus der Pistole geschossen. „15 Euro bloß für so … so einen Glibber … schmarrn?"

Jetzt wurde es seiner Frau zu bunt. Sie knallte das Messer auf die Arbeitsplatte, riss ihm die Tüte aus der Hand, packte den kleinen Tintenfisch, der sich darin befand, und hielt ihrem Mann die Tentakel unter die Nase. „Jetzt hör mal gut zu", zischte sie ihn wütend an, „ich fahr am Montag in Urlaub. Ohne dich, weil du ja keine Zeit hast. Gott sei Dank fährt die Annegret mit und deshalb mache ich jetzt noch mal ein schönes Essen. Und wenn's dir zu teuer ist, kannst du ja in den zehn

Tagen, in denen ich weg bin, von Wasser und Brot leben. Und jetzt wäre ich an deiner Stelle ganz ruhig, sonst bleib ich vielleicht noch dort." Bei jedem ihrer Worte fuchtelte sie mit dem Tintenfisch so wild vor Kluftingers Gesicht herum, dass die Tentakel dabei in alle Richtungen zappelten. Es sah fast so aus, als ob das Tier noch leben würde.

Kluftinger schluckte. Ein falsches Wort und die Situation würde eskalieren, das war ihm klar. Er riss sich zusammen, verbarg seinen Ekel und brummte: „Ich sag ja nix, ich mein ja bloß."

„Wenn das so ist, kannst du mir ja gleich mal das Fisch-Kochbuch bringen", parierte seine Frau.

„Und wo find ich das?", fragte er kleinlaut.

„Na, bei den Büchern vielleicht …?", gab seine Frau schnippisch zurück.

Kluftinger ging ins Wohnzimmer an den Bücherschrank. Schon beim ersten Blick auf das Regal wusste er, dass er eine verantwortungsvolle Aufgabe übernommen hatte: Kreuz und quer standen und lagen die Bücher herum, große neben kleinen, dicke neben dünnen. Eine tiefere Ordnung in diesem Chaos war nicht auszumachen.

„Himmelherrgott, da könnt man doch auch mal aufräumen", schimpfte er.

„Was sagst du?", fragte seine Frau aus der Küche.

„Ich hab's gleich, hab ich gesagt", gab er kleinlaut zurück. Und begann zu suchen.

„Das Geheimnis der sieben Palmen" war das erste Buch, das ihm ins Auge fiel. Gleich daneben stand „Kosakenliebe", beide von einem gewissen Heinz G. Konsalik. Sein Blick wanderte weiter, vorbei an zahlreichen Titeln von Utta Danella, die alle irgendwie männerfeindlich klangen wie etwa „Jacobs Frauen" oder „Die Unbesiegte", über einige Pilcher-Bücher, von denen er zumindest die Verfilmungen kannte. Er hatte nie verstanden, was seine Frau an diesen Schmonzetten fand. Dennoch nickte er zustimmend, als er den Titel „Sommer am Meer / Stürmische Begegnung. Zwei Romane." las. Wenigstens hatte seine Frau hier Sparwillen bewiesen, eine Eigenschaft, die er bei ihr des Öfteren schmerzlich vermisste. Ihn konnte man allerdings mit diesen Filmen jagen. Nicht nur, dass sie in England spielten, in Cornwall, was er wusste, seit seine Frau ihm mit einer Reise dorthin in den Ohren lag. Seine Beziehung zu England war etwa so innig wie die seiner Frau zur Sparsamkeit. Die Engländer, die ihm bisher begegnet waren, vermochten nicht, dieses offenbare Desinteresse abzubauen. In der Regel traf er beim Skifahren auf sie, wo sie mit ihren Jeans und ihrem ungelenken, aber waghalsigen Fahrstil reichlich deplatziert wirkten.

Aber eigentlich sah man in den Pilcher-Filmen ja gar keine Engländer. Es waren immer deutsche Schauspieler, die hier John, Emily, Mortimer oder Lord Southbury Earl of Maine hießen. Das Schlimmste war aber, dass die Filme meist zur besten Tatort-Zeit liefen und der Kampf um die häusliche Fernbedienung vorprogrammiert war. Und Tatort musste er sehen. Nicht weil es ihm gefiel. Gott bewahre, natürlich nicht. Aber zu gerne erging er sich in Tiraden darüber, wie unrealistisch diese Krimis waren.

Etwas schätzte er aber doch an den Pilcher-Filmen: ihr „Wiedergutmachungspotenzial". Hatte sich seine Frau über ihn geärgert, musste er nur sagen „Schatz, heute machen wir uns einen gemütlichen Fernsehabend und sehen uns diesen Pilcher-Film im Zweiten an". Seine Frau, das bewies die Erfahrung, lenkte dann ein und setzte, da ihr Mann sich seine Langeweile nicht anmerken ließ, schnell dieses zufriedene „Er-ist-eigentlich-doch-irgendwie-romantisch-Gesicht" auf. Er lächelte, als er die Bücher sah.

Das Kochbuch hatte er immer noch nicht entdeckt. Er ging ächzend in die Knie, um sich die unteren Reihen näher anzusehen. Nur ein bisschen Ordnung. Man müsste die Bücher ja nicht gleich alphabetisch ordnen, wie Wachter das anscheinend immer getan hatte. Aber irgendein Prinzip sollte ... plötzlich stutzte er. Er hatte gerade einen wichtigen Gedanken gehabt. Aber was? Noch fühlte er ihn nur, hatte ihn noch nicht wirklich gedacht. Er tat alles, um ihn festzuhalten. Machte seinen Kopf ganz leer von allen anderen Gedanken. Er wagte nicht, sich zu bewegen, wollte genauso bleiben, wie er war, als er den Gedanken zuerst gespürt hatte. Und dann hatte er ihn. Er schlug sich gegen die Stirn. „Natürlich. Wie konnte ich das nur übersehen?", sagte er laut zu sich selbst.

Blitzartig stand er auf, ignorierte den Schmerz, den diese ruckartige Bewegung in seinem Knie verursachte und eilte in den Hausgang. Er schnappte sich den Autoschlüssel, rief ein „Bin gleich wieder da" in Richtung Küche und ließ die Tür hinter sich ins Schloss fallen.

„Wo gehst du hin? Vergiss bloß das Essen um sieben nicht!", rief ihm seine Frau hinterher.

Aber das hörte Kluftinger schon nicht mehr.

★★★

Beim Betreten von Wachters Wohnung zitterten seine Hände. Er war aufgeregt. Nicht weil er das Gefühl hatte, etwas übersehen zu haben. Darüber würde er sich sicher noch zur Genüge ärgern. Nein, es war das Gefühl, dass er gleich einen entscheidenden Hinweis finden würde. Er liebte dieses Gefühl. Es war nicht das des Jägers, der seiner Beute nahe kommt, da war sich Kluftinger ziemlich sicher, auch wenn er kein Jäger war und ihm die Phantasie fehlte, sich in eine solche Situation hineinzuversetzen. Es war eine Vorfreude gepaart mit Aufregung. Wie das Gefühl nach einer wichtigen, besonders gut verlaufenen Prüfung, deren Ergebnis man noch nicht kennt. Jetzt hielt er sozusagen den Brief mit dem Prüfungsergebnis in der Hand. Er musste ihn nur noch öffnen.

Kluftinger stieß die Tür zum Wohnzimmer auf. Er besah sich den Raum genau. Wachters Töchter hatten offenbar noch nicht die Kraft gefunden, aufzuräumen. Das war gut. Es war noch alles so wie am Tag der Tat. Bis auf die Leiche natürlich. Kluftinger wartete eine Weile, bevor er den Raum betrat. Er wollte seinen Eindruck einer genauen Prüfung unterziehen. Dann nickte er. Er hatte Recht gehabt, kein Zweifel.

Ja, es hatte ein Todeskampf stattgefunden. In diesem Zimmer. Aber es war noch etwas anderes vorgegangen an diesem Vormittag. Etwas, das er bisher übersehen hatte. Oder aus dem, was er gesehen hatte, nicht hatte herauslesen können. Aber jetzt schien es ihm geradezu offensichtlich: Jemand hatte hier etwas gesucht. Im Bücherregal. Und er hatte keinen Zweifel daran, dass es sich bei der Person um den Mörder handelte.

Der Kommissar ging auf das Regal zu und blickte zwischen den Büchern auf dem Boden und den lückenhaften Bücherreihen hin und her. Tatsächlich, Wachter hatte die Bücher penibel nach dem Alphabet geordnet. Kluftinger griff sich die Werke, die noch auf dem Boden lagen, und ordnete sie wieder ins Regal ein.

Nur beiläufig nahm er wahr, dass die Titel und Autoren wesentlich akademischer klangen als in seinem eigenen Wohnzimmer. Als er fertig war, stand er auf und genoss das Triumphgefühl, das sich in seiner Brust breit machte. Es klaffte nur eine Lücke im ganzen Regal.

Er kniete sich wieder hin und schaute sich die Bücher rechts und links dieser Lücke an. Es waren Fotoalben. Alle hatte die gleiche Farbe, ein dunkles Blau mit Goldapplikationen. Es waren dicke, schwere Alben. Kluftinger nahm eines heraus. Auf den Einband waren mit goldener Farbe zwei Jahreszahlen geschrieben: 1959 bis 1969. Er schlug das Buch auf der letzten Seite auf. Ein großes Foto zeigte ein junges Paar. Der Mann war Wachter, unverkennbar. Entweder er hat schon immer etwas älter ausgesehen oder er hat sich verdammt gut gehalten, dachte Kluftinger. Das Bild hatte einen leichten Rosé-Farbstich, der dem Kommissar von seinen eigenen 60er-Jahre-Fotos bekannt vorkam. Er schlug das Buch wieder zu und griff sich ein anderes: 1947 bis 1958. Er nahm nun ein Buch nach dem anderen zur Hand und schaute sich die Jahreszahl auf dem Einband an. Es waren vier Bücher. Die Jahre '70 bis '86 fehlten. Er packte die vier Bücher und fuhr ins Präsidium.

***

„Na, hat dich deine Frau endlich rausgeschmissen?"
Kluftinger verstand die Frage des Dienst habenden Beamten an der Pforte erst nicht. Dann wurde ihm klar, dass er damit auf den Alben-Stapel anspielte, den Kluftinger mit beiden Händen

unter sein Kinn geklemmt hatte. Er bemühte sich um ein Lächeln und erwiderte etwas, was der Polizist hinter der schusssicheren Scheibe allerdings nicht verstand.

„Was hast du gemeint?", rief der dem Kommissar noch nach, hörte aber lediglich die dicke Glastür wieder ins Schloss fallen. Kluftinger hatte nun wirklich keinen Nerv für Smalltalk unter Kollegen. Er wartete nicht einmal auf den Aufzug, auf dessen Dienste er sonst nie verzichtete, um in sein Büro im zweiten Stock zu kommen, sondern nahm gleich die Treppe. Er war aufgeregt.

In seinem Büro angekommen, verteilte er die Bücher auf seinem Schreibtisch. Er ordnete sie nach den Jahreszahlen und ließ für die siebzehn fehlenden Jahre einen Platz frei. Er klappte den ersten Band auf, der mit dem Hinweis 1947 bis 1958 beschriftet war. Er sah Schwarz-Weiß-Aufnahmen von einem Baby, von dem er annahm, dass es Wachter war. Es waren viele Fotos, die die klassischen Stationen erste Schritte, Einschulung, Kommunion und ähnlich einschneidende Erlebnisse im Leben eines Kindes abhandelten. Eigentlich nichts Besonderes. Und doch: Von Kluftinger gab es solche Bilder nicht. Wachters Eltern dürften recht wohlhabend gewesen sein, das zeigten nicht nur die Fotos selbst, sondern auch das, was darauf zu sehen war. Etwa der Mercedes, hinter dessen Steuer der fröhlich lächelnde Knirps saß, der Wachter einmal gewesen war.

Kluftinger blätterte langsam durch die Seiten, auch wenn er sich keinen wichtigen Hinweis aus dieser Zeit erhoffte. Eigentlich dachte er überhaupt nicht, dass die Fotos einen wichtigen Hinweis bargen. Der eigentliche Fingerzeig war die Tatsache, dass ein Album fehlte. Es galt nun herauszufinden, was sich während der fehlenden Jahre in Wachters Leben getan hatte.

Dennoch blätterte Kluftinger weiter. Die Bilder zogen ihn in ihren Bann, denn er hatte das Gefühl, der Person Wachter nun näher zu kommen als in allen Vernehmungen mit dessen Verwandten, Kollegen und Freunden bisher. Er schlug Band 1959 bis 1969 auf. Die Fotos waren inzwischen farbig, einige zeigten Wachter als jungen Mann im Anzug vor einem alten Porsche-Cabriolet. Seine Eltern mussten definitiv wohlhabend gewesen sein, denn wiederum andere Fotos im chronologisch geordneten Album machten deutlich, dass er zur selben Zeit bei der Bundeswehr war. Und soweit sich Kluftinger an seine Zeit beim Bund erinnerte, konnte man mit dem spärlichen Sold nicht gerade große Sprünge machen.

Was ihm auffiel: Schon relativ bald tauchten junge, hübsche Mädchen auf den Fotos auf. Allerdings war sich Kluftinger nicht sicher, ob sie sich alle wirklich zu dem durchschnittlich attraktiven jungen Mann oder zu seinem Sportwagen hingezogen fühlten.

Das Album endete mit Fotos, auf denen sich Wachter vor der Freiheitsstatue und in wilden Canyons tummelte, auf anderen war er vor dem Eiffelturm und einem Palast zu sehen, von dem Kluftinger annahm, dass es der der englischen Königin war. Offenbar hatte Wachter nach seiner Bundeswehrzeit einige ausgiebige Auslandsreisen unternommen.

Die folgenden siebzehn Jahre fehlten. Kluftinger versuchte sich vorzustellen, was die Fotos wohl zeigen mochten. Wachters Studium fiel in diese Zeit. Er rechnete nach: Die Töchter waren 30 und 26 Jahre alt, mussten also in dieser Zeit geboren worden sein. Sicher waren auch eine Menge Kinderfotos im verschollenen Album. Was noch? Die ersten beruflichen Erfolge? Weitere Frauen? Der Kommissar konnte es nicht sagen. Alles, was er wusste, war, dass der Schlüssel zu dem Mordfall offenbar in der Vergangenheit lag.

Das nächste Album: 1987 bis 1995. Jetzt tauchten die ersten bekannten Gesichter auf. Ein Foto zeigte Schönmanger und Wachter vor dem Milchwerk, das damals nur aus einer großen Halle bestand. Kluftinger erinnerte sich noch gut an den Anbau, der damals im Dorf sehr umstritten gewesen war. „Das um'drehte Rieseneuter" hatten manche das neue Gebäude genannt, weil mehrere Schornsteine vom Dach in die Höhe ragten. Aber auf dem Foto, das, so schätzte Kluftinger, Ende der achtziger Jahre, Anfang der Neunziger aufgenommen worden war, war noch nichts von dem Neubau zu sehen.

Wieder tauchten einige Frauen auf, allesamt sehr hübsch und durchschnittlich 20 Jahre jünger als Wachter. Das Album würde bei den weiteren Ermittlungen sicher noch gute Dienste tun, dachte sich der Kommissar. Das letzte Album, das „1996 bis" überschrieben war, setzte die Fotoreihe wie erwartet fort.

Das einzige Kapitel, das etwas aus dem Rahmen fiel, zeigte Wachter mit seiner jüngeren Tochter und einem Baby; die Aufnahmen waren offensichtlich in Italien entstanden. Von seiner älteren Tochter hatte er praktisch keine Bilder, fiel dem Kommissar erst jetzt auf. Aber das Ungewöhnliche war nicht die Tatsache, dass eine familiäre Szene unter den Aufnahmen zu finden war. Es war eher der Eindruck, den Wachter auf diesen Fotos auf Kluftinger machte. Es waren die einzigen Fotos, auf denen er glücklich wirkte.

***

Beim Blick auf die Uhr zuckte der Kommissar zusammen. Es war spät geworden, das Essen zu Hause hatte bestimmt schon begonnen. Er schloss die Alben in seinen Schreibtisch ein und verließ eilig das Büro. Noch auf dem Weg die Treppen hinunter wählte er Strobls Nummer. Normalerweise hätte er ihn vom Büro aus angerufen, weil das Mobil-Telefonieren doch so teuer war. Aber er wusste, dass jetzt jede Minute kostbar war. Jede Minute, in der der heilige Zorn seiner Frau nicht weiter anwachsen konnte, wollte Kluftinger nutzen. Er erklärte Strobl, während er seinen Wagen aus der Einfahrt in Richtung Eisstadion lenkte, dass er unbedingt einen Termin mit den Töchtern für morgen Vormittag vereinbaren solle. „Die Sache duldet keinen Aufschub", sagte Kluftinger in ungewohnt gestelzter Rede und meinte damit auch ein bisschen die prekäre Situation, in der er sich gerade befand.

***

Mit einem mulmigen Gefühl schloss Kluftinger seine Haustür auf. Aus dem Wohnzimmer hörte er Besteck klappern, Gelächter drang an sein Ohr. Langhammers waren also schon da und das Essen hatte bereits begonnen. Priml, das machte seine Lage nicht gerade einfacher. Ein Teil von ihm freute sich sogar ein bisschen darüber, dass die Gäste schon da waren. So würde das Donnerwetter seiner Frau noch ein wenig auf sich warten lassen. Auch wenn es nur eine Galgenfrist war.

Doch die Sympathie für seine Hausgäste währte nur kurz. Schließlich befände er sich nicht in einer so prekären Lage, wären sie dort, wo sie eigentlich hingehörten: bei sich zu Hause.

Er legte seine Hand auf die Türklinke. Ihm wurde bewusst, dass er dringend auf die Toilette musste. Er ignorierte sein Bedürfnis, holte tief Luft und betrat den Raum. Schlagartig verstummten die Gespräche.

„So, Abend!", flötete Kluftinger betont locker in die Stille, gab seiner Frau einen Kuss auf die Wange und setzte sich auf seinen angestammten Platz auf der Ofenbank. Er fühlte sich wie als Kind, als er immer gepfiffen hatte, wenn er in den Keller musste. Seine Frau sagte kein Wort. Ihren Blick aber spürte er noch, als sie den Augenkontakt längst abgebrochen hatte. Als er in die etwas düpierten Gesichter seiner Gäste blickte, zuckte er innerlich noch ein bisschen mehr zusammen. Er hatte ihnen zur Begrüßung nicht die Hand gereicht. Und das, wo Langhammers doch immer „so gediegen, so gebildet und stilvoll" miteinander und mit ihren Mitmenschen umgingen, wie seine Frau immer betonte. Ein weiterer Minuspunkt auf seinem überzogenen Konto. Aber nun saß er schon.

„Na, Herr Kluftinger, da haben Sie sich aber eine ganz wohlschmeckende Suppe entgehen lassen, mein Lieber. Was war das doch gleich für ein Gewürz, Erika? Safran, richtig. Exzellent", hob Langhammer zu seinem launigen Begrüßungsvortrag an.

Kluftinger traute seinen Ohren nicht. Langhammer duzte seine Frau. Er wollte sich gar nicht ausmalen, was für Verbrüderungsszenen sich in seiner Abwesenheit hier abgespielt hatten. Wie konnte sie ihm das nur antun? Was auch immer er heute falsch gemacht hatte – damit waren sie quitt.

„So?", war Kluftingers Antwort. Das „Mein Lieber" überhörte er geflissentlich. Dann zwang er sich zu einem Lächeln.

„Waren Sie noch, ich darf doch sagen …", Langhammer lachte kurz und laut auf, noch bevor er seinen Witz vollendete, „… kriminell unterwegs?"

Kluftinger verzog das Gesicht. Zu einer Antwort kam er nicht, denn seine Frau nahm seinen Suppenteller mit den Worten „Den brauchst du ja jetzt nicht mehr", vom Tisch. In ihrer Stimme lag keinerlei Wärme. Eine Warnung an ihn, die er wohl verstand. „Ja", antwortete er Langhammer deshalb lapidar.

Immerhin: Um die Muschelsuppe war er herumgekommen. Nicht, dass er die Kochkünste seiner Frau nicht schätzte. Im Gegenteil, sie kochte ausgezeichnet. Ja, ihr fehlte nicht mehr viel zur perfekten Köchin – seiner Mutter. Aber nur, wenn sie normal kochte, und ihn nicht – wie heute Abend – zwang, sich Tiere einzuverleiben, über die er sich nicht einmal einen Film anschauen würde, garniert mit Gewürzen, deren Namen er nicht kannte, die wiederum aus Ländern stammten, in denen er niemals Urlaub machen würde.

Was sprach eigentlich gegen Grießknödel? Oder eine zünftige Brotzeitplatte? Der Doktor zwängte sich doch sonst bei jedem Volksfest in alberne Landhaus-Lederhosen, aber wenn's ums Essen ging, wurde er zum Flädlesuppen-Rassist. Kluftinger grinste. Er war mächtig stolz auf seinen soeben erfundenen Begriff. Leider konnte er die Anwesenden nicht daran teilhaben lassen.

„So zufrieden, wie Sie dreinblicken, haben Sie den Mörder sicher entlarvt, oder?", setzte Langhammer erneut an. „Bei den Steuergeldern, die die Polizei verschlingt, ist es ja auch kein Wunder, dass Sie Ihre Fälle so schnell aufklären."

Langhammer blickte Beifall suchend in die Runde.

Krieg. Der Doktor wollte Krieg, das war für Kluftinger ganz offensichtlich.

„Hier, du hast sicher Hunger", riss seine Gattin ihn aus seiner gedanklichen Mobilmachung.

Sein Magen knurrte tatsächlich. Er nahm sich also einen riesigen Löffel, kaute scheinbar gelassen darauf herum, machte seiner Frau ein weltmännisches Kompliment, um sich dann erst Langhammer zuzuwenden und ihm mit einem „Hm?" vorzugaukeln, dass er gar nicht richtig zugehört hatte. Zufrieden über seine souveräne Reaktion und überrascht vom pikanten Geschmack des ausländischen Essens, schaufelte er einen zweiten Löffel in sich hinein.

Langhammers süffisantes Grinsen erstarb nur kurz.

„Also, ich hatte ja als Erster die Gelegenheit, den Toten zu untersuchen. Ich stehe Ihnen mit meinem Fachwissen natürlich jederzeit zur Verfügung, obzwar Sie sicher auch sehr gute Leute haben."

Kann der geschwollen daherreden, dachte sich Kluftinger.

„Dem Strobl geht's übrigens wieder gut. Der war jetzt bei einem Facharzt in Ulm", eröffnete Kluftinger unvermittelt ein neues Schlachtfeld. Er wusste, dass sein Kollege wegen eines Hüftleidens zunächst bei Langhammer in Behandlung gewesen war.

Die Blicke der beiden Frauen bewölkten sich zunehmend.

„Schön. Wer ist denn nun eigentlich der Mörder?", erwiderte der Doktor etwas weniger eloquent.

„Ich kann zu den laufenden Ermittlungen leider nichts sagen. Wissen's, das ist nicht wie im Krimi. Wir machen hier richtige Polizeiarbeit. Die ist ziemlich kompliziert, aber das können Sie natürlich nicht wissen." Kluftinger hatte die Worte so betont, wie er es tat, wenn er Schulklassen durchs Präsidium führte.

Für einen Moment war es still.

„Mallorca soll ja auch wunderschöne Strände haben", meldete sich plötzlich Annegret zu Wort.

„Ja, das hat meinem Mann doch auch gleich so gefallen, als wir im Reisebüro waren. Stimmt's, Liebling?", log seine Frau.

Wie in Trance nickte Kluftinger ihr zu. Sie hatte ihn noch nie „Liebling" genannt. Jetzt machte er sich wirklich Sorgen.

„Schmeckt's dir denn auch, Schatz?", fragte Erika weiter. Er war sicher: In ihr rumorte ein Gewitter, das heftig über ihn hereinbrechen würde, wenn die Gäste gegangen waren und damit jegliche Rücksichtnahme überflüssig gemacht hätten.

Jetzt brauchte er einen Schluck. Misstrauisch beäugte er das große Rotweinglas neben seinem Teller. Kluftinger wusste nicht, wofür sie, die allein nie Wein tranken, sechs dieser sündhaft teuren Dinger hatten kaufen müssen, wo er doch Wein verabscheute. Fast drohend stand das Glas neben ihm. Er erhob sich und ging wortlos in die Küche. Seine Frau folgte ihm.

Sie stellte die Teller in die Spüle, würdigte ihren Mann keines Blickes und sagte beim Verlassen des Zimmers lediglich: „Dass du nicht noch rülpst und ins Tischtuch schnäuzt, ist alles."

Ein Donnerwetter hatte Kluftinger erwartet, doch das war schlimmer. Mit einem Donnerwetter konnte er umgehen, im Laufe der Jahre hatte er sich einige Blitzableiter-Techniken zugelegt, die alle etwas mit einem Hundeblick zu tun hatten. Aber diese Situation war neu für ihn. Er stand verwundert und betroffen in der Küche. Er fühlte sich schlecht. Er hatte doch nichts Böses gewollt. Außerdem hatte Langhammer ihn doch wirklich gereizt, das hätte sie aber schon merken können.

Er ging zum Kühlschrank und holte sich ein Bier, nahm seinen Festtags-Steingutkrug vom Schrank, um jetzt seine Gäste gebührend zu würdigen, und machte sich mit schlechtem Gewissen und dem festen Vorsatz, die Situation zu retten, auf ins Wohnzimmer.

Dort war wieder ein Urlaubs-Vorfreude-Gespräch im Gange und Frau Kluftinger war von ihrer echten Gemütsverfassung nichts mehr anzumerken: Freudig erregt plauderte sie mit ihrer Freundin über das zu erwartende Wetter auf den Balearen.

Kluftinger goss sich sein Bier ein und schob das Rioja-Glas zur Seite. Als er daraufhin in drei fragende Gesichter blickte, sagte er: „Den Wein vertrag ich nicht mehr so in letzter Zeit." Mit Enttäuschung nahm er wahr, dass diese nachträgliche Rechtfertigung ihr Ziel verfehlte.

„Weißt du, Erika, eigentlich könnten unsere Strohwitwer doch etwas zusammen unternehmen, wenn wir nicht da sind, oder? Vielleicht kocht ihr was zusammen. Sonst fallt ihr noch vom Fleisch, während wir uns am Buffet laben."

„Eine prima Idee, was sagen Sie, Kluftinger?", antwortete der Doktor, und Kluftinger schien es so, als meine er es tatsächlich ernst.

„Ja, das können wir schon machen, ja. Wär … nett." Er begann zu schwitzen.

„Aber ein paar Pfunde weniger würden meinem Herrn auch nicht schaden", grinste Erika in die Runde und streichelte dabei über den Körperteil ihres Gatten, den er gerne als seinen „Bauchansatz" bezeichnete, der hinter seinem Rücken aber schon mal als ausgewachsener „Ranzen" bezeichnet wurde.

Seine Backen glühten. „Ja, genau, ja." Kluftinger hatte sich entschlossen, einfach nur noch zu nicken. Langhammer grinste.

Es trat eine kurze Stille ein, in die der Hausherr, der heute ganz und gar nicht das Gefühl hatte, ein solcher zu sein, sagte: „So, das war ja jetzt nett, dass Sie vor dem Urlaub noch mal vorbei geschaut haben", und sich erhob.

„Wenn du grad rausgehst, bring doch gleich die Käseplatte aus dem Kühlschrank mit rein", trällerte seine Frau und machte seine Pläne, den Abend elegant, aber doch rasch zu beenden, zunichte.

„Käse schließt den Magen, sehr schön, sehr schön", jubilierte Langhammer dem Kommissar entgegen, als er wieder ins Zimmer kam. Erika erklärte, es handle sich um eine kleine Auswahl spanischer Käsesorten, die sie beim einzig wirklichen Feinkosthändler der Stadt gekauft habe. Es kostete ihn einige Mühe, aber Kluftinger verkniff sich eine Bemerkung über den Preis.

„Einen fantastischen Parmesan haben die gerade, einen ganz alten, stravecchio. Musst du unbedingt mal kaufen, Erika, ein Gedicht", sagte Langhammer.

In Kluftingers Kopf ratterte noch die Rechenmaschine; er versuchte wenigstens grob den Wert der vor ihm liegenden Platte zu überschlagen. Vom Käse-Exkurs des Doktors bekam er deswegen nur Bruchstücke mit: „Höhlengereift" hörte er und „Salzkristalle" und „zweijährige Naturreifung" und Worte wie „exquisit, delikat, meisterhaft".

„Sie haben doch auch nichts gegen ein gutes Stück Parmesan einzuwenden, nicht wahr, Herr Kluftinger?", riss Langhammer ihn aus seinen Gedanken.

Er hatte die Frage nicht ganz mitbekommen, nur, dass es noch immer um den Parmesan ging.

„Was? Oh, sicher. Wir haben, glaube ich, noch ein Päckchen im Kühlschrank, wenn Sie was möchten", antwortete er.

Seine Frau blickte erst ein wenig geschockt, setzte dann aber zu einem gekünstelten Lachen an und sagte: „Aber der ist doch gerieben" und erntete dafür schallendes Gelächter ihrer Gäste.

Kluftinger verstand nicht, aber am Verhalten seiner Frau konnte er ablesen, dass er mal wieder etwas Peinliches gesagt hatte. Es war von Parmesan die Rede gewesen, rekonstruierte er. Ein Käse, der in kleinen Tütchen den Spaghetti-Fertigpackungen beigegeben war, einem der wenigen „exotischen" Gerichte, das er gerne und regelmäßig aß. Er hatte noch nie gehört, dass man ihn auch am Stück essen konnte, doch scheinbar ging es genau darum.

„Ha, ha, ha", stimmte nun auch Kluftinger lautstark in das Gelächter mit ein, als hätte er absichtlich einen Spaß gemacht.

„Kommen Sie doch mal vorbei, dann kosten wir mal von dem Käse und trinken eine gute Flasche aus meinem Weinkeller dazu", schlug der Doktor vor.

„Kommen Sie doch zu mir, dann mach ich uns Kässpatzen", entgegnete Kluftinger trotzig und erstarrte im gleichen Moment über sein Angebot. Er hatte noch nie Kässpatzen gekocht.

„Wenn Sie mir versprechen, nichts von Ihrem Päckchen-Parmesan reinzustreuen …"

Als sich das erneute Gelächter beruhigt hatte, wurde es wieder still.

„Nach der dritten Stille geht man heim", sagte er scherzhaft in der Hoffnung, dass sich seine Gäste an diese alte Weisheit halten würden. Der Kommissar sagte von da an nur noch wenig, um diesen kritischen Punkt möglichst schnell zu erreichen.

Doch es gab an diesem Abend noch viele stille Momente und alle ließen Langhammers verstreichen. Erst spät gingen sie, und als der Doktor ihm beim Gehen auf die Schulter klopfte und sagte: „Also, ich melde mich dann mal, dass wir zwei Hübschen was zusammen unternehmen können. Einen richtigen Männerabend sozusagen", war sein Widerstand längst gebrochen und er antwortete mit einem müden „Ich freu mich schon".

Wie still es wirklich sein konnte in ihrem Haus, merkte er erst, als die Gäste gegangen waren. Seine Frau räumte wortlos den Tisch ab.

„Lass mich das doch machen", bot er ihr an.

Mit einem emotionslosen „Gut" nahm sie die Offerte an und ging ins Bad.

Kluftinger fand es unpassend, heute noch auf eine Aussprache zu drängen. Während er den Abwasch erledigte, nahm er mit Zufriedenheit wahr, dass seine Frau Bettdecke und Kopfkissen nicht ins Wohnzimmer trug. Es gab also noch Hoffnung.

Als Kluftinger sich schließlich schlafen legte, strich er seiner Frau, die tat, als schliefe sie schon fest, über den Oberarm. Sie seufzte leicht und Kluftinger deutete dies als Zeichen, dass sie mit dem Bauernrüpel an ihrer Seite doch grundsätzlich nicht unzufrieden war.

★★★

Frau Kluftinger wachte auf und bemerkte Kaffeeduft in der Luft. Sie zog sich ihren Bademantel über und ging ins Wohnzimmer. Es war Sonntag und am Sonntag frühstückte man bei ihnen, anders als an Werktagen, im Wohnzimmer. Dort war bereits der Tisch gedeckt und Kluftinger kam mit der guten Kaffeekanne herein. Dieses kleine Detail war für seine Frau wichtiger als alles, was sie auf dem Frühstückstisch sah. Wichtiger als die frischen Semmeln, die ihr Mann extra im Ort geholt hatte, wichtiger als das Glas Orangensaft an ihrem Platz, wichtiger als das frische Obst, das er auf einem Teller für sie bereitgestellt hatte. Diese gute Kanne wurde nur an wirklich wichtigen Feiertagen verwendet. Weihnachten, Ostern, runde Geburtstage, wenn die ganze Familie samt Verwandtschaft sich bei ihnen einfand.

Kluftinger hatte zwar auch dann nie verstanden, warum die praktische Glaskanne der Kaffeemaschine, die man alle Tage verwendete, nicht genügen sollte, um den Kaffee einzuschenken, und hatte seiner Verwunderung jedes Mal Ausdruck verliehen, wenn er seiner Frau erklärte, wie unpraktisch es doch sei, den heißen Kaffee extra umzufüllen, noch dazu in eine kalte Kanne, bei der man obendrein nicht sah, wie viel sie noch enthielt. Doch heute hatte er die gute Kanne genommen. Für sie. Sie dachte sich, dass er doch gar nicht so ein Holzklotz war, er hatte eben nur eine sehr raue Schale. Sie strahlte ihm ein freudiges „Guten Morgen" entgegen, berührte ihn an der Schulter und Kluftinger sah mit Zufriedenheit, dass das Gewitter über Nacht einem heiteren Sonnenschein Platz gemacht hatte.

Den aufkeimenden Gedanken, wie einfach Frauen doch zu besänftigen seien, schob er beiseite, nahm sich aber vor, sich in den nächsten Tagen, wenn seine Frau in Urlaub sein würde, ausgiebig darüber zu freuen.

„Ich freu' mich darauf, heute noch einmal einen richtig gemütlichen Tag mit dir zu verbringen", sagte sie.

Dass er heute morgen schon mit Strobl telefoniert hatte, dass der verschlafen erzählt hatte, das Gespräch mit Wachters Töchtern bezüglich der fehlenden Fotoalben finde um zehn Uhr im Präsidium statt, behielt er vorerst für sich.

Die Standuhr im Wohnzimmer zeigte halb neun, und frühestens in einer Stunde müsste er ihr von seinen sonntäglichen Plänen erzählen. Bis dahin wollte er einfach den wiedergewonnenen Frieden genießen.

Nach harmonischen fünfundfünfzig Minuten am häuslichen Frühstückstisch wusste der Kommissar, dass es nun an der Zeit war, seinen bevorstehenden Ausflug ins Berufsleben anzukündigen. Er fühlte ein flaues Gefühl in der Magengrube, und da er nicht wollte, dass es sich noch verstärkte, dachte er, er müsse nun tun, was ein Mann eben tun müsse, und schenkte seiner Frau reinen Wein ein.

„Schatz, sei jetzt bitte nicht sauer, aber ich muss …", und in diesem Moment wusste er bereits, dass sie sogar sehr sauer sein würde. Er sah zu ihr hinüber, und bevor er weiterreden konnte, sah er die bewölkte Stirn seiner Frau, die schon loslegte: „Nein, sag, dass das nicht wahr ist. Sag, dass du mir jetzt nicht ankündigst, du müsstest irgendwohin. Nicht an diesem Morgen, nicht nach diesem Abend gestern, nachdem ich dir gerade verziehen habe. Du kannst jetzt nicht einfach gehen! Ich will diesen Sonntag, der so schön angefangen hat, ganz mit dir verbringen!" Sie schimpfte vor sich hin, als er den Wagen aus der Garage fuhr.

★★★

Er fuhr ohne klare Vorstellung, wie das Gespräch mit Wachters Töchtern ablaufen würde, ins Präsidium.

Kluftinger empfand es als angenehm, dass hier immer Betriebsamkeit herrschte. Totale Sonntagsruhe war etwas, das er nicht sehr schätzte, und seitdem es den Bäckereien gestattet war, auch am Herrentag zu öffnen, kam es gar nicht so selten vor, dass Kluftinger frische Semmeln und eine Zeitung zum Frühstück holte. Meist aber nur, wenn ihr Sohn zu Hause war, denn das Ehepaar war sich stillschweigend einig darüber, dass es frische Semmeln am Sonntag nicht bräuchte. Ein Schwarzbrot war ohnehin gesünder und früher ist man ja auch ohne Semmeln ausgekommen.

Aber wenn Markus da war, dann genoss es der Familienvater, seine Lieben zu umsorgen. Und wenn eine Entschuldigung bei seiner Frau nötig war, wie heute, dann machte er sich auch schon mal auf den Weg, wenn noch alle im Hause schliefen. Und genoss die Stimmung in der Bäckerei. Er hatte dort immer das Gefühl einer seltsamen Solidarität. Die treuen Familienväter, die am Sonntag endlich frei hatten und ihren Angehörigen etwas Gutes tun wollten, waren ebenso zu finden wie die frisch verliebten jungen Männer, die nach einer aufregenden Nacht ihren Freundinnen ein klassisches „Rama"-Frühstück bereiteten und danach an der Tankstelle noch eine Rose kauften. Auch mit den dynamischen, jungen, sportlichen Menschen, die vor der Kletter- oder Mountainbike-Tour noch eine Brotzeit holten, fühlte er sich verbunden. Am liebsten wäre er mit ihnen ins Auto gestiegen, um mit zum Bergsteigen zu gehen. Er war sozusagen unter seinesgleichen. Unter lauter Männern, die aus ähnlichen Gründen hier waren wie er. Sogar diejenigen, die sonst nicht unbedingt seine ungeteilte Sympathie genossen, die Fahrer jener Golf GTI, Peugeot 205, Opel Calibra oder ähnlicher Fahrzeuge, deren Spoiler fast am Boden streiften und bei deren Stereoanlagen er sich immer dachte, sie hätten einen eigenen, leistungsstarken Benzinmotor nötig, sah der Kommissar in dieser Situation mit anderen Augen. Auch sie gehörten zur großen Sonntagmorgen-Männergemeinschaft.

Kluftinger ging an den Dienst habenden Beamten vorbei, grüßte, wies sie an, seine Gesprächspartnerinnen nach oben zu bringen, wenn sie denn eintreffen würden, und machte sich auf den Weg in die verlassenen oberen Etagen des Polizeigebäudes.

Strobl stand gerade am Kopierer, als Kluftinger seine Etage erreichte. Er grüßte seinen Vorgesetzten. Nun nicht mehr ganz so verschlafen wie morgens am Telefon, berichtete der Beamte, dass vor einer halben Stunde Julia Wagner angerufen und ihre Schwester für das Gespräch entschuldigt habe. Sie sei bei Freunden am Bodensee und könne so kurzfristig nicht kommen, zudem würde sie im Laufe des Tages noch nach Italien abreisen.

„Dann hat sie mich gefragt, ob das in Ordnung wäre, wenn nur sie kommt", sagte Strobl, an dessen stoppeligem Gesicht Kluftinger sah, dass er sich heute Morgen im Bad nicht die gleiche Mühe gegeben hatte wie an einem Werktag.

„Ja, und?"

„Ich hab gesagt, das reicht schon, wenn sie kommt, ich hoffe, das war recht so."

„Ja, das sollte reichen, sie wird uns schon weiterhelfen können."

Kurz nachdem die beiden in Kluftingers Büro gegangen waren, klopfte es bereits an der Tür zum Büro und ein uniformierter Beamter begleitete Julia Wagner bis zum Kommissar.

Julia hatte wieder ein dunkles Kostüm an, das sie erneut sehr seriös wirken ließ. Sie hatte sich kaum an den Schreibtisch des Kommissars gesetzt, da legte ihr Kluftinger ohne Umschweife die Fotoalben vor. Er fragte sie, ob ihr daran etwas auffalle. Sie blätterte zwei von ihnen oberflächlich durch.

„Das sind die Fotoalben unserer Familie, ich kenne die Bilder, was sollte mir daran auffallen? Soviel ich sehen kann, fehlen auch keine Bilder, sonst würde man ja die Lücken bemerken …"

„Nun, Frau Wagner, es fehlen die Jahrgänge 1970 bis 1986. Was wir von Ihnen nun gern wissen würden ist, ob Sie dafür vielleicht eine Erklärung haben. In der Wohnung Ihres Vaters waren sie nicht zu finden, obwohl sein Bücherregal ansonsten geradezu akribisch geordnet war. Wenn Sie die Alben kennen, könnten Sie uns vielleicht sagen, welche Fotos die betreffenden Jahrgänge ungefähr enthielten?"

„Wissen Sie, ich kenne sie nicht gerade auswendig, aber ich nehme an, dass sich in ihnen nicht viel Interessanteres finden wird als in den Alben, die vor uns liegen: Fotos von uns Kindern, Urlaubsbilder, Bilder von irgendwelchen Familienfeiern. Nichts Weltbewegendes. Wir waren damals eigentlich jedes Jahr zwei oder drei Wochen mit Lutzenbergs im Sommerurlaub, da wird Vater die meisten Bilder gemacht haben."

„Meinen Sie, jemand könnte ein Interesse daran gehabt haben, die Fotos verschwinden zu lassen?"

Julia lächelte für einen kurzen Moment. „Meine Schwester und ich vielleicht, damit uns niemand mit Bildern erpresst, auf denen wir nackt im Planschbecken mit den Nachbarsjungen spielen. Meine Mutter und Frau Lutzenberg vielleicht, damit die Beweise für die schrecklichen Frisuren, die Sie damals hatten, aus der Welt geschafft sind. Im Ernst, Herr Kommissar, wer sollte Interesse an langweiligen Familienbildern haben?"

„Ich dachte nur, Ihnen würde dazu etwas einfallen. Aber etwas anderes, Frau Wagner: Die Familie, die Sie gerade erwähnt haben, waren enge Freunde Ihrer Eltern?"

„Lutzenbergs? Damals ja. Sie hatten einen Sohn im gleichen Alter wie wir und Herr Lutzenberg und mein Vater waren so etwas wie die besten Freunde. Sie kannten sich vom Studium und schließlich haben sich die Ehefrauen auch angefreundet. Die gemeinsamen Urlaube waren schon schön, meine Mutter hatte jemanden zum Shoppen, mein Vater jemanden zum Tennis und wir Kinder jemanden zum Spielen."

„Waren denn Lutzenbergs auf der Beerdigung?", fragte Kluftinger, der nun etwas hatte, wo er einhaken konnte, ohne genau zu wissen, worauf er hier hinauswollte. Er ließ sich von seiner Intuition treiben.

„Nein, nicht dass ich wüsste. Der Kontakt riss irgendwann ab. Ich glaube, ich würde die Lutzenbergs gar nicht mehr kennen, wenn sie mir heute auf der Straße begegnen würden."

„Ihr Vater ließ also den Kontakt zu seinem engsten Freund einfach einschlafen?"

„Nicht gerade einschlafen. Es gab wohl ein Zerwürfnis zwischen den beiden, daraufhin verkehrte unsere Familie nicht mehr mit den Lutzenbergs. Es ging, glaube ich, um etwas Berufliches, denn bis dahin hatten Lutzenberg und mein Vater eng zusammengearbeitet. Gut möglich, dass Lutzenberg auf den Erfolg neidisch war. Ihm ging es beruflich wohl nicht so rosig. Wahrscheinlich passten die beiden – der Erfolgsmensch, der mein Vater war, und Lutzenberg – nicht mehr zusammen."

„Woher wissen Sie, dass er berufliche Probleme hatte, wenn es zu den Lutzenbergs doch keinen Kontakt mehr gab?", fragte der Kommissar nach.

„Mein Vater hatte danach von einem Kollegen erfahren, dass Lutzenberg eine ganz kleine Käserei im Westallgäu übernommen hatte, die zwar wohl recht gut war, aber wirtschaftlich eher schwach auf der Brust. Er war da einfach Käser. Und das, obwohl auch er diplomierter Lebensmittelchemiker war."

Kluftinger wurde neugierig.

„Wissen Sie denn, wo Lutzenbergs jetzt wohnen?"

„Tut mir Leid, wie gesagt, mein Vater hatte es nur über Dritte erfahren. Wenn Ihnen das etwas hilft: Ich weiß, wo seine Käserei ist. Der Name war so seltsam, dass ich ihn mir gemerkt habe. Sie ist in Bösescheidegg oder so, das ist wohl irgendwo bei Lindenberg."

Kluftinger war hellwach. Vielleicht könnte dieser Lutzenberg ihnen weitere wichtige Informationen geben.

Er bedankte sich bei Julia Wagner, begleitete sie mit der Bitte zur Tür, sich weiter zur Verfügung zu halten, und wandte sich Strobl zu, der während des Gesprächs stumm, aber aufmerksam in einem Sessel gesessen hatte.

„Was meinst du?", fragte Kluftinger seinen Kollegen.

„Keine Ahnung, aber immerhin können wir den Lutzenberg ja mal befragen. Ich kenne übrigens diese Käserei, der Ort heißt Böserscheidegg, oberhalb von Scheidegg ist das, meine Frau hat da mal eingekauft, als sie aus der Schweiz zurückgefahren ist. Die machen sogar eigenen Parmesan", antwortete Strobl. Bei dem Wort „Parmesan" verdrehte Kluftinger die Augen.

„Na gut, da fahren wir morgen gleich mal hin. Besser als auf ein Fahndungsergebnis zu warten."

Kluftinger schickte seinen Mitarbeiter nach Hause, schloss die

Fenster seines Büros und machte sich nun eilfertig auf den Weg zum Auto. Schließlich wartete seine Frau zu Hause und das wahrscheinlich nicht gerade in bester Laune. Er dagegen fühlte sich dank des Gesprächs regelrecht beschwingt und vergaß sogar, den Dieselmotor seines alten Kombis vorzuglühen, was dieser mit einigem Orgeln und einer schwarzen Rauchwolke und der Kommissar seinerseits mit einem Lächeln über sein Missgeschick quittierte.

★★★

Als er vom Parkplatz des Polizeipräsidiums wieder auf die Straße einbog, hatte er eine zündende Idee, wie er die bevorstehende Rückkehr zu seiner Ehefrau harmonischer gestalten könnte. Um diese Idee in die Tat umzusetzen, machte er einen kleinen Umweg zu einem dieser riesigen Tankstellenkomplexe, die sich in den letzten Jahren am Stadtrand angesiedelt hatten. Er suchte sich eine Rose mit etwas Grünzeug aus, die in Folie verpackt war. Er wunderte sich über den Preis von vier Euro fünfzig, war aber in diesem Notfall bereit, etwas Geld zu investieren. An der Kasse zahlte vor ihm ein junger Mann in einem Ballonseide-Trainingsanzug einen CD-Player und zwei Schachteln Marlboro-Zigaretten. Der Kommissar hätte gern die Hintergründe dieses Kaufs gewusst. Wollte der Mann nur eben Zigaretten holen und hatte sich dann spontan in der Tankstelle zum Kauf des Elektronikgerätes entschlossen? „Irr", sagte Kluftinger leise und war froh, als er im Auto saß und Richtung Altusried fuhr.

Er freute sich diebisch über seine Idee mit der Rose, vor allem, da er dachte, seine Frau würde ihn für seine Leistung bewundern, am Sonntag frische rote Rosen aufzutreiben. Er lächelte und jegliche Befürchtung, seine Frau könnte ihm nach Übergabe der Blume noch böse sein, war wie weggeblasen. Er bog in Altusried in die verkehrsberuhigte Straße ein, in der sie wohnten, und stellte mit zuversichtlich-stolzem Gesichtsausdruck seinen Wagen ab.

„Bin wieder da-ha", rief Kluftinger aufgekratzt, als er die

Wohnung betrat. Keine Antwort. „Huhu! Ich bin's …" Nichts. Plötzlich ging die Schlafzimmertür auf und seine Frau kam heraus. Sie ging an ihm vorbei, ohne ihn anzusehen, verschwand im Wohnzimmer, kam mit einem großen Koffer wieder zurück, ging damit ins Schlafzimmer und schloss die Tür hinter sich.

Kluftinger zog die Augenbrauen hoch. Der Streit vom Vormittag war also noch nicht vergessen. Mit einem Seufzen hängte er sein Sakko an die Garderobe und folgte seiner Frau. Die hatte einen Koffer und eine Tasche auf dem Bett stehen. Zahllose Kleidungsstücke lagen in mehreren Abteilungen, deren Systematik Kluftinger auf den ersten Blick jedoch nicht durchschaute, daneben.

„Ach, du packst schon?", fragte er, obwohl es offensichtlich war, nur um irgendetwas zu sagen.

„Nein, ich übe nur für die Rückreise", gab seine Frau schnippisch zurück.

Kluftinger ließ sich auf kein Wortgefecht ein. Das Beste war jetzt, in Büßerhaltung ihren Zorn zu ertragen, bis er verraucht war.

„Soll ich dir helfen? Brauchst du noch was aus dem Schrank?" In vorauseilendem Gehorsam stellte er sich an die Schrankwand, bereit, ihre Kommandos zu empfangen.

„Nein."

„Du, ich hab dir was mitgebracht …", sagte Kluftinger, der spätestens jetzt die Zeit für seine Rose für gekommen sah. Er streckte ihr die Blume hin.

„Du, stell sie doch in eine Vase. Vielleicht hält sie dann ja, bis ich wieder da bin", sagte seine Frau kühl.

Kluftinger erkannte, dass das Leben manchmal doch komplizierter war, als es auf den ersten Blick aussah. Sicher, sie hatte Recht, eigentlich hatte sie nichts von der Rose, wenn sie doch am nächsten Tag in Urlaub fuhr. Aber es sollte doch ein Symbol sein. Kluftinger ließ die Schultern hängen. Er setzte sich aufs Bett.

„Nicht! Nicht da drauf setzen", schrie Erika schrill und wie von der Tarantel gestochen fuhr ihr Mann wieder hoch. Er dachte zuerst, dass sie vielleicht irgendetwas Spitzes dort liegen hatte und ihn vor einer Verletzung bewahren wollte. Doch sie zog nur ein zusammengelegtes Nachthemd unter der Decke hervor.

Er nahm sich einen Stuhl. „Hast du auch an die Reiseapotheke gedacht?", fragte er. Eigentlich waren das sonst ihre Fragen, aber im Moment schienen die Rollen vertauscht zu sein.

„Ja."

„Auch an die Durchfalltabletten? Das Essen da ist man halt doch nicht so gewohnt."

„Auch die hab ich dabei."

„Vielleicht solltest du auch Chlortabletten mitnehmen. Hab ich im Fernsehen gesehen, da kann man das Leitungswasser keimfrei machen."

„Ich fahr nach Mallorca, nicht in den Krieg."

„Schon, aber das Leitungswasser in diesen Ländern ist nicht so wie bei uns."

Sie hielt kurz inne, stemmte die Hände in die Hüften und sagte bestimmt: „Dieses Land ist Spanien, liegt mitten in Europa und ist nicht gerade für seine Epidemien bekannt."

Damit würde er also nicht weiterkommen. Gut, musste er eben zu härteren Mitteln greifen.

„Ich bin ja nicht abergläubisch", fing er an, wohl wissend, dass sie sehr wohl mit dieser Eigenschaft gesegnet war, „aber man sagt, man soll nicht im Streit auseinandergehen."

Die Hand, die gerade eine Bluse im rechten oberen Eck des Koffers glatt strich, stoppte mitten in der Bewegung. Natürlich wusste sie das. Und ihr Mann wusste es von ihr. Aber selbst wenn sie seinen durchsichtigen Versuch, gut Wetter zu machen, durchschaute, musste sie ihm doch Recht geben.

Sie blickte ihn lange an und er hielt ihrem Blick stand.

„Ich will ja nicht im Streit gehen, aber du machst es mir nicht gerade leicht."

Kluftinger unterdrückte ein Lächeln. Auf ihren Aberglauben war immer Verlass. Meist zu seinem Leidwesen, etwa, wenn er um Weihnachten herum plötzlich seine Socken heimlich im Waschbecken einweichen musste und hinter dem Vorhang auf die Heizung zum Trocknen legte, weil sie sich partout nicht dazu überreden ließ, über die Feiertage Wäsche aufzuhängen.

„Dann stirbt jemand in der Familie", behauptete sie. Rationalen Argumenten war sie in dieser Frage nicht zugänglich. Aus dem gleichen Grund erzählte er ihr auch nie, wenn er von Zähnen träumte. Weil sie sonst die gesamte Verwandtschaft anrief, um sich zu versichern, dass auch alles in Ordnung sei. Denn auch geträumte Zähne betrachtete sie als Todesboten. Nur über geträumte Zahlen freute sie sich – und tippte sie sofort bei der Abgabe des nächsten Lottoscheins.

„Hör zu, hier läuft ein Mörder frei herum. Du willst doch auch, dass der gefasst wird, oder?" Jetzt fuhr er die ganz schweren moralischen Geschütze auf.

„Ich ... ja, natürlich will ich das. Ich meine nur, wir haben ja auch noch ein Privatleben", druckste sie herum.

Er hatte gewonnen. Die Oberhand in dieser Frage zurücker-obert. Er war ein bisschen stolz auf sich. Psychologische Kriegsführung lernte man eben am besten in der Ehe. Dass er seine Kenntnisse auch bei seinen Verhören gut gebrauchen konnte, war ein schöner Nebeneffekt.

„Sind wir jetzt wieder gut?" fragte er schließlich, auch wenn er die Antwort schon kannte.

Sie setzte sich auf seinen Schoß, schürzte die Lippen und sagte: „Natürlich. Hör mal, ich hab dir hier ein paar Zettel geschrieben. Mit wichtigen Sachen drauf." Sie öffnete die Nachttischschublade und kramte ein Bündel Papier hervor. „Die klebe ich dir dann an die Türen und die Schränke, dann weißt du Bescheid."

„Also wirklich, ich bin doch nicht beschränkt. Ich kann schon mal ein paar Tage auf mich selbst aufpassen."

„Das weiß ich doch, du Brummbär. Aber nur zur Sicherheit." Sie las den ersten Zettel vor: „Vor dem Weggehen Kaffeema-schine ausschalten und zuschließen."

Er nickte. „Selbstschussanlage aktivieren, hast du vergessen", stichelte er.

„Du nimmst mich gar nicht ernst", spielte sie die Beleidigte.

„Natürlich nehm ich dich ernst, aber hast du nichts, was mir wirklich weiterhilft?"

Sie stand auf und streckte ihm die Hand hin: „Komm mal mit."

Sie gingen in den Keller, wo sie den Gefrierschrank öffnete. Mindestens ein Dutzend bunter Plastikbehälter standen darin, auf jedem klebte ein Zettel, wie die aus ihrem Nachttischchen. Darauf standen Wochentage.

„Ich hab ein bisschen vorgekocht. Die erste Woche müsstest du damit auf jeden Fall hinkommen. Sonst musst du halt auch mal in die Kantine gehen."

Er war gerührt. Zum Dank hörte er sich schließlich geduldig all ihre weiteren Hinweise an, die von „Mittwochs die Tonne rausstellen" bis „Am Wochenende das Bett frisch beziehen" reichten. Dann lud er sie ganz spontan zum Essen ein. Ohne dabei ans Geld zu denken.

★★★

Es war 5 Uhr, als bei Kluftingers an diesem Montagmorgen der Wecker klingelte. Erika Kluftinger drehte sich zu ihrem Mann, um ihn sanft mit einem Kuss zu wecken – doch seine Seite war leer. Im selben Moment ging das Licht im Schlafzimmer an. Schlaftrunken blinzelte Erika gegen die Beleuchtung an und erkannte, dass ihr Gatte, bereits vollständig angezogen, im Türrahmen stand.

„Guten Morgen, du Schlafmütze", sagte er liebevoll, beugte sich über das Bett und drückte ihr einen Schmatz auf die Wange.

„Morgen", war alles, was seine überraschte Frau hervorbrachte. Es war lange her, dass sie so von ihm geweckt worden war. Eigentlich weckte in der Regel sowieso sie ihn, denn auch wenn ihr Mann nicht zu den Langschläfern gehörte, so musste schon etwas ganz Besonderes passieren, dass er vor sechs Uhr aus den Federn kroch. Außer er ging zum Bergsteigen. Da konnte es ihm gar nicht früh genug sein. Aber jetzt? Sie lächelte den Türrahmen an, in dem vor wenigen Augenblicken noch ihr Mann gestanden war. Wie lieb, dachte sie sich, er ist ganz aufgeregt, weil ich wegfahre.

Mit einem Teil ihrer Annahme hatte Erika Kluftinger recht: Ihr Mann war aufgeregt. Dass es nicht an ihrer morgendlichen

Abreise lag, konnte sie nicht wissen. Und Kluftinger tat nichts dazu, sie aufzuklären. Er war die ganze Nacht über unruhig gewesen. Nicht wie schon diverse Nächte in der letzten Woche, weil er das Gefühl hatte, in seinem Fall nicht weiter zu kommen. Genau das Gegenteil war der Fall: Er war kribbelig, gerade weil er glaubte, dass der heutige Tag wichtige Erkenntnisse für ihn bereithielt. Am liebsten hätte er die Uhr ein paar Stunden vorgestellt. Er kam sich vor wie früher, an Weihnachten, wenn er immer besonders früh aufgestanden war, nur um dafür mit einer noch längeren Wartezeit bis zur Bescherung „belohnt" zu werden. Denn da war sein Vater eisern gewesen: Vor acht kam das Christkind nicht. „Wir sind das letzte Haus in Altusried, das das Christkind anfliegt", hatte er diese für seinen Sohn schier unerträgliche Frist einmal begründet. Der kleine Kluftinger fand das sehr unfair. Mehr als einmal hatte er in den Advents-Gottesdiensten dafür gebetet, dass das Christkind in diesem Jahr die Route doch einmal andersherum fliegen möchte. Doch es änderte sich nichts. Erst sehr viel später hatte Kluftinger den wahren Grund für die unflexible Route des Christkinds erfahren: Sein Vater traf sich Heiligabend immer mit ein paar Freunden zum Schafkopf-Spielen. Daran hatte sich bis heute nichts geändert. Nur die Geschichte vom Christkind glaubte er ihm inzwischen nicht mehr.

Als Erika die Küche betrat, roch es bereits nach Kaffee und der Tisch war gedeckt. Kluftinger saß auf der Eckbank und war in die Zeitung vertieft. Er schüttelte den Kopf.

„Gibt's was?", fragte seine Frau.

„Die schreiben über den Fall. Dass es nix Neues gibt und so. So wie es da steht, klingt es, als ob wir überhaupt nichts tun. Und das mit der Beerdigung haben sie schon wieder erwähnt."

Seine Frau seufzte. Das machte ihr den Abschied etwas leichter. Nach ihrem Urlaub würde sicher niemand mehr darüber sprechen, hoffte sie mehr, als sie es glaubte. Immerhin bestand die reelle Chance, dass ihr Mann den Fall bis dahin aufgeklärt hatte. Sie sah ihn an. Für einen kurzen Moment war sie sehr stolz auf ihn. Natürlich kritisierte sie ihn manchmal, weil er sich ihrer Ansicht nach bei der Arbeit unter Wert verkaufte. Aber jetzt, das wusste sie, konnten sich die bei der Polizei keinen besseren wünschen, um den Fall aufzuklären.

„Ist was?", fragte ihr Mann, der ihren Blick bemerkt hatte.

„Wirst du mich denn auch vermissen?", fragte sie.

„Das weißt du doch."

„Nein, weiß ich nicht."

„Ich werde dich vermissen …"

Sie lächelte.

„…immer, wenn ich abends nach Hause komme und niemand für mich gekocht hat."

Sie spitzte enttäuscht die Lippen.

„Erika. Du weißt doch, dass du mir fehlen wirst. Bestimmt. Aber du wirst sicher überhaupt nicht an mich denken, bei den schönen Stränden und dem guten Essen …"

Sie stand plötzlich auf und setzte sich auf seinen Schoß. „Ach, am liebsten würde ich hier bleiben, bei dir. Du weißt doch gar nicht, wo alles ist und …"

„Jetzt bleib doch in der Ruhe", unterbrach er seine Frau und stand auf. Der plötzliche Stimmungsumschwung hatte ihn verunsichert. „So ist es doch für uns beide am besten. Ich komm schon zurecht. Und wenn nicht, dann lass ich dich mit Polizeieskorte von den spanischen Kollegen wieder einfliegen."

Sie lächelte. Gerade wollte sie ihn umarmen, da hupte es draußen.

„Muss der Depp um die Zeit denn die Nachbarn wecken", schimpfte Kluftinger, der sich einigermaßen sicher war, dass es sich um Langhammer in seinem silbergrauen E-Klasse-Mercedes handelte, der zu nachtschlafender Zeit dieses Konzert veranstaltete.

„Trägst du mir die Koffer raus, ich muss noch mal schauen, ob ich alle Papiere habe", rief seine Frau und lief hektisch in den Gang. Kluftinger ließ sich von ihrer Hektik nicht anstecken und trottete gemütlich ins Schlafzimmer, packte die zwei Taschen, deren Umfang wie immer auf eine Weltreise schließen ließen, und ging nach draußen.

Langhammer wartete bereits am Kofferraum. Als er Kluftinger sah, rieb er sich die Hände und schmetterte ihm ein „Na, auch schon frisch und munter an diesem wunderschönen Morgen?"

entgegen, wobei er den letzten Teil des Satzes durch ein deutlich vernehmbares Einatmen der kühlen Luft unterstrich.

„Hm", lautete Kluftingers Erwiderung, begleitet von einem Kopfnicken. Er warf die Taschen in den Kofferraum, und obwohl sie sehr gut Platz hatten, räumte Langhammer gleich geschäftig darin herum und wies ihnen andere Plätze zu.

Die Verabschiedung verlief kurz und schmerzlos, so wie Kluftinger es am liebsten hatte. Die Zeit war knapp und Kluftinger konnte seiner Frau durchs offene Fenster gerade noch einen Schmatz auf den Mund drücken, da setzte sich der Mercedes auch schon in Bewegung.

„Ich hab dir für heute Abend einen Zettel geschrieben, wo du alles findest. Und räum endlich die Trommel aus dem Wagen", rief ihm seine Frau noch zu.

Das letzte, was er von der kleinen Reisegesellschaft sah, war das Grinsen des Doktors, den Erikas Fürsorge offensichtlich sehr erheiterte.

Kluftinger stand auf der Straße und winkte so lange, bis das Auto um die Ecke bog.

***

Schon wenige Minuten später war er auf dem Weg ins Büro, wo er wieder einmal der Erste war. Er wollte in Ruhe den kommenden Tag planen.

„Sie sind in letzter Zeit ja ein richt'scher Frühaufsteher geworden", grüßte ihn die Sekretärin.

„Morgen, Frau Henske. Sie wissen ja, der frühe Vogel fängt den Wurm", erwiderte er freundlich.

Sie sah ihn einen Augenblick prüfend an, weil sie nicht sicher war, ob er einen Scherz machte oder es ernst meinte. Seine Kollegen fanden es immer besonders lustig, ihre Unwissenheit, was Sprichwörter betraf, auszunutzen, und ihr vermeintlich weise Worte mit auf den Weg zu geben, die überhaupt keinen Sinn machten. „Wer andern eine Grube gräbt, sollte nicht mit Steinen werfen", hatte ihr Strobl einmal geraten, da war sie noch ziemlich neu in Kempten – und im Westen, wenn man es genau nahm. Erst als sie den angeblich schlauen Spruch bei einem Essen im Kollegenkreis selbst zum Besten gegeben und dafür schallendes Gelächter geerntet hatte, war ihr klar geworden, dass man sie reingelegt hatte. Seitdem war sie vorsichtig.

Kluftinger machte aber nicht den Eindruck, als würde er sie auf den Arm nehmen wollen. Und da er heute Morgen ausnehmend gut gelaunt aussah, antwortete sie: „Ja, das wurmt den Wurm aber ganz mächtig."

Der verständnislose Blick des Kommissars machte ihr klar, dass dieser Kalauer missglückt war. Deshalb schob sie schnell nach: „Alles in Ordnung bei Ihnen? Geht der Fall gut voran?"

„Wenn man einmal davon absieht, dass meine Frau sich für zehn Tage nach Mallorca verabschiedet hat und ich nun ganz auf mich allein gestellt bin, läuft es gut", lenkte Kluftinger das Gespräch ganz bewusst vom aktuellen Fall weg.

„Ach herrje, da müssen Sie ja jetzt selber kochen und waschen und so? Also, wenn Sie wollen, ich nehme Ihnen gern einmal einen Korb ab. Wäsche meine ich. Das wäre gar kein Problem."

Kluftinger nickte nur und verschwand in seinem Büro, ließ die Tür aber offen, um nicht unhöflich zu erscheinen.

„Soll ich Ihnen einen Kaffee machen?", steckte Sandy ihren Kopf durch die offen stehende Tür ins Zimmer.

„Danke, ich hatte schon einen."

„Wenn Sie was brauchen, Sie wissen ja, wo ich bin."

Kluftinger blickte irritiert von seinem Schreibtisch auf. Vielleicht war er heute Morgen etwas zu nett gewesen.

Als seine Kollegen kamen, besprachen sie kurz die Aufgabenverteilung für den Tag. Anschließend machte Maier die Adresse der Käserei von Robert Lutzenberg ausfindig, dem Freund des Ermordeten, von dem Wachters Tochter ihm gestern erzählt hatte.

„Also, Abflug, Richie", sagte der Kommissar zu Maier, nachdem der ihm die Adresse ausgehändigt hatte.

„Wie, ich soll mit?", fragte der ungläubig zurück.

„Jetzt komm schon", antwortete Kluftinger und fühlte sich dabei ein bisschen wie ein Vater, der seinen Sohn auf einen Ausflug mitnimmt, so sehr schien Maier sich zu freuen. Für einen kurzen Moment bereute er es schon wieder, nicht Strobl gefragt zu haben. Aber Maier hatte in der letzten Zeit gute Arbeit geleistet, wenn man einmal von seinem Auftritt bei der Beerdigung absah, und Kluftinger wollte ihn nicht immer nur die Bürojobs erledigen lassen.

★★★

Sie waren schon ein paar Minuten gefahren, ohne ein Wort zu sprechen. Kluftinger genoss die Ruhe. Es war ein wunderschöner Tag. Der Himmel zeigte sich in sattem Weiß-Blau. Als sie bei Hellengerst die A980 verließen, hieß sie ein Schild mit der Aufschrift „Grüß Gott im Weitnauer Tal" willkommen und sofort präsentierte die Landschaft grüne, sanfte Hügel, die die nahen Berge bereits erahnen ließen. Er verstand nicht, warum ausgerechnet das westliche Oberallgäu und das Westallgäu immer noch als Geheimtipp galten. Das Ostallgäu kannte so ziemlich jeder, vor allem Füssen mit dem Märchenschloss Neuschwanstein und jetzt seit kurzem dem Musical über das Leben Ludwig II. war den meisten ein Begriff. Das Oberallgäu mit Kempten und Oberstdorf und vor allem den Allgäuer Alpen war beliebtes Urlaubsziel. Und das Unterallgäu war zumindest mit Memmingen als Autobahnabfahrt geläufig. Nur das Westallgäu war touristisch noch nicht so erschlossen wie seine Allgäuer „Geschwister". Vielleicht war das auch besser so, dachte er, denn mit dem Bau der Autobahn hatte die Idylle hier zumindest schon mal den Fortschritt in Form des Verkehrslärms zu spüren bekommen. Als sich Kluftinger die Höfe rechts und links der Autobahn besah, wurde er ein wenig wehmütig bei dem Gedanken, dass sie einst ein regelrechtes Einöddasein geführt haben mussten und nun den Emissionen der großen Straße ausgesetzt waren.

Bei Seltmans bog Kluftinger links ab. Er fuhr gern diese Strecke, die von den Eingeweihten nur als „hintenrum" bezeichnet wurde. Er war sich nicht sicher, ob es der schnellste Weg war, da gab es verschiedene Ansichten und jeder beharrte darauf, dass seine Alternative die beste war. Gestoppt hatte sie allerdings noch keiner, soweit er wusste. Seine hatte jedenfalls landschaftlich am meisten zu bieten.

„Da können die aber von Glück sagen, dass wir nicht von der Verkehrspolizei sind", unterbrach Maier seine Gedanken.

Er sah gleich, was sein Kollege meinte: Auf einem steilen Stück kam ihnen ein riesiger Traktor entgegen, neben dessen Führerhaus ein Mann saß. Eigentlich hing er mehr zwischen Traktor und Straße. Beide schüttelten den Kopf über so viel Leichtsinn, auch wenn Kluftinger sich erinnerte, dass er früher selbst auf so manchem Gefährt in halsbrecherischer Manier mitgefahren war.

Kurz vor Ende des steilen Stücks musste Kluftinger die Fahrt drastisch verlangsamen. Eine beleibte Frau quälte sich auf ihrem Fahrrad die Straße hinauf. Er überlegte sich kurz, ob er Maier fragen sollte, was er meinte: Ob wohl ihre Hinterbacken oder ihre Satteltaschen weiter nach unten hingen. Aber er wollte Maier nicht ermutigen, selbst auch derartige Witze vom Stapel zu lassen. Also grinste er nur still in sich hinein.

„Herrgottsakrament", schrie er wenige Sekunden später plötzlich so laut, dass Maier merklich zusammenzuckte. Er stieg in die Bremsen. Ein grüner Mercedes war aus einer Abzweigung unmittelbar vor den beiden Kripobeamten auf die Straße gebogen. Der Fahrer, der es offenbar so eilig gehabt hatte, setzte sein Fahrt dann aber mit nur etwa 30 Stundenkilometern fort.

Blöde Touristen, blöde, lag dem Kommissar bereits auf der Zunge, als er den Fahrer am Kennzeichen als Lindauer identifizierte.

„So fährt man hier also", sagte er stattdessen. Immer wieder drückte er auf die Hupe und machte seinem Ärger lautstark Luft.

Erst als er die „Passstraße" kurz vor Röthenbach, ein Stück mit steilen und engen Kehren, hinuntergefahren war und sein Blick auf das Tal fiel, das mit seinen wunderschönen Fachwerkhäusern an die künstliche Landschaft einer Modelleisenbahn erinnerte, beruhigte er sich.

„Da geht's also nach Ei", meldete sich Maier auf einmal wieder zu Wort.

Kluftinger verstand nicht. Er sah lediglich einen Wegweiser nach Egg.

„Egg … englisch für Ei, verstehst du?", sagte Maier und lachte dabei, ließ sein Lachen aber, als Kluftinger nicht einstimmte, schnell in einem Räuspern untergehen.

„So, da tanken wir jetzt noch schnell", ging sein Chef gar nicht auf den misslungenen Witz ein und zeigte stattdessen auf die Zapfsäulen, die links neben der Fahrbahn sichtbar wurden. „Hier ist es nämlich besonders billig", erklärte er Maier. Obwohl Kluftinger Dienstfahrten natürlich vom Staat ersetzt bekam, gab es für ihn doch kaum ein schöneres Gefühl, als ein paar Cents zu sparen. Egal, für wen.

Wenige Kilometer weiter, an der Abzweigung Lindenberg/ Weiler, fragte Kluftinger unvermittelt: „Und wo geht's jetzt hin?" Er fuhr in den Kreisverkehr und bat Maier, doch in der Karte nachzusehen. Der faltete sie auf seinen Knien auf und beugte seinen Kopf darüber.

„Na?", wurde Kluftinger ungeduldig, als Maier mit einer Antwort auf sich warten ließ.

Maier begann zu schwitzen. Inzwischen hatten sie schon die dritte Runde im Kreisverkehr hinter sich und sein Magen begann zu rebellieren.

„Also … ich glaube …", stotterte Maier.

„Wird's bald", drängte Kluftinger mürrisch.

„Da lang", erwiderte Maier schnell. Allerdings hörte er sich dabei nicht an, als ob er sich sicher war. Kluftinger schlug dennoch die ihm gewiesene Richtung ein.

„Wehe, das stimmt nicht", sagte er mit drohendem Unterton. Den Rest der Fahrt nestelte Maier nervös an seinem Diktiergerät herum. Kluftinger wusste, dass er sich in seiner Gegenwart unwohl fühlte. Aber das war nicht sein Problem. Allerdings würde es zu seinem Problem werden, wenn Maier nicht sofort mit seiner Fummelei aufhören würde.

„Herrgott, hast du es jetzt mit deinem Scheißgerät?", platzte es schließlich aus ihm heraus und Maier erschrak so heftig, dass er es beinahe hätte fallen lassen. Er wollte gerade etwas erwidern, da fuhren sie an einem grünen Schild vorbei, auf dem mit gelber Schrift „Böserscheidegg" stand. Maier atmete erleichtert auf. Dann sahen sie auch die Käserei. Kluftinger parkte den Wagen unter einem großen Kastanienbaum neben dem Haus und sie gingen auf den Eingang zu. Die Tür war verschlossen. Sie gingen um das Gebäude herum, vorbei an einem haushohen Milchtank aus blitzendem Metall. Im Hinterhof standen Milchkannen in allen Größen herum, manche wirkten nagelneu, andere waren komplett verrostet. Vor einer Türe stapelten sich alte Paletten. Ein paar Hühner liefen über den Hof.

Da die Türe offen stand, konnte Kluftinger einen Mann und eine Frau erkennen, die mit einem Gartenschlauch gerade drei riesige kupferne Wannen abspritzten.

Als die Beamten die Türschwelle überschritten, empfing sie sofort ein intensiver Geruch. Kluftinger atmete ihn tief ein. Er liebte diesen Duft. Es roch nach so vielen Käsesorten gleichzeitig, dass seine Nase von diesem durchdringenden Aroma geradezu überwältigt wurde. Ganz anders als im großen Krugzeller Milchwerk, in dem das Bukett viel dezenter war und irgendwie künstlich roch. Dass so ein intensiver Geruch nicht jedermanns Geschmack war, konnte er an Maiers verkniffener Miene ablesen. Maier kam eben aus Württemberg und die wussten einfach nicht, was gut war.

„Grüß Gott", rief Kluftinger in den gekachelten Raum. Der Mann und die Frau, beide mit weißen, fleckigen Schürzen bekleidet, blickten auf.

„Mir ham g'schlossn", brummte der Mann und richtete den Wasserstrahl nun auf den Boden.

„Ich weiß, ich weiß. Ich will ja auch nichts kaufen. Ich wollt' nur fragen, ob ich den Herrn Lutzenberg sprechen könnte."

Der Mann und die Frau tauschten einen kurzen Blick.

„Der wohnt doch schon lang nimmer da", sagte die Frau kopfschüttelnd und ergänzte, mit Blick auf ihren Mann: „Ist der net ins Unterland zog'n?"

„Glaub scho", erwiderte der, ohne aufzusehen.

„Ja, wissen Sie denn zufällig, wohin der Herr Lutzenberg gezogen ist? Ich dachte nämlich, dass das hier seine Käserei ist."

„Ha, jetzt muss ich aber schon lachen", sagte der Mann, ohne auch nur den Anflug eines Lächelns zu zeigen. „Sehr gut scheinen Sie den Lutzenberg ja nicht zu kennen. Soviel ich weiß, hat der nie was mit der Käserei zu tun haben wollen."

„Ist das denn nicht seine Käserei?"

Der Mann lachte. „Sicher nicht. Weil das nämlich unsere Käserei ist."

Maier wurde es jetzt zu bunt. Er zückte seinen Ausweis, stellte sich vor und sagte: „Wir müssen unbedingt Robert Lutzenberg sprechen. Sofort."

Kluftinger nickte seinem Kollegen zu und gab ihm gleichzeitig mit der Hand ein Zeichen, die Leute nicht zu forsch anzugehen.

„Das ist natürlich was anderes", sagte der Mann und drehte den Wasserhahn ab. „Aber da wird Ihnen Ihr Ausweis auch nicht viel nützen", zeigte er sich dennoch wenig beeindruckt von Maiers autoritärem Auftreten. „Der Lutzenberg ist nämlich seit ungefähr einem dreiviertel Jahr tot."

Jetzt verstand Kluftinger gar nichts mehr. „Sie haben doch gerade gesagt, dass er ... na ... im Unterland wohnt."

„Ja, sein Sohn", mischte sich jetzt wieder die Dame des Hauses ein. „Der Andreas wohnt da, ich glaub, der ist Lehrer oder so. Früher war er noch ab und zu hier, aber seit sein Vater tot ist, hab ich ihn nicht mehr gesehen."

„Haben Sie die Käserei von seinem Vater gekauft?", wollte Kluftinger wissen.

„Eigentlich mehr übernommen. Der Lutzenberg wollte nicht viel dafür. Ihm war es wichtiger, dass das G'schäft in guten Händen weitergeführt wird. Wissen Sie, er hat immer drauf geschaut, dass hier lauter erstklassige Sachen hergestellt wurden. Und das hat sich rumgesprochen, sonst hätt' so ein kleiner Betrieb gegen große Käsereien und Milchwerke doch gar keine Chance gehabt. Wir haben uns inzwischen auch einer größeren Kette angeschlossen, die uns das, was wir nicht direkt verkaufen, garantiert abnehmen. Bei 500 Kilo Käse am Tag, die wir produzieren, müssten wir ja 24 Stunden im Laden stehen, um den auch an den Mann zu bringen. Aber der Lutzenberg hat noch autonom gewirtschaftet. Wie sich das gerechnet hat, weiß ich auch nicht."

Als der Mann erkannte, dass er mit seiner weitschweifigen Antwort von der eigentlichen Frage abgekommen war, ergänzte er: „Und ich hab eben bei dem Lutzenberg gearbeitet. Da wusste er Bescheid, dass bei mir alles in guten Händen ist."

„Haben Sie eine Adresse von seinem Sohn?", fragte Maier und hielt dem Mann sein Diktiergerät unter die Nase.

„Nein, das nicht, aber hier in der Nähe, in Weiler, haben sie noch ein Haus. Ich glaube, da wohnt irgendeine Großtante oder so darinnen. Die kann Ihnen bestimmt weiterhelfen", sagte der Mann und versuchte dabei sichtbar angestrengt, möglichst fehlerfreies Hochdeutsch in das Gerät zu sprechen.

„Gut, dann fahren wir da hin", sagte Kluftinger und machte kehrt. Als er schon fast die Tür erreicht hatte, drehte er sich noch einmal um.

„Ach so", tat er so, als sei ihm gerade noch etwas Wichtiges eingefallen. Tatsächlich wollte er es aber schon die ganze Zeit fragen: „Kann ich vielleicht doch jetzt schon ein Stück Käse bei Ihnen kriegen?"

★★★

Einige Minuten später saßen Maier und Kluftinger mit dem Stück Parmesan, das der Kommissar bekommen hatte, im Wagen. Der Käser, der sich inzwischen als „Herr Stoll" vorgestellt hatte, war extra mit ihm in den Keller gegangen. Ins Käsepradies, sozusagen. Denn was Kluftinger da sah, verschlug ihm den Atem: Zwei Räume waren bis unter die Decke mit großen, goldgelb glänzenden Käselaiben gefüllt. Das Erstaunlichste daran war für den Kommissar, dass es hier überhaupt nicht nach Käse roch. Es lag vielmehr ein beißender, salziger Geruch in der Luft, der offenbar von der Lösung kam, in der einige der Käse schwammen.

Stoll hatte extra für den Kommissar einen frischen Laib angeschnitten und ihm dann ein Stück geschenkt. Zwar war Kluftinger das gar nicht recht gewesen, aber Stoll hatte das mehrfach angebotene Geld partout nicht annehmen wollen. Dabei hätte Kluftinger für den Parmesan so ziemlich jeden

Preis bezahlt, schließlich wollte er nicht noch einmal vor Langhammer als Depp dastehen.

Da das Ehepaar in der Käserei nur die Adresse und die ungefähre Richtung wussten, in der das Haus lag, beschlossen die beiden Kriminalbeamten nach kurzer Suche, nach dem Weg zu fragen. Kluftinger entdeckte einen älteren Mann, der gerade seinen Dackel spazieren führte. Er hielt mit seinem Passat am Straßenrand und Maier fragte freundlich, wo denn die Sandbühlstraße sei.

„Wer soll denn do det wohne?", fragte der Mann in breitestem Dialekt und streckte seinen unrasierten Kopf zum Wagenfenster herein.

„Das tut überhaupt nichts zur Sache. Wir wollen nur wissen, wo die Straße ist. Zu wem wir wollen, ist ja wohl unsere Sache."
Kluftinger verdrehte die Augen. Er konnte sich vorstellen, was jetzt kam.

„Dass ihr Gelbfießler au iberall eiern Grind herzeige miesset", schimpfte der Mann zurück und zog seinen Kopf schnell aus dem Wagen.

Jetzt bekam Maier einen roten Kopf. Nicht nur, weil er es hasste, Gelbfüßler genannt zu werden. Nein, diese Allgäuer Bezeichnung für die württembergischen Nachbarn benutzte er sogar selber manchmal. Was ihn wurmte, war vielmehr die Tatsache, dass er es nach über 20 Jahren, die er nun schon im Allgäu wohnte, immer noch nicht geschafft hatte, als „Eingeborener" durchzugehen. Immer wieder kam ihm sein Akzent in die Quere. Und der wurde nicht von allen als angenehm empfunden. So wie jetzt.

„Hören Sie, Sie brauchen nicht gleich ausfällig zu werden", konterte Maier und bemühte sich dabei um geschliffenes Hochdeutsch. „Ich werde Sie mit solchen Fragen besser nicht mehr inkommodieren. Wahrscheinlich wissen Sie selbst gar nicht, wo die Sandbühlstraße ist."

Jetzt war Kluftinger baff. „Inkommodieren" – ein solches Fremdwort hatte er Maier noch nie sagen hören. Er hätte ihm auch gar nicht zugetraut, dass er überhaupt über einen solchen Wortschatz verfügte. Aber vielleicht wusste er ja auch gar nicht, was es bedeutete, und benutzte es nur, um sich an dem Alten zu rächen. Kluftinger hätte Maier gerne gefragt. Aber es ging nicht. Denn er hatte selbst keine Ahnung, was das Wort bedeutete.

Der alte Mann stutzte nur kurz und erwiderte dann trocken: „Jo, wenn ihr so gschiid sind, dann kinned'r grad sell suche", pfiff durch eine lückenhafte Zahnreihe seinem Hund und marschierte vom Wagen weg.

Maier wollte sofort seinen Dienstausweis zücken und aus dem Wagen steigen, wurde aber von Kluftinger zurück gehalten. „Das bringt doch nichts, Richard", versuchte er seinen Kollegen zu beruhigen. „Das ist halt ein Westallgäuer, dem brauchst du so nicht zu kommen."

Als er Maiers fragenden Blick sah, fügte er hinzu: „Die Westallgäuer sind eben stur. Und wenn du denen arrogant begegnest, machen sie dicht. Dann hast du schon verloren."

Kluftinger fuhr weiter und nickte dem Alten zum Missfallen seines Kollegen freundlich zu, als er den Wagen an ihm vorbei lenkte.

Den nächsten Passanten fragte Kluftinger selbst und erhielt prompt die gewünschte Antwort. Ein „Siehst du!" in Maiers Richtung konnte er sich deswegen nicht verkneifen.

Das Haus in der Sandbühlstraße, das die Nummer 9 trug, war ein uraltes, wunderschönes Hexenhäuschen mit knorrigen Fachwerkbalken in der Fassade. Der Putz war zwar etwas abgebröckelt, aber sonst schien es noch tadellos in Schuss. In so einem Haus würde sich Kluftinger einmal zur Ruhe setzen, da war er sich ganz sicher.

Als auf ihr Klingeln niemand öffnete, gingen die beiden Beamten um das Haus herum.

„Ist da jemand?", rief Kluftinger. „Hallo?"

„Kann man ihm helfen?", hörte er plötzlich eine Stimme aus Richtung Garten. Kurze Zeit später tauchte auch der dazugehörige Mensch auf. Es war ein zu schönes Bild, das sich ihm da bot: Eine Frau, die Kluftinger auf mindestens Mitte 80 schätzte, in bunt gemusterter Kittelschürze, an der – sozusagen schulterfrei – zwei faltige Arme hingen. Ihre Haare standen in sämtliche Himmelsrichtungen ab. Sie humpelte um die Ecke und blickte die beiden Polizisten an. In der einen Hand hielt sie eine kleine Harke, in der anderen ein Büschel mit verschiedenen Gräsern.

„Grüß Gott, wir wollen zu Familie Lutzenberg", sagte Kluftinger in das allgemeine Schweigen und lächelte freundlich.

„Ja, da ist er schon richtig. Schon richtig ist er da", murmelte die Frau und kam näher. Ihr Gang hatte sich, durch ein arbeitsreiches Leben, wie Kluftinger vermutete, zu einer grotesken Mischung aus Humpeln und Schlurfen entwickelt. Vielleicht lag es aber auch an einem Hüftleiden oder den ungeheuer klobigen Bergstiefeln, in denen die kurzen Beine der Frau steckten.

„Was will er denn?", fragte die Alte, die nun ganz nah an ihre Besucher herangetreten war. Kluftinger konnte die Schweißperlen sehen, die einzelne Haarsträhnen an ihrer Stirn kleben ließen.

Der Kommissar stellte sich und seinen Kollegen vor und umriss kurz ihr Anliegen. Die Frau, die sich als Lina Lutzenberg, die Tante des verstorbenen Robert vorstellte, bekam große Augen und bat die beiden sofort ins Haus.

Kluftinger war ein bisschen überrascht, als er die Wohnung betrat. Es roch zwar so muffig wie in den meisten alten Wohnungen, in denen er im Laufe seines Polizistenlebens gewesen war. Alles schien aber sehr ordentlich zu sein. Der Aufzug der Frau hatte ihn etwas anderes vermuten lassen und er ärgerte sich über seine voreiligen Schlüsse.

„Er kann ruhig reinkommen", winkte die Frau erst ihn und dann Maier ins Wohnzimmer, und erst jetzt bemerkte Kluftinger, dass die Frau immer die dritte Person gebrauchte, wenn sie ihn ansprach. Eine seltsame Angewohnheit, die ihm aber schon des Öfteren bei älteren Allgäuern aufgefallen war. Hatten die Menschen hier wirklich einmal so gesprochen? Er konnte es sich kaum vorstellen. Vielleicht war es aber auch nur eine Altersmarotte und er würde eines Tages ganz genauso reden.

Die Frau bedeutete ihnen, auf der Couch Platz zu nehmen. Trotz mehrfachen Verneinens ließ sie sich nicht davon abbringen, den beiden Beamten einen Kräutertee zu machen. Während sie aus dem Zimmer wankte, betrachteten Kluftinger und Maier das Wohnzimmer. Es herrschte eine drückende Hitze in der ganzen Wohnung, was darauf zurückzuführen war, dass kein einziges Fenster offen stand, obwohl es draußen inzwischen sehr warm geworden war. Auch so eine Altersmarotte, dachte der Kommissar. Seine Eltern bevorzugten in ihrer Wohnung auch das hausgemachte Tropenklima.

Eine große, alte Standuhr neben einer Kommode, die beide von beträchtlichem antiquarischem Wert zu sein schienen, zeigte viertel nach elf. Kluftinger sah auf seine Armbanduhr und stellte fest, dass die Standuhr auf die Minute genau ging.

„Die stimmt schon", sagte plötzlich eine Stimme dicht hinter ihm. Kluftinger hatte nicht bemerkt, dass die Frau schon wieder im Zimmer war. Trotz der klobigen Stiefel ging sie sehr leise, was aber auch an den dicken Teppichen liegen konnte, die überall im Haus ausgelegt waren. „Ich stelle sie immer nach der Tagesschau, wissen Sie", sagte sie mit Blick auf die Standuhr.

Dann stellte sie ihren Besuchern zwei Tassen dampfenden Tee auf den Tisch.

„Eine Mischung aus dem Garten mit Holunder und Lindenblüten – gut für die Nieren, weil man gut schwitzt", sagte sie und nahm auf einem klapprigen Holzstuhl Platz. Kluftinger fiel auf, dass sie sich die Haare gekämmt hatte. Über ihre Schürze hatte sie eine schwarze Strickjacke gezogen. Es war ihm ein Rätsel, dass die Frau nicht auf der Stelle einem Hitzschlag erlag.

„Und, schmeckt's ihm?", fragte sie schließlich und blickte erst Maier, dann Kluftinger erwartungsfroh an. Der Kommissar sah sich die Tasse an. Der Wasserdampf tanzte auf der dunklen Brühe. Er schwitzte schon beim Anblick des Gebräus. Auch der schwere, an frische Baumrinde erinnernde Geruch regte nicht unbedingt zum Trinken an. Dennoch wollte er die alte Frau nicht enttäuschen, die sich offensichtlich sehr freute, ihren Besuchern eine Kostprobe ihrer Kräuterkunst darbieten zu können.

Mit einem Lächeln, das mehr nach Zahnschmerz als echter Freude aussah, nippten beide an den Tassen, um sie sofort mit einem überschwänglichen „Hmmmm!" wieder abzusetzen. Die Alte schien zufrieden.

Nachdem sie nun offenbar für ein gutes Gesprächsklima gesorgt hatten, wollte Kluftinger ein paar Informationen bekommen. Er holte gerade Luft, um Lina Lutzenberg nach ihrem verstorbenen Verwandten zu fragen, da ergriff sie von selbst das Wort: „Wie ist es denn so bei der Polizei? Sicher ganz gefährlich? Man hört ja so viel. Am Fernsehen zeigen sie es auch immer. Es ist ja so schlimm, was alles passiert."

Kluftinger wollte gerade beschwichtigend antworten, dass im Fernsehen ja gerne übertrieben werde, da fuhr sie fort: „Wie hat er gesagt, heißt er? Maier? Ja, ist er am Ende mit dem Fridolin verwandt? Ich hab doch dem Fridolin seine Tochter in der höheren Schule gehabt. Mei, das war ja eine so brave Schülerin, die … na, wie hat sie noch geheißen? Die Maier, genau, jetzt fällt's mir wieder ein. Mei, jetzt ist der Fridolin halt auch schon tot. Aber wie der damals gestorben ist, das ist mir gleich auch nicht ganz geheuer vorgekommen. Da sollt er einmal nachfragen, beim …"

„Ja, Frau Lutzenberg, das machen wir bestimmt", unterbrach sie Maier, nachdem er mit seinem Chef einen leidvollen Blick getauscht hatte. Von der werden wir sicher nichts Brauchbares erfahren, sollte der sagen. „Jetzt müssen wir aber was über Ihren Neffen wissen. Über Ihren Ne-ffen." Die letzten Worte sprach Maier sehr laut und betonte jede Silbe.

„Ich hab schon verstanden", antwortete Lina Lutzenberg, „nur weil ich alt bin, braucht er nicht mit mir zu schreien."

Kluftinger versuchte, sein Grinsen zu verbergen, indem er einen tiefen Schluck aus der Teetasse nahm.

„Jetzt trinken wir erst einmal einen Kräuterlikör zusammen", erklärte die Dame des Hauses das Gespräch vorläufig für beendet. Alles Protestieren half nichts: Sie stellte den beiden jeweils ein Glas „Selbstgemachten" hin.

Auch den schluckten sie tapfer. Und griffen sofort hastig zur Teetasse, denn das dunkle Gesöff verbrannte ihnen die Kehlen, als hätten sie in eine Peperoni gebissen. Kluftinger musste jetzt sogar sein Sommerjackett ablegen. Ihm war es egal, dass die dunklen Schweißflecken unter seinen Achseln sichtbar wurden, er hielt es einfach nicht länger aus.

„So, ist ihm heiß geworden?", fragte Lina Lutzenberg und ihren Mund umspielte ein schelmisches Lächeln. Sie stand auf und ging mit den Worten „Das hätt er doch gleich sagen können" zum Fenster. Die Rettung. Der Kommissar spürte in seiner Vorstellung bereits den zarten Lufthauch, der gleich seine erhitzte Stirn kühlen würde – doch er wurde von einem lauten Ratschen aus seinen Tagträumen gerissen. Die Alte hatte, statt das Fenster zu öffnen, den Vorhang zugezogen. Kluftinger, der nicht zu Panikreaktionen neigte, fühlte sich plötzlich einge-schlossen. Ein Blick auf Maier zeigte ihm, dass es dem nicht besser ging.

Der Kommissar stand auf und lief etwas im Zimmer umher. Der Schweiß rann ihm inzwischen in kleinen Sturzbächen übers Gesicht, über die Augenbrauen und den Rücken hinun-ter.

„Bitte, Frau Lutzenberg, erzählen Sie uns doch etwas von Ihrem Neffen. Vielleicht aus seiner Studentenzeit?"

Als sie den Kopf senkte und offenbar nachdachte, was ihr zu diesem Thema einfiel, schnappte sich Kluftinger ein gerahmtes Bild, das auf der Kommode stand, und fächelte sich damit Luft zu.

„Ja was fällt mir denn dazu ein? Mei, in München war er halt. Wissen's, ich war ja als ganz kleines Mädchen auch schon mal in München, als …"

„Bitte, Frau Lutzenberg, wenn Sie einfach beim Thema bleiben. Kennen Sie den Studienkollegen Ihres Neffen? Herrn Wachter?" Kluftingers Geduld war zu Ende. Entweder die Alte erzählte nun irgendetwas Brauchbares oder er würde dieses Dampfbad sofort verlassen. Sein Handgelenk schmerzte bereits, so heftig fächelte er mit dem Bild.

„Den Wachter? Wie heißt denn der mit Vornamen?"

„Philip", rief Maier schnell, der damit versuchte, ein aktiver Teil des Gesprächs zu werden. „Philip Wachter."

„Ja, den Philip, ja den hab' ich ja fast ganz vergessen. Der war doch früher manchmal da gewesen. Wie die Frau vom Robert noch gelebt hat. Wissen's, die hat doch diesen schlimmen Unfall gehabt. Das war für den Robert ganz schlimm. Jaja, aber der Philip, wie geht's dem denn? Der Philip war ja auch ein netter. Wachter, hieß er, glaub ich."

Kluftinger verdrehte die Augen. Es machte wirklich keinen Sinn, hier noch weiter zu bleiben. Vielleicht würde er eine Kollegin oder einen Kollegen vorbei schicken, um die Aussage der alten Frau zu protokollieren. Dann bräuchte er nur noch den Bericht lesen und würde sich viel Zeit sparen.

Er stellte das Bild wieder auf die Kommode und sagte „Vielen Dank. Sie haben uns sehr …"

Plötzlich hielt er inne. Er drehte sich ruckartig um, schnappte sich noch einmal das Bild, mit dem er gerade gegen einen Hitzschlag angekämpft hatte, und betrachtete es sich ganz genau. Es zeigte eine Szene vor einem Gipfelkreuz. Ein Mann, den Kluftinger auf Mitte 50 schätzte, stand davor und hatte die Hand um einen jüngeren gelegt. Beide lachten fröhlich in die Kamera. Kluftinger kannte den Jüngeren. Es war der Mann, der auf der Beerdigung vor ihm geflüchtet war.

Obwohl ihm der Schreck der plötzlichen Erkenntnis in alle Glieder gefahren war, obwohl die Hitze es ihm schwer machte, einen klaren Kopf zu behalten, und obwohl ihm vor Aufregung plötzlich ganz schlecht war, versuchte er sich zu beherrschen und sagte so ruhig wie möglich: „Wer ist das auf diesem Bild?"

Die Frau nahm das Bild in die Hand und zwickte die Augen zusammen, sodass ihr Gesicht noch faltiger erschien. Obwohl sie das Bild, das bestimmt schon viele Jahre auf der Kommode stand, eigentlich genau kennen musste, holte sie seelenruhig eine Brille aus der Brusttasche ihrer Schürze, faltete sie umständlich mit einer Hand auf und betrachtete konzentriert das Foto. Dem Kommissar gelang es nur mit Mühe, seine Beherrschung nicht zu verlieren.

Maier hatte Kluftingers Aufregung bemerkt, war zu ihm getreten und blickte nun fragend zwischen dem Bild und Kluftinger hin und her. Kluftinger schüttelte den Kopf und bedeutete ihm so, die Frage, die ihm auf dem Herzen lag, vorerst für sich zu behalten. Maier blieb stumm und wartete gespannt auf die Antwort der Frau, auch wenn er nicht genau wusste, warum.

„Das sind der Robbi und der Andi", sagte sie schließlich mit einem zufriedenen Lächeln, als hätte sie eine schwierige Quizfrage beantwortet.

„Robbi ... Robert Lutzenberg?", vergewisserte sich der Kommissar.

„Robert und Andreas Lutzenberg", antwortete die Frau.

Kluftinger zog die Augenbrauen hoch. Es dauerte ein paar Sekunden, bis er verstand: „Sie meinen, Herr Lutzenberg und sein Sohn?"

„Sicher. Wer soll das denn sonst sein? Ach, der Andi", seufzte die Alte, „der wollt doch eigentlich auch schon längst mal wieder vorbeikommen."

„Haben Sie vielleicht eine Adresse?", fragte er und konnte seine Ungeduld nicht mehr verbergen.

„Moment", sagte die Frau und ging zur Kommode. Während sie darin herumkramte, flüsterte Maier seinem Chef die Frage ins Ohr, die er vorher nicht stellen durfte: „Wer ist denn das auf dem Foto?"

„Der Mann vom Friedhof", flüsterte Kluftinger zurück.

Jetzt bekam auch Maier große Augen.

„Da, das ist sie." Die Frau reichte Maier einen Zettel, auf dem die Adresse in Sütterlin vermerkt war. Da Maier diese Schrift nicht entziffern konnte, reichte er die Notiz an Kluftinger weiter.

„Wir haben ihn", sagte der und hob dabei den Zettel wie eine Trophäe in die Luft.

„Vielen Dank für alles, Frau Lutzenberg", verabschiedete sich der Kommissar, ohne eine Erwiderung der Frau abzuwarten.

Die Wohnungstür hinter ihnen war noch nicht ins Schloss gefallen, da drückte Kluftinger seinem Kollegen den Autoschlüssel in die Hand: „Du fährst!" Sofort zückte er sein Handy, um die Kollegen in Kempten und Memmingen, wo sich laut der Notiz die Wohnung von Andreas Lutzenberg befand, zu verständigen. Sie waren noch nicht beim Ortsschild Weiler angelangt, da hatte Kluftinger sie bereits instruiert: Sie sollten sich unverzüglich zur Wohnung von Andreas Lutzenberg begeben und dort auf ihn warten.

„Ihr greift nur ein, wenn ihr das Gefühl habt, dass er abhaut", rief er in sein Mobiltelefon. Erst dann drehte er das Beifahrerfenster herunter. Der kühle Fahrtwind wirkte auf den verschwitzten Kommissar wie eine Erlösung.

★★★

Es war gegen zwei Uhr, als Maier und Kluftinger in Memmingen eintrafen. Sie parkten am Polizeigebäude, um dort einen Memminger Kollegen aufzulesen, der ihnen den Weg zur Wohnung Lutzenbergs zeigen sollte. In der kurzen Zeit, die sie vor dem Komplex standen, bewunderte Kluftinger den Neubau, der ihn jedes Mal ein bisschen neidisch machte, wenn er daran vorbei fuhr. Er war vor ein paar Jahren bei der Einweihung schon einmal da gewesen und hatte sich vergewissern können, dass die Büros auch innen vom Feinsten waren. Alles hell und neu.

Ganz im Gegensatz zu ihren Räumlichkeiten in Kempten. Kluftinger war ja durchaus ein Freund von Brauntönen, aber ein bisschen weniger hätten es auch getan. Hier dagegen war alles in modernem Grau. Ganz besonders gefiel ihm das Kunstwerk, der stilisierte Polizeistern mit den stählernen Zacken, der auf der Wiese vor den Fenstern stand. Er verstand nichts von Kunst, aber wenn etwas Kunst war, dann das, da war er sicher.

Als der Kollege kam, stieg Kluftinger aus dem Wagen und ging ihm ein Stück entgegen.

„Schmied. Grüß Gott, Herr Kluftinger."

„Schmied? Harald Schmied?" Kluftinger kannte die Stimme von zahllosen Telefonaten mit dem benachbarten Revier, die er im Laufe seiner Dienstzeit geführt hatte.

Sein Gegenüber lächelte: „Genau der."

„Das freut mich jetzt aber, dass ich Sie endlich mal persönlich kennen lerne", sagte Kluftinger ehrlich. Es war für ihn immer ein ganz besonderes Vergnügen, Menschen zu sehen, von denen er bislang nur die Stimme kannte. Nicht nur aus Neugierde. Vielmehr, weil er in diesem Bereich nur über eine begrenzte Vorstellungskraft verfügte. Es fiel ihm schwer, von einer Stimme auf das Aussehen eines Menschen zu schließen. Meistens stellte er sich die Menschen wie irgendjemanden vor, den er kannte. Genau wie beim Radio. Für den überzeugten Bayern-1-Hörer sahen alle Radiosprecher aus wie Günther Koch. Er wusste eben nicht, wie die Leute beim Radio aussahen, während er Koch schon des Öfteren im Fernsehen gesehen hatte. Auch Telefonstimmen belegte er gern mit dem Gesicht der fränkischen Reporter-Legende.

„Na, enttäuscht?", fragte Schmied, der Kluftingers musternden Blick bemerkte.

„Aber nein, ganz im Gegenteil. Also ich meine, nicht im Gegenteil ... ich meine, ich freu mich einfach", antwortete der Kommissar etwas verlegen, weil er seinen Kollegen so angestarrt hatte.

Wie der Koch sieht der nicht aus, dachte er bei sich. Schmied war klein, und wenn Kluftinger, der selbst nicht zu den ganz Großen gehörte, so etwas von einem Menschen behauptete, hieß das schon etwas. Zudem trug er einen dichten Schnauzbart und seinen Kopf zierte eine Tonsur, eine Glatze mit dunklem Haarkranz, die ihn eher an Walter Sedlmayer als an Kochs graues kurzes Resthaar erinnerte. Auch die Leibesfülle seines Memminger Kollegen war entsprechend. Sollte er ihn länger nicht mehr sehen, würde er ihn sich von nun an wohl als den bayerischen Schauspieler vorstellen, dachte Kluftinger.

„Lassen Sie uns gleich fahren", sagte er und legte eine Hand auf Schmieds Schulter, um ihn zum Wagen zu führen. Er ging normalerweise bei fremden Menschen erstmal auf Distanz, aber bei Schmied war das anders. Er war ihm sofort sympathisch. Er hatte das Gefühl, ihn schon lange zu kennen. Und irgendwie stimmte das ja auch.

Als Schmied die hintere Tür zu Kluftingers Passat öffnete, stieg er nicht ein, sondern blieb vor dem Wagen stehen und blickte den Kommissar etwas unsicher an.

„Ist was?", fragte der, blickte in den Wagen und erkannte das Problem: Die Trommel lag immer noch im Fond, die Sitze waren umgeklappt.

„Oh, Entschuldigung. Das ist meine Trommel, die wollt ich eigentlich schon lange rausräumen", erklärte der Kommissar, denn für Schmied war nicht erkennbar, was da so Platz raubend unter der Decke im Wagen lag.

„Steigen Sie doch schon mal vorne ein, ich setze mich nach hinten", sagte der Kommissar.

Er schob die Trommel so weit es ging auf die andere Seite, klappte einen der Rücksitze notdürftig nach hinten und zwängte sich in den Wagen. Eigentlich kniete er mehr, als dass er saß.

„Sollen wir nicht vielleicht doch lieber einen unserer Wagen nehmen?", fragte Schmied besorgt beim Anblick der anatomisch ungünstigen Haltung seines Kemptener Kollegen.

„Nein, geht schon", log Kluftinger und schob schnell nach, um das Thema abzuschließen: „Maier – Herr Schmied, Herr Schmied – Maier." Maiers Blick, der den Mund verzog, weil er bei der Vorstellung nur den Memminger Kollegen mit „Herr" tituliert hatte, sah er nicht. Dazu hätte er schon freien Blick auf den Rückspiegel haben müssen, in seiner momentanen Stellung war das aber unmöglich.

Kluftinger war froh, dass sie schon nach wenigen Minuten das Auto in der Nähe des Memminger Rathauses wieder abstellten. Die Hitze hatte seine unbequeme Lage nicht gerade komfortabler gemacht. Er faltete sich aus dem Rücksitz und strich seine Kleidung glatt. Heute abend räum' ich das Ding endlich raus, nahm er sich fest vor.

„Wir haben seine Wohnung genau überwacht. Er ist weder rein- noch rausgekommen", informierte ihn Schmied. „Wenn Sie mich fragen, ist der gar nicht da. Auch am Fenster hat sich niemand gezeigt."

„Wird beim Arbeiten sein", vermutete Kluftinger.

„Würde mich wundern", entgegnete Schmied. „Wo er doch Lehrer ist und wir gerade …"

„…Sommerferien haben", vollendete Maier den Satz.

Schmieds irritierten Blick beantwortete Kluftinger mit einem angedeuteten Kopfschütteln.

„Wissen Sie irgendwas über Lutzenberg?"

„Also in unseren Akten taucht er nirgends auf, das haben wir schon gecheckt."

Kluftinger zog die Brauen hoch, als Schmied eines seiner Hasswörter gebrauchte. Sollte er sich in dem Kollegen getäuscht haben? Für dieses Mal beschloss er, ihm den Fehltritt durchgehen zu lassen. „Gehn wir rein", sagte er.

Die Eingangstür gehörte zu einem alten Haus in einer Häuserzeile gegenüber einer Kirche, die am Rand des großen Marktplatzes stand. Zwei Polizeibeamte lehnten ein paar Meter entfernt am Geländer, das den Stadtbach vom Kopfsteinpflaster des Platzes trennte. Als Schmied ihnen zunickte, folgten sie den drei Kripo-Beamten. Kluftinger klingelte. „Stehen hinten auch Kollegen? Falls er ausbüxen will?"

Schmied nickte nur und wartete gespannt. Im Haus rührte sich nichts. Die Sprechanlage gab keinen Mucks von sich, im Treppenhaus war nichts zu hören. Kluftinger drückte gegen die Tür. Sie war nicht verschlossen und ging auf. Die fünf Männer stiegen die knarzenden Holztreppen in den fünften Stock hinauf, klingelten erneut, klopften, riefen – vergeblich.

„Wir müssen rein. Jemand muss einen Durchsuchungsbefehl besorgen. Und holt den Hausmeister."

Etwa eine Stunde später standen sie wieder vor der Tür, diesmal mit der richterlichen Erlaubnis, die Wohnung betreten zu dürfen und mit dem Hausmeister, der ihnen aufschloss. Kluftinger ignorierte dessen dauernde Fragen, was denn passiert sei, und bat einen der Polizeibeamten, den Mann nach draußen zu begleiten. Als Kluftinger die Wohnung betrat, stockte ihm der Atem. Die Hitze in der Dachgeschoss-Wohnung war fast unerträglich. Ein muffiger Geruch lag in den Zimmern, offenbar war schon ein paar Tage nicht mehr gelüftet worden. Kluftinger öffnete sofort jedes Fenster, an dem er vorbei ging.

Die Wohnung war spärlich eingerichtet und sah sehr ordentlich aus. Irgendetwas störte Kluftinger, doch er kam nicht sofort darauf. Erst nachdem er alle Zimmer gesehen hatte, wusste er, was es war: Die Wohnung hatte keine Eigenheiten, keinen Charakter. Obwohl Lutzenberg hier wohnte, hatte er keine Bilder an den Wänden, keine Zettel, Ansichtskarten oder Zeitungen herumliegen. Wäre die Einrichtung etwas neuer und teurer gewesen, die Wohnung hätte auch im Prospekt eines Möbelhauses stehen können. Kluftinger setzte sich an den Küchentisch und blickte sich um. Währenddessen durchforsteten die Memminger Beamten die Schränke, hoben die Polster von den Sesseln, blickten unter die Matratzen.

„Ich denke, wir sollten eine Fahndung rausgeben, was meinen Sie?", suchte Kluftinger Bestätigung bei seinem Memminger Kripo-Kollegen Schmied.

„Das wäre wohl das Beste", pflichtete der ihm bei. „Nach allem, was Sie mir über den Fall erzählt haben, sieht es ganz danach aus, als seien wir in der Wohnung des Täters."

Kluftinger nickte nur und sah zu Maier. Der verstand und zückte sein Telefon.

„Herr Kommissar …", rief einer der Beamten aus dem Wohnzimmer.

„Ja", antworteten Kluftinger und Schmied gleichzeitig und erhoben sich von ihren Stühlen. Sie sahen sich an und grinsten.

„Sie zuerst, es ist schließlich Ihr Fall", ließ Schmied seinem Kollegen den Vortritt.

Ein Polizist hockte auf dem Boden des Zimmers und hatte ein paar Aktenordner vor sich, die er aus dem unteren Fach des Schrankes gezogen hatte. „Wir haben hier eine ganze Menge Ordner mit Papieren gefunden. Offenbar alles persönliche Sachen wie Finanzen und so was. Möchten Sie gleich mal einen Blick reinwerfen?"

Kluftinger schüttelte den Kopf. „Lassen Sie alles rausschaffen. Meine Mitarbeiter kümmern sich dann darum." Er wollte sich gerade wieder umdrehen, da fiel sein Blick auf etwas, das noch im Schrank stand.

„Geben Sie mir das da mal?", bat er den Beamten am Boden.

„Das Buch?", fragte der und zog es heraus. Es hatte einen blauen Einband, auf dem mit goldener Schrift zwei Jahreszahlen vermerkt waren. „1970 bis 1986", las Kluftinger leise.

Es war kein Buch, es war das fehlende Fotoalbum.

„Sorgen Sie dafür, dass ich alles schnellstens bekomme?", wandte er sich an Schmied.

„Versprochen."

Kluftinger eilte nach draußen, nicht ohne sich noch einmal umzudrehen und sich bei seinem Kollegen mit einem ernst gemeinten „Danke" zu verabschieden.

„Wir sind ganz nah dran", rief Kluftinger im Treppenhaus Maier zu, der am Geländer lehnte und telefonierte. „Lass uns gehen. Das hatte er bei sich im Schrank." Der Kommissar winkte triumphierend mit dem Fotoalbum. Maier erkannte nicht, was sein Chef da in der Hand hielt, doch es schien ein bedeutender Fund zu sein. Er beendete sein Gespräch und eilte ihm nach.

***

„Fahr du bitte", sagte Kluftinger zu Maier. Sie fuhren aus Memmingen heraus, Richtung A7, auf schnellstem Weg nach Kempten. Im Polizeifunk wurde gerade über die Personenfahndung nach Andreas Lutzenberg im gesamten süddeutschen Raum informiert.

„Österreich und Schweiz! Österreich und Schweiz!", wiederholte Kluftinger und erst jetzt zuckte Maier zusammen, der sich gerade ganz auf den Verkehr konzentriert hatte. Er hatte mit einem weißen alten Jetta mit Viehanhänger zu kämpfen, der mit seinem schwachen Dieselmotor seine schwere, lebendige Last offenbar kaum bewegen konnte.

„Äh, wie? Wie bitte?"

„Österreich und Schweiz. Wir brauchen eine internationale Fahndung, die für Österreich und die Schweiz gilt. Du erledigst das bitte nachher, wir müssen das über Interpol laufen lassen", erklärte der Kommissar, der in solchen Fällen froh war, dass er Mitarbeiter hatte, an die er solche Arbeiten delegieren konnte. Er hatte es schon gehasst, solche internationale Ersuchen über Fernschreiber oder Telefon zu besorgen. Seitdem es aber üblich war, diese Anliegen den ausländischen Kollegen per Fax oder gar per E-Mail zu übermitteln, sträubte er sich rigoros, sich selbst darum zu kümmern.

Maier lenkte den Kombi auf die Autobahn, Kluftinger kurbelte das Fenster ein wenig höher und die Bayern-1-Klänge gingen nun fast völlig im Dröhnen des Motors unter. Kluftinger klappte die Sonnenblende herunter, machte das Schiebedach zu, legte den Kopf zurück und schloss die Augen.

Sie hatten eine richtig heiße Spur. Noch vor ein paar Stunden wussten sie nicht, wer der Mann auf dem Friedhof gewesen war, und nun, durch einen kleinen Zufall kannten sie seinen Namen und seine Adresse. Wenn die Fahndung Erfolg haben würde, könnte der Fall nun ganz knapp vor der Aufklärung stehen. Das Tatmotiv musste irgendwo in den Akten aus der Wohnung Lutzenbergs zu finden sein. Aber was hatte den Mann, den jungen Beamten, schließlich war er Lehrer, zu dieser schrecklichen Tat bewegt? Die Indizien ließen keinen anderen Schluss zu: Lutzenberg hatte Wachter offenbar mit einer Vorhangschnur erdrosselt. Den ehemals besten Freund seines Vaters. Wachters Haushälterin hatte ihn auf der Beisetzung des Opfers erkannt und hatte ausgesagt, er sei bei Wachter gewesen. Die beiden hätten sogar gestritten. Worum ging es bei diesem Streit? Welche Beziehung bestand vor dem Mord zwischen dem jungen Lutzenberg und Philip Wachter?

Nur unterbewusst nahm Kluftinger die Fahrtgeräusche noch wahr. Die Wärme im Auto, das sonore Brummen der Maschine, die heiseren Geräusche, die der Wind erzeugte, als er sich an den Seitenscheiben brach, das Radio, das man zwar hörte, dessen Klang aber ein undefinierbarer Mischmasch aus Tönen und Worten war, all dies machte ihn schläfrig, beinahe wie eines der bunten psychedelischen Lichtspiele, die ihren Betrachter allmählich in Trance versetzten. Im Halbschlaf schossen Kluftinger Gedankenfetzen durch den Kopf.

Verbindung zwischen Lutzenberg und Wachter – zu tun mit Brüchen in Wachters Leben oder wo ganz anders zu finden – Fahndung – Fahndung muss Ergebnis bringen – das Fotoalbum gefunden – Indizien – Beweise – keine Beweise? – noch nicht, vielleicht, aber zu finden – sicher zu finden – irgendwo – sicher irgendwo – verdammt, wo? – Fahndung – gut so – Interpol – wir finden ihn, er muss ja irgendwo sein –Verbindung über den Vater – der ist tot – über die Töchter? – abwegig – oder doch? – Vater – Bruch Wachters auch mit Lutzenbergs – keinen Kontakt mehr – Verbindung doch über den Vater – beruflicher Einbruch in Wachters Leben – vorher schon blieb Lutzenbergs Erfolg aus – Arbeit als einfacher Käser – Familien passten nicht mehr zusammen – hier suchen, unbedingt hier nachbohren – Käser in Böserscheidegg und Lebensmittelchemiker – gute Qualitätsprodukte – Parmesan – Parmesan am Stück probieren – vielleicht für Kässpatzen – Kässpatzen mit Parmesan – Langhammer …

Kluftinger schreckte auf. Langhammer. Verdammt, er musste in den nächsten Tagen mit Dr. Langhammer Kässpatzen essen. Er war verblüfft, dass ihn dies scheinbar fast bis in den Schlaf verfolgte. Ausgerechnet jetzt fiel ihm dieser Fatzke ein, obwohl es doch im Fall so überraschend voran ging.

Plötzlich wurde Kluftinger durch ein heftiges Bremsmanöver aus dem Sitz gehoben. Die Aktion wurde von einem anderen Verkehrsteilnehmer mit lautem Hupen quittiert. Kluftinger schüttelte den Kopf: Autofahren war nicht wirklich Maiers Stärke.

Ohne ein Wort zu seinem Kollegen zu sagen, griff sich der Kommissar das Fotoalbum, das er hinten im Auto auf die Trommel gelegt hatte. Er schlug das blaue Buch auf und blätterte es durch. Es fanden sich Bilder, deren Inhalt Julia Wagner beschrieben hatte: Familienbilder aus dem Urlaub in Italien, Bilder der beiden Freunde – damals im besten Mannesalter – auf dem Tennisplatz, auf Golfplätzen im Ausland, im Allgäu gab es so etwas damals ja noch nicht. Und das Album enthielt Bilder, die von der beruflichen Stellung Wachters und auch Lutzenbergs zeugten: die beiden im weißen Labormantel bei der Arbeit, mit Reagenzgläsern und Versuchsanordnungen. Eine Fotografie zeigte sie bei der Übergabe einer Urkunde und eines dieser großen Schecks, die man aus Benefizveranstaltungen im Fernsehen kannte, vor Publikum, offenbar war es bei einer Preisverleihung aufgenommen worden. Noch konnte Kluftinger dieses vor ihm liegende Puzzle nicht zusammensetzen. Aber die Bilder würden ihn weiterbringen, nicht nur, weil sie die noch ungeklärte Verbindung zwischen Andreas Lutzenberg und dem Ermordeten belegten. Er musste hier ansetzen und irgendwie den geheimen Code knacken, den das Album enthielt.

Wieder war Kluftinger in Gedanken versunken, wieder bekam er von der Fahrt eigentlich nichts mit, nun aber drängte sich die unmittelbare Gegenwart unangenehm in sein Bewusstsein. Allmählich nämlich fühlte Kluftinger eine bedrohliche Übelkeit in sich hochsteigen. Der Geräuschbrei des Autos, das gleichförmige Gedudel des Autoradios, die warme, stickige Luft. Warum hatte er auch während der Fahrt die Bilder betrachten müssen? Ihm wurde ja schon beim Kartenlesen schlecht. Er streckte seinen Kopf in den Fahrtwind, doch das nahm ihm die Luft. Er hatte Durst. Nun versuchte er, mit einer bei ihm bewährten Atemtechnik seine Übelkeit zu besiegen. Schwer und laut atmend, mit genau bemessener Luftmenge beim Ein- und Ausatmen, nur auf seine Lungentätigkeit konzentriert, saß Kluftinger auf dem Beifahrersitz. Der Brechreiz war nun in seinem Zenith angekommen, denn Maier fuhr die scharfe Kurve an der Kemptener Ausfahrt mit ziemlich hoher Geschwindigkeit.

Sollte er seinen Kollegen bitten, beim Drive-In des Fastfood-Lokals anzuhalten, an dem sie gleich vorbeikommen würden? Noch hatte er sich im Griff, aber wie lange konnte er noch ohne Toilette auskommen? Noch wollte er sich diese Blöße nicht vor Maier geben. Rechts zog das McDrive vorbei, die letzte zugängliche Toilette vor dem Polizeipräsidium. Nun hieß es alles oder nichts: durchhalten oder ein Unglück. Kluftinger konzentrierte sich auf das, was er draußen sah: den Berliner Platz mit den trostlosen Fassaden und den vielen Fahrbahnen, die sich hier trafen, die barocken Türme der Lorenzkirche, die majestätisch auftauchten, das Zentralhaus, ein modern umgebautes Hochhaus, das mit der Basilika um das Amt des Wahrzeichens der Stadt Kempten zu konkurrieren schien. Die Illerbrücke kam näher und zeigte das unmittelbare Ende der

Fahrt an. Kluftinger konzentrierte sich weiter, sah Kinder, die in der Sonne auf dem Bolzplatz am Ufer der Iller Fußball spielten und auf das für sie viel zu große Tor schossen. Es war lange her, dass Kluftinger so intensiv wahrnahm, was es am Rande dieser beinahe jeden Tag von ihm befahrenen Ringstraße zu sehen gab. Links besah er sich genau das Krematorium der Stadt, rechts bemerkte er den Pferdeparcours, auf dem ein Mädchen mit einer schwarzen Kappe ihr rehbraunes Pferd über ein aus rot-weißen Rundhölzern aufgebautes Hindernis springen ließ, dann kam links die Friedhofshecke, vor der sich parallel zur Straße ein Halteplatz für Lkws befand. Ein Milchauto stand dort – „Schönmanger, der Geschmack des Allgäus" war darauf zu lesen. Nun sah er zu Maier hinüber, der seinen Blick erwiderte und überraschenderweise auf Anhieb zu verstehen schien, was gar nicht ausgesprochen war.

„Da könnten wir noch einmal nachbohren. Sollen wir einen Termin ausmachen?", fragte Maier dienstbeflissen und nicht ohne einen gewissen Stolz, selbst zur gleichen Zeit wie sein Vorgesetzter auf diese Idee gekommen zu sein.

„Ja, später", zwang sich der Kommissar ab, der nun das rettende Ufer bereits vor sich sah. Wenn die Ampel auf grün umschalten würde, wären sie in zehn Sekunden beim Präsidium und er könnte sein sonst geschätztes Auto, das sich heute als die leibhaftige Hölle gezeigt hatte, verlassen.

Maier stellte den Motor ab, zuvor hatte Kluftinger, kaum dass der Wagen zum Stehen gekommen war, die Türe aufgerissen, um an die frische Luft zu gelangen.

„Sag mal! Bist du blass! Geht es dir nicht gut?", fragte Maier den Kommissar, der noch immer geschwächt am Zaun lehnte, der hinter den Parkplätzen verlief.

„Nein, nein, nur ein bisschen warm heute. Und ich muss mal was essen und was trinken, aber sonst geht's mir gut", entgegnete Kluftinger, den die frische Luft allmählich wieder kurierte.

★★★

„Wir haben heute noch viel vor, Frau Henske, jetzt geht es voran", sagte Kluftinger mit wiedergewonnenem Elan, als er das Büro betrat. Maier war bereits weitergegangen, ohne die anderen Anwesenden großartig wahrzunehmen. Er wollte gleich die Sache mit Interpol über die Bühne bringen. Nun stand Kluftinger vor Sandy, die nicht wusste, warum die beiden Beamten auf einmal von solcher Geschäftigkeit getrieben wurden.

„Nu, wass is denn los, Herr Kluftinger, das uns so viel Arbeit verschaffen wird?" fragte sie beinahe ungläubig, dass es im aktuellen Fall nun endlich vorangehen sollte. Als Kluftinger sie aber knapp über die aktuelle Lage aufgeklärt hatte und sie bat, alle Mitarbeiter über eine Dienstbesprechung um 16 Uhr, also in einer knappen Stunde, zu informieren und ihm eine Verbindung mit Julia Wagner zu machen, war ihr klar, dass der Kommissar es ernst gemeint hatte.

Und sie freute sich darüber. Sie liebte es, wenn Betriebsamkeit in die Dienststelle kam, das war das, was sie sich insgeheim von ihrem Beruf erwartete, wovon sie träumte, auch wenn sie „nur" die Verwaltungsangestellte und nicht eine ermittelnde Beamtin war. Und es war das, was sich ihre Bekannten, so hoffte sie zumindest manchmal, unter ihrem Beruf vorstellten. Nun war es wieder so weit, es gab Konferenzen, es gab Pressetermine, es gab Hektik und man hatte – so drückte es Sandy manchmal aus – das Gefühl, ganz nah an einem sehr „wischt'schen Geschehen dron" zu sein.

Im Konferenzraum hatten sich bereits fast alle Kollegen eingefunden, da sie darauf brannten, die Neuigkeiten vom Chef in allen Einzelheiten zu erfahren. Kluftinger erhielt von Sandy noch die Nachricht, dass Wachters ältere Tochter in München gerade nicht zu erreichen sei, sie werde es aber nach der Konferenz weiter versuchen, sie zu kontaktieren. Punkt 16 Uhr kam Kluftinger in den Raum, gefolgt von Maier, der es trotz der Kürze der Zeit geschafft hatte, für das „internationale Fahndungsabkommen nach dem dringend des Mordes verdächtigen Andreas Lutzenberg, wohnhaft in Memmingen" alles Nötige in die Wege zu leiten.

Frau Henske setzte sich neben ihren Chef und machte sich bereit, an ihrem Notebook das Protokoll der laufenden Dienstbesprechung zu führen.

Kluftinger begrüßte die anwesenden Kolleginnen und Kollegen kurz und begann sofort mit der Darlegung der aktuellen Ereignisse. Andreas Lutzenberg sei eindeutig als der junge Mann identifiziert worden, der auf der Beerdigung des Opfers geflohen war. Er wurde vor dem Mord bei einem Streit mit Philip Wachter in dessen Haus beobachtet, zudem fand sich in Lutzenbergs Wohnung eines der fehlenden Fotoalben Wachters. Er sei daher des Mordes an Wachter dringend verdächtig.

Ein Raunen ging durch die Reihen der Kollegen.

Nun verteilte der Kommissar, der dies alles mit einer professionellen Konzentration vorgetragen hatte, die seine Frau sicher sehr mit Stolz erfüllt hätte, die Aufträge für das weitere Vorgehen an diesem Tag. Zwei der Kollegen sollten sich im Umfeld Lutzenbergs umhören und möglichst viele Informationen über seine Lebensweise in Erfahrung bringen. Zudem sollten sie sich in seiner Schule erkundigen.

Die Wohnung, so Kluftinger, werde nunmehr rund um die Uhr von den Memminger Kollegen überwacht.

„Hoff'mer, dass die des gscheit machen", entfuhr es dem Kommissar und die Anwesenden waren beinahe froh, wieder die bekannte, humorvoll-menschliche Seite Kluftingers zu erleben, die hochgestochen-professionelle hatte ihnen bereits etwas Angst gemacht. Jetzt war er wieder ganz der Alte und das Tempo der Konferenz verringerte sich.

„Unsere Stubenhocker kümmern sich bitte um die Unterlagen aus Lutzenbergs Wohnung, die müssten bald aus Memmingen zu uns gebracht werden, außer wenn sie im Nebel stecken bleiben. Die Kollegen Maier, Strobl und Hefele werden euch nachher dabei unterstützen und wenn nötig ablösen", sagte Kluftinger und Sandy konnte nur bei einer Anspielung sicher sagen, dass sie sie nicht ins Protokoll nehmen musste: Die Innendienstkollegen, allesamt Spezialisten auf ihren einzelnen Gebieten, wurden von den „richtigen" Ermittlern scherzhaft immer wieder mit solchen Spottnamen – in ihrer Schärfe von

„Stubenhocker" bis „Sesselfurzer" ansteigend – belegt. Die Kollegen wussten aber, dass dies nicht etwa abwertend gemeint war, immer wieder verliehen die Polizisten im Außendienst ihrer Hochachtung über deren Fieselarbeit Ausdruck und alle wussten, dass eine Ermittlungsarbeit ohne die Detailrecherche im Hintergrund überhaupt nicht möglich wäre. Daher ließen die Innendienstler den Spott geduldig über sich ergehen.

Sandy hatte aber ein Problem mit der zweiten Anspielung, mit dem Nebel, sie hatte bereits „Nebel" getippt, aber nun kam ihr das doch komisch vor. Es war nicht ihre Art, mit Anliegen lange hinter dem Berg zu halten, daher wartete sie eine Gesprächspause ab und warf ein: „Moment, Herr Kluftinger, aber ich – und vielleicht die anderen auch – verstehen das mit dem Nebel nicht. Es ist heiß draußen, es scheint die Sonne, warum sollte denn hier irgendwo Nebel sein? Was soll ich denn nu ins Protokoll schreiben?"

Die Kollegen lachten und Kluftinger versuchte, die Situation möglichst schnell aus der Welt zu schaffen und Sandy so weitere Peinlichkeiten zu ersparen. Dass alle anderen den Spaß verstanden hatten, lag nicht etwa an der mangelnden Auffassungsgabe der ostdeutschen Mitarbeiterin, sondern einzig und allein an der Tatsache, dass sie sich mit den örtlichen Gegebenheiten ihrer Wahlheimat zwar auskannte, allerdings mit ihnen noch nicht so vertraut war, dass sie Witze, die damit zu tun hatten, auf Anhieb kapierte. Was sie eben nicht wusste, war, dass zwischen Memmingen und Kempten eine so genannte Endmoräne aus der Eiszeit lag, eine Hügelkette, die vor allem im Winter oft auch Wettergrenze war: Während es im „Oberland" oft eine traumhafte winterliche Wetterlage gab, mit Sonnenschein, Schnee und Fernsicht bis zu den entferntesten Gipfeln, lag über dem „Unterland" häufig schwerer und dichter Nebel. Die Linie, die diese meteorologischen Lagen trennte, war meist das so genannte „Allgäuer Tor", eine Stelle auf der Hügelkette, an der sich dem Reisenden zum ersten Mal das volle Panorama der Allgäuer Alpen zeigte. Die Oberländer machten sich hin und wieder über die Unterländer lustig. Was hatten sie denn im Vergleich schon: keine richtigen Berge, Skifahren war also Fehlanzeige. Dafür hatten die

Oberallgäuer allerdings die vielen Touristen, die zwar das Land belebten und einen erklecklichen Teil der regionalen Wirtschaftskraft ausmachten, aber eben auch dafür sorgten, dass die schönsten Plätze in den Bergen beinahe übervölkert waren, und die die Preise, gerade was die Gastronomie oder die Grundstücke und Wohnungen in den Alpentälern anging, in die Höhe trieben.

„Nichts, nichts vom Nebel ins Protokoll bitte, Frau Henske", sagte Kluftinger mit ernster Miene, die ihr bedeutete, dass nun nicht der richtige Zeitpunkt war, genauer nachzufragen.

Seine engsten Mitarbeiter Maier und Strobl bat er, noch kurz zu einer internen Besprechung zu bleiben. Schließlich fragte Sandy, die durch den kleinen Zwischenfall nach ihrer Frage nicht im Geringsten entmutigt schien, wie man sich der Presse gegenüber zu verhalten habe.

Kluftinger fand es interessant, dass gerade sie, die ja eigentlich gar nicht befugt war, über Ermittlungen nach außen Auskunft zu geben, diese Frage stellte. Es verblüffte ihn: Es war eine gute Frage und eigentlich wäre es seine Aufgabe gewesen, den Kollegen über das Vorgehen gegenüber den Medien ein paar Worte mit auf den Weg zu geben. Er hatte es in der Aufregung tatsächlich vergessen.

„Vielen Dank, Frau Henske, das hab ich jetzt glatt vergessen", sagte er also lächelnd und suchte Blickkontakt mit der jungen Sekretärin, die das dezente Lob sofort verstanden hatte und mit einem zufriedenen Lächeln quittierte. „Falls sich die Leute von sich aus melden, sagen wir, dass wir einen dringend Verdächtigen haben. Das wär's dann aber auch. Weiter nichts. Das macht sie zwar noch neugieriger, aber wir dürfen jetzt nicht dadurch, dass wir voreilig handeln, alles versauen. Wir müssen jetzt in der Ruh' bleiben, gerade nach außen", fügte er noch hinzu und beendete mit diesen Worten die Konferenz.

Kluftinger wies Maier und Strobl an, sich weiter um die Fahndung zu kümmern, und schärfte ihnen ein, ihn sofort über eventuelle Zwischenergebnisse zu unterrichten. Dann ging er in sein Büro und wählte eine Nummer in München, die er sich von Sandy hatte geben lassen, die bereits dabei war, den Text, den sie in für Kluftinger geradezu atemberaubender Geschwindigkeit mitgetippt hatte – sie konnte mit zehn Fingern schreiben, was genügte, um dem Kommissar einige Hochachtung zu entlocken – für ein ordentliches Protokoll zu formatieren und zu überarbeiten. Er wählte die Nummer von Julia Wagner. Nach langem Klingeln hörte er endlich, dass am anderen Ende der Hörer abgenommen wurde. Zu seiner Überraschung meldete sich eine Männerstimme. Er hätte in diesem Moment nicht zu sagen gewusst, warum ihn das so erstaunte. Schließlich wusste er, dass Julia verheiratet war, dennoch hatte er bisher nur mit der Einzelperson Julia Wagner zu tun gehabt, ihren Mann hatte er bisher nicht kennen gelernt.

„Wagner!", meldete er sich und in den wenigen Worten, in denen Kluftinger ihn fragte, ob seine Frau denn zu sprechen sei, und Wagner antwortete, dass er sie gerade kommen höre und Kluftinger sich noch einen Augenblick gedulden müsse, erinnerte Wagner den Kommissar wieder verblüffend an Günther Koch, den Sportreporter aus dem Radio, vielleicht weil er eine ähnliche Stimmlage, vielleicht weil er einen ähnlichen bayerischen Dialekt hatte.

Es war eine Weile ruhig am anderen Ende der Leitung, dann meldete sich die gehetzte Stimme Julias.

„Ja, Herr Kluftinger, tut mir Leid, ich hab gerade noch kurz im Büro vorbei geschaut, da ist jetzt natürlich viel liegen geblieben. Dann noch einkaufen und zu guter Letzt den Wasserkasten hoch schleppen, ich bin noch sehr außer Atem. Gibt es denn etwas Neues, Herr Kommissar?"

Kluftinger, der sich kurz dachte, dass den Kasten ja auch der junge Ehemann hätte hinauftragen können, fing an zu berichten: „Frau Wagner, wir haben mittlerweile eine Spur. Bitte haben Sie aber Verständnis dafür, dass wir selbst Ihnen gegenüber noch Diskretion wahren müssen. Um die Ermittlungen weiter voranzutreiben, müssten Sie uns aber noch nähere Informationen über das Leben Ihres Vaters geben. Es geht mir heute speziell um das private Umfeld."

„Ich verstehe natürlich, dass Sie mir nicht gleich den erstbesten Verdächtigen mit Namen und Anschrift servieren. Haben Sie denn einen wirklichen Verdächtigen?", fragte Julia.

„Na ja, wir sind heute in den Ermittlungen ganz schön vorangekommen, aber vor uns liegt sozusagen ein Puzzle ausgebreitet,
dessen Teile wir nicht recht zusammenfügen können. Um dazu
in der Lage zu sein, müssen wir Ihren Vater und das Leben, das er
geführt hat, noch besser kennen lernen und dabei könnten Sie
uns jetzt sehr helfen", zog sich Kluftinger so gut es ging aus der
Affäre. Er konnte natürlich der Tochter des Opfers zu diesem
Zeitpunkt noch nicht sagen, dass Lutzenberg allem Anschein
nach der Täter war. Was sie hatten, waren Hinweise, Indizien, die
gegen ihn sprachen, bewiesen war nicht das Geringste.
„Herr Kluftinger, es beruhigt mich, dass Sie Fortschritte bei der
Aufklärung machen, und ich will Sie dabei nach Kräften unter-
stützen. Was genau möchten Sie denn nun wissen?"
Kluftinger kam trotz aller Diskretion ohne Umschweife zum
Thema.
„Erzählen Sie mir vom Bruch Ihrer Familie mit den ehemali-
gen Freunden, speziell mit der Familie Lutzenberg."
„Wie bereits gesagt, wir hatten viel Kontakt zu Lutzenbergs in
der Kölner Zeit. Oft waren wir auch im Elternhaus von Herrn
Lutzenberg in Weiler. Wir fuhren am Freitag los und verbrachten das Wochenende im Allgäu zusammen. Dort war genügend
Platz für uns alle. Für uns Kinder war es toll, in dem alten Haus
zu spielen. Und Andi verstand sich auch gut mit uns Mädchen,
ich sage mal, obwohl er ein Junge war. Wir waren beinahe eine
große Familie.
Das meiste, was die Eltern in ihrer Freizeit taten, taten sie damals gemeinsam. Wir konnten es uns dann eben nicht erklären,
warum das auf einen Schlag alles vorbei sein sollte. Für uns
Töchter war es unerklärlich damals. Und ich hatte auch mitbekommen, wie sehr es meine Mutter belastet hatte, dass sie ihre
beste Freundin verloren hatte. Lutzenbergs zogen, kurz nachdem wir den Kontakt zu ihnen abgebrochen hatten, wieder ins
Allgäu. Der Vater hatte ja im Institut, wo er mit meinem Vater
gearbeitet hatte, gekündigt und hatte wohl Probleme, wieder
etwas zu finden."
„Welche Art Institut war denn das, wo die beiden zusammen
arbeiteten?"

„Es war eine Forschungseinrichtung im Lebensmittelbereich, die zwar kommerziell arbeitete, aber irgendwie auch an die Universität angegliedert war oder zumindest eng mit ihr zusammenarbeitete. Ganz genau weiß ich das auch nicht. Ich kann aber nachsehen, wie die Firma hieß, Sie können es sicher aber auch selbst leicht herausfinden. Ich kann Ihnen auch nicht sagen, was da im Einzelnen im Betrieb vorgefallen ist. Es gab einen großen Streit zwischen den beiden, aber ich habe mich nie richtig dafür interessiert. Es war einfach ein Zerwürfnis und ich war wohl zu jung, um von meinem Vater Details zu erfahren. Und irgendwann war es nicht mehr so aktuell. Mein Vater blieb ja dann noch weiter am Institut."

„Und Sie haben nie wieder einen der Lutzenbergs getroffen?"

„Nie. Sie waren im Allgäu, in Weiler, wir in Köln, und als wir dann auch umzogen, hatten wir wirklich andere Probleme."

„Verstehe. Sie kennen auch den Sohn nicht näher …?", fragte Kluftinger, der merkte, dass dies eigentlich die gleiche Frage war, die er gerade gestellt hatte.

„Nur als Kind eben", erwiderte Julia.

Der Kommissar bedankte und verabschiedete sich von Wachters Tochter.

Hektisch legte er auf und notierte sich auf einem Zettel einige Dinge, die er nun zu erledigen hatte. Das vorangegangene Gespräch hatte ihn auf eine Idee gebracht.

In seiner nicht sehr leserlichen Handschrift, von der sein Sohn sagte, sie gleiche der eines Schuljungen –, tatsächlich schrieb Kluftinger immer in einer Art, die sehr stark an die Normschrift, die die Grundschüler zu lernen haben, erinnerte – schrieb er nieder:

- Institut ausfindig machen – Termin ausmachen!!
- Unbedingt herausfinden, was vorgefallen war – Archive, Fachzeitschriften nach Wachter und Lutzenberg durchforsten
- Käserei: Schönmanger nach beruflichem Vorleben ausfragen!!!
- Bartsch?

Während des Gesprächs hatte er sich diese Punkte überlegt,

aber da Kluftinger wie die meisten Männer eben nur entweder telefonieren oder schreiben konnte – wie er auch nur entweder fernsehen oder reden, Zähne putzen oder reden, Radio hören oder reden, Zeitung lesen oder auf Fragen reagieren konnte, was seine Frau hingegen in den jeweiligen Kombinationen parallel beherrschte –, schrieb er sich erst jetzt einen kleinen Merkzettel. Die Zettel waren eine Spezialität des Kommissars: Es waren Bedienungsblöcke mit dem Logo „Allgäuer Brauhaus", die einer seiner Bekannten, mit dem er hin und wieder Schafkopf spielte und der bei der Brauerei arbeitete, ihm in ganzen Päckchen besorgte. Auch zu Hause hatte er immer diese Zettel, die er wegen des dünnen, leichten Papiers und des nach seiner Ansicht so praktischen Formats liebte – sie passten in das Scheinfach des Geldbeutels. Die Kollegen schüttelten oft den Kopf, schließlich gab es im Kemptener Polizeipräsidium genügend Papier, er aber brachte seine Schmierzettel selbst mit.

Kluftinger rief über das interne Telefonnetz bei Strobl an und bat ihn, sich über den früheren Arbeitsplatz Wachters in Köln zu erkundigen, die genaue Adresse dieses Instituts ausfindig zu machen und für spätestens den nächsten oder übernächsten Tag einen Gesprächstermin mit der Geschäftsleitung zu vereinbaren. Danach rief er in der Abteilung an, die früher ein großes Zeitungs- und Nachrichtenarchiv mit großen Regalen war, die heute aber von Computern beherrscht wurde: Er gab bei den „Stubenhockern" in Auftrag, alles zu recherchieren, was über Wachter und Lutzenberg in Fachzeitschriften und Zeitungen zu erfahren war. Die Mitarbeiter hatten über ein Netzwerk Verbindung zum großen Informationsarchiv der bayerischen Polizei und mit dem nötigen Geschick war es den Kemptener Kollegen möglich, innerhalb weniger Stunden ein umfassendes Exposé dessen zusammenzustellen, was zum Beispiel über eine Person oder ein Ereignis in den Medien in den letzten Jahrzehnten berichtet worden war. Internet-, Intranet- und Datenbankrecherche waren für ihn böhmische Dörfer.

Maier, der vorher wohl, so schloss Kluftinger, noch mit der Interpol-Fahndung zu tun gehabt hatte – zumindest war sein Telefon belegt –, wurde nun vom Kommissar definitiv mit der

Vereinbarung eines Termins mit Herrn Schönmanger von der Krugzeller Käserei für den folgenden Tag beauftragt. Eigentlich wäre dies Sandys Job gewesen, aber ihr Apparat war seit einer Viertelstunde belegt, was sich Kluftinger nun wirklich nicht erklären konnte. Er konnte ja nicht ahnen, dass Frau Henske einen neuen Verehrer hatte, bei dem sie sich nun für den verspäteten Dienstschluss rechtfertigen musste. Sie dachte sich nichts dabei, die Kosten würde der Freistaat Bayern wohl verschmerzen können. Sie verbat sich allerdings, dass ihr neuer Freund im Amt anrief, das wollte sie nicht. Er arbeitete auch in einem Amt, das übrigens nur wenige Meter vom Präsidium entfernt lag: der Kfz-Zulassungsstelle des Landkreises Oberallgäu, Außenstelle Kempten, sie musste dort hin und wieder dienstlich anrufen, so hatten sie sich kennen gelernt.

Kluftinger versuchte es noch einmal bei ihr, wieder war besetzt, und so erhob er sich vom Tisch und ging zu Sandys Arbeitsplatz, da er noch die Telefonnummer von Robert Bartsch brauchte, dem Arbeitskollegen, der Wachter tot in dessen Wohnung aufgefunden hatte. Kluftinger hoffte, vielleicht auch bei ihm weitere Informationen über Wachters private und berufliche Vergangenheit zu erfahren. Sandra Henske erschrak, als sie Kluftinger auf ihren Schreibtisch zukommen sah. Sogar Kluftinger sah ihr an, dass sie nun schleunigst versuchte, ein privates Telefongespräch zu beenden, sagte aber nichts. Sandy hatte heute bereits in der Konferenz eine peinliche Situation erlebt, es würde ihr nur unnötigen Stress bereiten, wenn er sie – und wäre es nur im Scherz gewesen – auf private Gespräche während der Dienstzeit angesprochen hätte. Er würde bei einer passenderen Gelegenheit darauf zurückkommen. Sandy sagte ihm zu, gleich eine Verbindung mit Herrn Bartsch herzustellen, und lachte verlegen, als Kluftinger kehrt machte, um wieder in sein Zimmer zu gehen. Auch am Fehlen einer humorvoll-spitzen Bemerkung von Frau Henske merkte der Vorgesetzte, dass seine Mitarbeiterin irgendwie ein schlechtes Gewissen hatte.

Das Telefon klingelte nur einmal und Kluftinger hob ab, nannte Bartsch seinen Namen und sogar seine Dienstbezeichnung. Noch bevor er selbst eine Frage stellen konnte, erkundigte sich

Wachters Kollege nach dem Fortgang der Ermittlungsarbeit: „Gibt's denn was Neues, in der Presse erfährt man ja sowieso nichts. Haben Sie schon eine heiße Spur oder tappen Sie noch immer im Dunkeln, um ein Klischee der Krimisprache zu bedienen?", fragte Bartsch mit erstaunlich gelöster und nach guter Laune klingender Stimme, die gar nicht auf den eigentlich ernsten und traurigen Grund für das Gespräch hindeutete. Kluftinger nahm dies als viel versprechendes Zeichen für ein offenes und informatives Gespräch.

„Es geht schon voran, Herr Bartsch. Danke für die Nachfrage. Herr Bartsch, was ich von Ihnen gern wissen würde ist, ob Sie uns etwas über das private und berufliche Umfeld von Herrn Wachter sagen können, das vor seinem Umzug ins Allgäu liegt. Vielleicht hat er Ihnen davon bereits erzählt."

„Ich weiß natürlich, dass er vorher in Köln gearbeitet hat, jeder in der Branche weiß das. Ich weiß, dass er in der Forschung gearbeitet hat und da lange Zeit erfolgreich war. Und dann eben diese unangenehme Sache ..."

„Ich muss von Ihnen noch erfahren, was Sie über das Privatleben Wachters in Köln wissen. Vielleicht könnten wir uns ja bei Ihnen in der Firma treffen?"

„Sicher, kommen Sie vorbei, ich bin jeden Tag bis 18 Uhr da ..."

„Gut, wir melden uns, vielen Dank einstweilen, Herr Bartsch, gell. Pfiagott."

Kluftinger war froh über den Ortstermin. Er war eben kein Bürotiger und am Telefon – das war jedenfalls manchmal sein Eindruck – arbeitete sein Gehirn irgendwie langsamer. Außerdem konnte er vor Ort auch seine Begabung einsetzen, aus Gestik, Mimik und Haltung seiner Gesprächspartner – aus all den kleinen Details, die sein Sohn „nonverbale Kommunikationssignale" nannte – wichtige Informationen zu gewinnen. Möglicherweise kam in ihm da ein bisschen von seinem Vater durch, ein bisschen von dem Landpolizisten, der Büroarbeit hasste und am liebsten den ganzen Tag unterwegs gewesen wäre.

★★★

Am nächsten Tag schaute der Kommissar nur kurz im Büro vorbei, um ein paar Berichte abzuzeichnen und unerledigte Büroarbeit fertig zu stellen. Dabei sah er immer wieder auf die Uhr, bis es endlich an der Zeit war, zu seinem Gesprächstermin in die Käserei zu fahren. Der Kommissar packte einen Brauhausblock in seine Tasche und machte sich zu Maier auf. Der hatte zwar am Vormittag noch einmal in der Käserei angerufen, den Seniorchef aber nicht erreicht, da dieser gerade bei einer wichtigen Besprechung mit Kunden außer Haus war.

Kluftinger sagte, das sei ihm jetzt auch wurscht, er wolle jetzt da hin, zur Not müsse man sich halt ein wenig umsehen in der Käserei, bis der Inhaber zur Verfügung stehe, außerdem könne man sich ja vorher noch mit Bartsch unterhalten. „Jetzt muss was gehen", sagte er.

Maier war weiterhin mit der Fahndung über Interpol beschäftigt. Eine solche internationale Anfrage war eben nach wie vor ein bürokratischer Akt. Kluftinger sagte zum sichtlich enttäuschten Maier, dass er sich nur weiter darum kümmern solle, er nehme Strobl an seiner Stelle mit nach Krugzell. Die Enttäuschung Maiers, nicht mitgenommen zu werden, wurde etwas gemildert durch den Hinweis seines Vorgesetzten, dass Maier die Arbeiten im Büro nun allein überwachen sollte, was ihn quasi zum kommissarischen Leiter der Ermittlungen beförderte. Wenigstens etwas … Kluftinger wies ihn an, ihn über wichtige Entwicklungen per Handy auf dem Laufenden zu halten, und verließ wenig später mit Strobl das Büro.

***

Der Passat bog auf den Betriebshof der Käserei Schönmanger in Krugzell ein. Es herrschte weniger Aktivität als beim letzten Mal, als Kluftinger hier gewesen war. Die Landwirte waren um diese Zeit noch bei der Stallarbeit, die Milchautos standen aufgereiht vor der Produktionshalle.

Die beiden Kriminaler betraten den Verwaltungstrakt der Käsefabrik und machten an der Pförtnerkabine halt. Der in die Jahre gekommene Pförtner sah die Besucher fragend an. Seine Miene war unentschieden, er schien weder guter noch schlechter Laune zu sein. Er schien überhaupt keine Laune zu haben. Er war das, was man landläufig als nichts sagend bezeichnet: Sein kurzärmeliges Synthetikhemd, dessen Farben verwaschen aussahen, obwohl sie sicher von Anfang an nie leuchtend gewesen waren, war bis auf den letzten Knopf geschlossen. Ein faltiges Gesicht schaute daraus hervor, von kaltem Schweiß benetzt. Der Mann war blass, nur seine Lippen setzten sich mit leuchtendem Rot davon ab.

Kluftinger war nach einem spektakulären Auftritt, er zückte den Dienstausweis und hielt ihn an die Scheibe der Kabine.

„Grüß Gott, melden Sie uns bitte im Sekretariat an!", tönte er so geschäftig, dass er auf dem Weg nach oben über sich selbst ein wenig grinsen musste. Er war halt doch ein Hobbyschauspieler, dachte er bei sich, nicht nur zur Zeit der Altusrieder Freilichtspiele, die in seiner Gemeinde alle vier Jahre die gesamte Dorfgemeinschaft – einschließlich der Familie Kluftinger – in einen theatralen Ausnahmezustand versetzte.

Tatsächlich war die Sekretärin von Herrn Schönmanger bereits auf das Kommen der Polizisten vorbereitet worden und erwartete sie mit abweisender Miene.

„Ja, meine Herren, Herr Schönmanger weilt bei einer Unterredung außer Haus, ein wichtiger Kundentermin. Ich weiß nicht, wann der wieder da sein wird, wenn er heute überhaupt noch kommt. Es wird also keinen Zweck haben zu warten, ich habe das Ihrem Kollegen doch schon am Telefon gesagt."

Eine Tür neben der, die zum Büro des Seniorchefs gehörte, ging auf und ein junger, braun gebrannter und gepflegter Mann im dunklen Anzug, unter dem er eine knallige, sonnengelbe Weste trug, die bis zum Knoten einer violetten, glänzenden Krawatte zugeknöpft war, trat heraus und ging auf die Sekretärin zu. Er bemerkte die Besucher, grüßte, kümmerte sich aber nicht weiter um sie, sondern gab seiner Angestellten einen großen braunen Umschlag mit den Worten, dass dies heute unbedingt noch raus müsse.

Kluftinger und Strobl ahnten, dass dies nur der Sohn

Schönmangers sein konnte, der sich nach Angaben seines Vaters um das Marketing der Firma kümmerte.

„Herr Schönmanger, die Herren wären von der Polizei, sie wollen zu Ihrem Vater. Meinen Sie, er kommt noch einmal her?"

„Weiß ich das, Frau Moser? Bin ich seine Sekretärin?", fuhr er die Vorzimmerdame an. Möglicherweise hatte der eilige Brief nichts Gutes enthalten, so schlecht wie die Laune des Herrn Schönmangers jr. zu sein schien. Kluftinger fand ihn unsympathisch, obwohl er ihn erst maximal eine Minute lang kannte. Trotzdem fasste er den Entschluss, eine kurze Unterredung mit ihm zu führen, womöglich würde der Vater doch noch auftauchen.

„Ich höre gerade, Sie sind der Juniorchef. Kluftinger, Kriminalkommissar, hätten Sie grad amol a Momentle Zeit, Herr Schönmanger, wir hätten da ein paar Fragen an Sie."

Sprach jemand übertrieben und in seinen Augen aggressiv hochdeutsch, ließ Kluftinger gern einige Dialektfetzen in seine Rede einfließen. Sollten die nur erst denken, er sei der Seppl, der Bauerndepp, die würden ihn schon noch anders kennen lernen. Frau Kluftinger hätte ihm jetzt einen kleinen Stoß in die Rippen gegeben, sie liebte diese Verhaltensweise an ihrem Mann in der Öffentlichkeit ganz und gar nicht.

„Ja meinetwegen, obwohl ich nicht denke, dass ich Ihnen da sehr dienlich sein kann, wenn es sein muss, kommen Sie eben in mein Büro mit. Frau Moser, bringen Sie mir bitte einen Kaffee, ja? Aber ohne Milch diesmal", antwortete Schönmanger und geleitete die bei der Kaffeeverteilung völlig übergangenen Beamten in sein Büro.

Das hatte keiner der beiden erwartet: Vom Siebzigerjahre-Vorzimmercharme ging es nun nahtlos in ein Endneunziger-Designerbüro. Ein ultraflacher Bildschirm aus Edelstahl thronte einsam auf einem völlig leer geräumten Riesenschreibtisch aus Glas, der auf massiven Böcken aus poliertem Metall stand. Der Boden war mit anthrazitgrauem Teppich belegt, im Eck stand eine Sitzgruppe aus türkisem Leder, zu der, wie zum Schreibtisch, von der Tür aus kleine, türkisblaue Pfeile den Weg wiesen. Kluftinger kam das vor wie diese seltsamen aufgeklebten Fußabdrücke auf dem Boden in Bahnhöfen oder billigen Kaufhäusern. Hier war es offenbar edel gemeint. Überhaupt zog sich quasi, so hätte es ein Innenarchitekt wohl gesagt, eine türkisfarbene Linie durch den Raum: Die abstrakten, bestimmt sündhaft teuren Bilder waren ebenso in dieser Farbe gehalten wie jede fünfte der großen Stofflamellen, die vor dem Fenster hingen. Nichts deutete darauf hin, dass man hier in einer Käserei war. Was beim alten Schönmanger zu viel an alten Käsepackungen herumstand, war hier eindeutig zu wenig, fand Kluftinger. An den Wänden hingen neben den Bildern nur seltsam eckig geformte Lampen aus Edelstahl und Glas, die – so hätte Kluftinger wetten können – mit Sicherheit türkisfarbenes Licht ausstrahlten. Eine Uhr, die eigentlich keine war, war weiterer Wandschmuck: Ein kleiner Projektor warf ein riesiges türkises Ziffernblatt an die Wand, in dem Blubberbläschen aufstiegen und auf dem zwei lilafarbige Punkte die aktuelle Uhrzeit markierten.

Sie nahmen in der quietschfarbenen Sitzecke Platz.

„So, ich habe wirklich zu tun, was soll ich Ihnen denn nun sagen?", raunzte der Juniorchef.

„Mir wolltet wissa, …" Kluftinger besann sich eines Besseren „Wir wollten wissen, was Sie genau über den beruflichen Werdegang Philip Wachters wissen, bevor er hier bei Ihnen angefangen hat."

„Nicht mehr als Sie wahrscheinlich. Er war ein grandioser Fooddesigner, den wir durch einen glücklichen Umstand für unsere Firma gewinnen konnten."

„Was genau war denn dieser Umstand? Was war vorgefallen, dass er ausgerechnet hier anfangen musste?", fragte Kluftinger und freute sich schon auf die Reaktion des Marketingchefs über die kleine Spitze.

„Herr Inspektor, sagen Sie mir bitte, was das heißen soll: ausgerechnet hier? Wir sind ein aufstrebendes Unternehmen, das in der Branche einen Namen hat, und wir haben gerade in letzter Zeit innovative Produkte entwickelt. Die Zahlen geben mir Recht. Ich muss mir von Ihnen nicht sagen lassen, wir wären zweit- oder gar drittklassig. Ich bin nicht gewillt, mir das bieten zu lassen."

Das von Kluftinger ausgestreute Pulver entzündete sich leichter als erwartet. Inzwischen hatte Frau Moser Kaffee – für den Milchwerksjunior natürlich ohne Milch – in einer asymmetrischen, eckigen Tasse aus türkisfarbenem Glas gebracht.

„Aber Herr Schönmanger, ich dachte nur, verglichen mit anderen Milchwerken in unserer Gegend ist das Schönmangersche doch eher klein. Das war jetzt nicht negativ gemeint."

„Die anderen sind Tochterfirmen von Großkonzernen, wir sind in privater Hand und haben ein Auftragsvolumen, das sich gewaschen hat, verlassen Sie sich darauf. Wir haben es geschafft, zwei nationale Discounterketten als Kunden zu gewinnen, da geht schon was. Und ich prophezeie Ihnen, wenn ich hier mal das alleinige Sagen habe, dann werden wir zum Global Player. Jedenfalls konnte Wachter froh sein, dass er bei uns anfangen konnte! Ich muss Ihnen auch keine weitere Auskunft geben. Das ist ja kein Verhör hier", echauffierte sich der junge Geschäftsmann.

In diesem Moment ging die Tür ohne vorheriges Klopfen auf. Schönmanger senior kam herein und schaute verwundert seinen Sohn an. Er begrüßte freundlich die beiden Beamten und fragte seinen Filius, worum es denn gehe.

„Paps" – Kluftinger grinste über den Kosenamen – „die beiden Herren meinten, sie hätten es bei unserer Firma mit irgendeiner kleinen Provinzklitsche zu tun, und das musste ich dann doch richtig stellen."

Karl Schönmanger entschuldigte sich für seinen Sohn, der eben manchmal ein Hitzkopf sei, der sich die Hörner erst noch abstoßen müsse. Sie könnten ja nun in sein eigenes Büro gehen, er könne den Beamten sicher mehr helfen als sein Sohn, dessen Aufgabenbereich in der Firma eher speziell sei. Das wiederum stieß Peter Schönmanger sehr sauer auf und er begab sich mit den drei anderen Herren im Schlepptau in das traditionellere Büro seines Vaters und Firmenchefs.

★★★

Der alte Schönmanger und die Polizisten nahmen auf der Sitzgruppe Platz, während der Sohn des Hauses im Raum stehen blieb und etwas unsicher und verloren wirkte, obwohl er gerne das Wort geführt hätte, das sah man ihm an.

Kluftinger überließ es diesmal Strobl, die erste Frage zu stellen. Er fragte erneut nach Wachters Vergangenheit.

„Meine Herren, Sie werden früher oder später sowieso herausfinden, was damals vorgefallen ist, und für unseren Betrieb ist das keineswegs ehrenrührig", fing Karl Schönmanger viel versprechend an, bevor ihm sein Sohn rüde ins Wort fiel:

„Paps, warum willst du denn Sachen erzählen, die erstens lange zurückliegen und zweitens uns eigentlich gar nichts angehen. Du wirst ja nicht verhört, du musst hier überhaupt nichts sagen."

Der Vater wurde zusehends aggressiver gegenüber seinem Sohn.

„Ich werde wohl selber wissen, was ich sage und was nicht. Pass du lieber auf, wie du dich gegenüber unseren Kunden verhältst, ich habe mich gerade sehr geärgert, darüber reden wir noch, aber reiß dich jetzt zusammen, Junge! Herr Kluftinger, ohne Umschweife, Herr Wachter war, wie Sie wissen, ein gefragter Mann in der Branche, bis es zu einem Skandal kam, der seinem Ansehen so radikal geschadet hatte, dass er eigentlich nirgends mehr untergekommen wäre …"

„Paps, ich sag es dir noch ein einziges Mal: Denke an die Firma, wir haben einen Ruf zu verlieren! Jetzt, wo es endlich wieder läuft und Gras über die Sache gewachsen ist, holst du die alten Sachen wieder ans Licht! Sag jetzt nichts. Sollen die uns doch vorladen, wir haben doch nichts angestellt!"

Kluftinger wurde jetzt hellhörig. So viel Antipathie war ihm schon lange nicht mehr entgegengeschwappt, zumal von einem Gesprächspartner, der in keiner Weise irgendeiner Tat verdächtig, geschweige denn beschuldigt war. Er konnte dieses Verhalten nicht recht nachvollziehen. Hatte dieser junge Mann, den man in den neunziger Jahren einen Yuppie genannt hätte, etwas zu verbergen? Vielleicht würde das Gespräch mehr ergeben, als er dachte.

„Herr Kluftinger, Herr Strobl, denken Sie sich nichts, er macht sich immer gern ein bisschen wichtig, mein Sohn. Aber dennoch bin noch immer ich der Herr im Hause."

Karl Schönmanger war ein Mann nach Kluftingers Geschmack.

Ihm hörte man seine Herkunft an, ihm merkte man an, dass er mit seiner Firma groß geworden war, dass er auch Ideale hatte, die er für Geld nicht verkaufen würde. Er mochte ein harter Geschäftsmann sein, das war auch das, was man sich im Ort erzählte. Aber er hatte immer für gute Zwecke gespendet, das war ebenfalls Gesprächsthema in der Gemeinde. Selbst wenn er sich am regen Vereinsleben in Altusried nicht beteiligte: Er war ein angesehener Bürger und dieses Prädikat erwarb man sich in einem Allgäuer Dorf nicht unberechtigt. Der Sohn dagegen hatte keinen allzu guten Stand, im Wirtshaus hörte man und an den Festen im Ort sah man, dass er sich für etwas Besseres hielt. Sicher, so glaubte man, hatte er auch dafür gesorgt, dass die Firma Schönmanger für Spendenanfragen aller Art immer weniger aufgeschlossen war. Der Polizist merkte aber, dass die Situation, wie sie sich hier entwickelte, perfekt für sein Anliegen war, mehr über Wachter zu erfahren. Der Junior mauerte und sein Vater würde, schon aus reiner Opposition zu seinem Sohn, alles sagen, nur um ihm zu demonstrieren, dass er noch immer der Chef war. Der Sohn hätte ihm am liebsten das Wort verboten, hätte ihn auch sicher lieber heute als morgen an der Spitze des Milchwerks abgelöst, um seine hochfliegenden Pläne ohne Rücksichten in die Tat umsetzen zu können. Aber noch ließ sich Karl Schönmanger das Heft nicht gänzlich aus der Hand nehmen, obwohl er merkte, dass sein Sohn schon auf dem besten Wege war, im Unternehmen die Oberhand zu gewinnen. Der Kommissar war gespannt, was er erfahren würde.

„Wachter hatte im Labor eine Möglichkeit entwickelt, den Reifeprozess von verschiedenen Milchprodukten wie Joghurt, aber auch von Hart- und Weichkäse erheblich zu beschleunigen. Das war damals natürlich eine Sensation. Es ging nicht um ein paar Tage, es handelte sich um ein absolutes Expressverfahren zur Käseherstellung. Ich kenne mich nicht zu gut bei den chemischen Details aus, aber ich habe mich damals etwas damit beschäftigt, weil auch wir mit dem Gedanken spielten, die Methode einzuführen."

Peter Schönmanger kochte innerlich, hielt sich aber mit einer Äußerung noch zurück.

„Wodurch wurde denn diese Beschleunigung erreicht?"

„Es handelte sich um auf irgendeine Weise veränderte Bakterienkulturen, fragen Sie mich aber bitte nicht nach Details. Die Kulturen waren speziell gezüchtet, da müssen Sie sich an einen Experten wenden. In der Fachliteratur aber wurde diese Methode als Revolution, als Königsweg der modernen und effektiven Milchverarbeitung gefeiert. Zunächst war von Nachteilen nicht die Rede, nur von enormen Kostenvorteilen. Stellen Sie sich vor, was das bedeutete: Das waren auch für mittelständische Unternehmen Einsparungen in großer Höhe, man konnte nach wenigen Tagen oder Wochen die Produkte verkaufen, der Reifeprozess war ruck zuck erledigt."

Kluftinger war baff. Er konnte nicht mehr tun, als Schönmanger zum Weiterreden aufzufordern. Der Sohn hatte unterdessen wild schimpfend den Raum verlassen.

„Kurz nach der Markteinführung gab es Schwierigkeiten: Die Produkte machten Probleme mit der Gesundheit, gerade bei alten und immunschwachen Menschen. Die hatten große Magen-Darm-Probleme. Keine Ahnung, warum das bei den Tests im Vorfeld nie aufgefallen war. Dann wurde alles aus dem Verkehr gezogen, die Firma verlor massenhaft Aufträge und war natürlich ab sofort indiskutabel. Und Wachter verlor damals seinen Job."

Das war also der geheimnisumwitterte Skandal, von dem so viele redeten. Aber wie war Wachter nach seiner Entlassung nach Krugzell gekommen? Kluftinger musste nicht nachfragen, denn Schönmanger erzählte von sich aus weiter:

„Ich erfuhr, dass Wachter damals verzweifelt Arbeit suchte. Ein Labor hätte ihn nicht mehr eingestellt. Nicht auszudenken, wenn ein solcher Fall, vielleicht mit schlimmeren Konsequenzen, noch einmal vorgekommen wäre, dann wäre es nicht möglich gewesen, alles einigermaßen unter der Decke zu halten. Die hatten Angst um ihren Ruf, auch wenn Wachter etwas konnte, sie hätten ihn nicht eingestellt. Er hatte ja auch nicht sauber gearbeitet, nicht sauber getestet. Manche unterstellten ihm sogar, er hätte Testergebnisse bewusst zurückgehalten. Aber das glaube ich bei ihm wirklich nicht. Tja, er suchte verzweifelt und wir suchten verzweifelt. Uns ging es damals nicht rosig. Wir hatten eine klassische Produktpalette und waren ein kleines Licht, gerade als das Sterben der kleinen Betriebe einsetzte und sich die großen Fabriken alles unter den Nagel rissen. Die ganzen neuen Sorten, viele verschiedene Geschmacksrichtungen waren Ende der Siebziger der Trend schlechthin. Es ging nicht mehr um einfache, gute Produkte, es ging darum, zu günstigen Preisen möglichst viele neue Käsesorten anzubieten. Die Fooddesign-Welle lief damals richtig an. Wir mussten auf diesen Zug aufspringen, bevor es zu spät war. Und Wachter war unsere Chance."

„Und Sie kamen ohne Probleme gleich zusammen, Sie und Wachter?", fragte der Kommissar, der mehrere ruhige Minuten brauchen würde, um das alles nochmals zu durchdenken.

„Wie gesagt, sein Marktwert war so weit gesunken, dass wir ihn uns leisten konnten. Wir mussten trotzdem noch alles zusammenkratzen, um eine Entwicklungsabteilung einzurichten, die diesen Namen verdient. Wir hatten das bis dahin nicht. Für uns hieß es entweder investieren und entwickeln oder von den Großen gefressen werden. Wir mussten alles auf eine Karte setzten, die Geier kreisten schon. Diese Karte war ein Lebensmitteldesigner und hieß Philip Wachter. Er war am Ende und wir gaben ihm die Möglichkeit, in seinem Beruf zu arbeiten. Und er wusste auch um seine Wichtigkeit für uns."

Schönmanger hielt inne. Er wirkte erschöpft. „Den Rest kennen Sie schon, nun wissen Sie auch um die Vorgeschichte. Und ich kann nur betonen, dass er für uns nicht von Schaden, sondern von großem Nutzen war. Sicher, alle in der Branche beäugten uns anfangs auch kritisch. Wir sind ein integrer Betrieb und haben die anderen durch Qualität überzeugt."

Schönmanger war anzusehen, dass er nun die Zeit gekommen sah, das Ende des Gesprächs einzuläuten. Er sah häufig auf die Uhr und wurde allmählich unruhig in seinem Sessel. Eine Frage aber musste Kluftinger noch stellen, dann würde er Schönmanger aufrichtig für seine Offenheit danken und ihn das tun lassen, was er anscheinend mit Ungeduld erwartete.

„Kannten Sie Herrn Lutzenberg?"

„Lutzenberg? Warten Sie, der Name sagt mir durchaus etwas, helfen Sie mir bitte."

„Robert Lutzenberg. Er war mit Wachter am selben Institut."

„Richtig, ich kannte ihn, er war von der Designerwelle abgekommen und hatte Böserscheidegg übernommen. Er hat da kleine Brötchen gebacken. Er war fast ein Aussteiger und die letzten Jahre fuhr er relativ erfolglos auf der Nobelschiene. Ein kleines Licht, wenn Sie mich fragen, eher ein Pechvogel. Er wurde schwer krank, habe ich gelesen, und starb wohl kürzlich an seiner Krankheit. Ich weiß das vorwiegend aus unserer Verbandszeitung, ich habe ihn nur zweimal bei irgendwelchen Empfängen getroffen. Aber man redet halt unter Kollegen. Die Leute, die Böserscheidegg jetzt haben, wurden im Käseblatt vorgestellt. Sie wollen wohl ähnlich wie er weitermachen, eher bodenständig. Nicht dass Sie mich falsch verstehen, jeder nach seinem Dafürhalten, ich habe Respekt vor deren Durchhaltevermögen. Aber das, meine Herren, führt jetzt wohl doch zu weit", sagte der Firmenboss mit Blick auf seine Armbanduhr.

★★★

Der Kommissar konnte die Fahrt ins Präsidium zu seinem Leidwesen nicht für seine Überlegungen nutzen. Er war eben nicht allein. Richtig überlegen konnte er nur ganz allein. Im Auto ging es höchstens noch in Anwesenheit seiner Frau. Zwischen den Eheleuten war es nicht peinlich, wenn sie einmal eine halbe Stunde gar nichts zueinander sagten. Erika wusste dann, dass er seine Indianerphase hatte: Sie verglich ihren Mann in diesen Situationen mit einem Häuptling, der stundenlang vor seinem Tipi sitzt und in die Landschaft schaut, ohne einen Ton zu sagen. Jeder der Indianer aber – so meinte sie – würde wissen, dass die paar Worte, das „Uff" oder „Hugh", das er dann von sich geben würde, die Quintessenz der Überlegungen sein würden.

Kluftinger war verstimmt. Mussten die anderen alle drei Minuten etwas Belangloses sagen – immer dann, wenn er ins Nachdenken kam? Sie wussten, dass er nicht über das, was sie eben erfahren hatten, sprechen wollte, mussten sie dann über entgegenkommende Autos und sogar über die aktuellen Hygieneprobleme der am Weg liegenden Kemptener Kläranlage sprechen?

Rasch zog er sich im Präsidium in sein Büro zurück. Er wollte nachdenken.

Natürlich kam er im Verlauf des Tages nicht so richtig dazu. Dauernd wurde er gestört, meist in Zusammenhang mit der Auswertung von Lutzenbergs Unterlagen. Zusätzlich kostete ihn vor allem die lästige Büroarbeit mehr Zeit, als er eigentlich wollte. Irgendwann am frühen Abend wurde es ihm zu bunt: Er wies Frau Henske an, ihn mit nichts mehr zu behelligen, außer der Täter würde sich selbst stellen.

Kluftinger bat sie außerdem, dafür zu sorgen, dass sich alle Anwesenden um 20 Uhr zu einer weiteren Dienstbesprechung im Konferenzraum einfinden würden. Das hieß, dass der Dienstschluss keinesfalls vor 20.15 Uhr zu erwarten war. Er entschuldigte sich bei ihr kurz für die Maßnahme, die, das war ihm klar, nicht gerade auf Begeisterung stoßen würde. Zwar wussten alle, dass der Arbeitstag – obwohl dies in Kempten eher die Regel war – nicht immer zum vorgesehenen Termin endete. Viele Kollegen hatten aber sicher nach dem Dienst etwas vor, vielleicht ihren Partnern versprochen, etwas mit ihnen zu unternehmen. Einigen eher älteren Polizisten konnte man den Gram über solche Überstunden ansehen, auch wenn er oft nur entstand, weil sie mal wieder die Tagesschau versäumen würden. Dennoch wusste jeder, dass man eine solche Anordnung zu akzeptieren hatte, und die Schwere des vorliegenden Falles machte die Maßnahme allen ohnehin verständlich.

Nun konnte Kluftinger nicht nur die Schuhe ausziehen und den obersten Hemdknopf öffnen, es war ihm so unbeobachtet sogar möglich, seinen Gürtel zu lösen und den Hosenknopf, der ihn etwas einschnürte, aufzumachen. Er legte sich auf das Sofa und machte sich bereit für seine Geistesarbeit.

Plötzlich klingelte das Telefon. Der Kommissar schreckte hoch. Er musste kurz eingenickt sein, dachte er sich, denn als er auf seine Uhr am Schreibtisch sah, bemerkte er, dass es bereits 19.57

Uhr war. Es war Sandy, die anrief, um ihn an die Konferenz zu erinnern. Hastig räusperte sich Kluftinger. Er hatte Hunger. Dass er eingeschlafen war, wunderte ihn wenig, es war ein Tag voller neuer Erkenntnisse gewesen, der ihn ganz schön geschlaucht hatte. Kluftinger hatte sich eigentlich vorgenommen, sich wenigstens ein bisschen auf die Besprechung vorzubereiten.

Alle anderen waren bereits da, Sandy hatte noch auf ihren Chef gewartet und betrat nun zusammen mit ihm um etwa zehn Minuten nach acht das Besprechungszimmer. Zunächst gab Kluftinger bekannt, was sie heute in der Käserei Schönmanger erfahren hatten. Dafür, dass er sich nicht vorbereitet hatte, fand er sich selbst überraschend professionell. Alles lauschte aufmerksam und Kluftinger war ein wenig Stolz darüber anzumerken, dass er endlich über Ergebnisse sprechen konnte. Stolz und Erleichterung, was nicht zuletzt daran lag, dass gerade, als er mit seinen Ausführungen begonnen hatte, Lodenbacher, der Leiter der Polizeidirektion, den Raum betrat und sich dezent auf einen der Plätze nahe des Eingangs zurückzog. Er hatte bereits von den Entwicklungen der vergangenen Tage Kenntnis, nicht aber davon, was Kluftinger gerade bekannt gab. Er hörte ruhig zu.

Schließlich vermeldeten die anderen Kollegen ihre ersten Teilergebnisse. Maier begann.

„Andreas Lutzenberg ist nicht vorbestraft. Er ist polizeilich ein völlig unbeschriebenes Blatt. Das Einzige, was wir gefunden haben, ist ein schwebendes Bußgeldverfahren wegen einer Geschwindigkeitsübertretung. Die Kollegen haben dann gleich überprüft, wann und wo dieses Verkehrsdelikt stattgefunden hat. Es war kurz nach der Beerdingung, das zeigt die Uhrzeit. Er ist in Dietmannsried, vermutlich auf dem Weg zur Autobahn, geblitzt worden und zwar mit einer Geschwindigkeit von achtundachtzig Stundenkilometern innerorts."

Hefele hatte sich in Memmingen schlau gemacht und war nun an der Reihe, seinen Bericht abzugeben.

Lutzenberg sei nach wie vor nicht in seiner Wohnung aufgetaucht, einige Bekannte und Kollegen waren befragt worden und hatten einstimmig die Auskunft gegeben, dass sie nichts wussten, was am Leben Lutzenbergs für die Polizei von Interesse hätte sein können. Alle hätten auf die Befragung mit großer Überraschung reagiert und nicht verstehen können, warum sich Polizisten für ihren Bekannten interessierten. Er war ledig, hatte keine Kinder und vor einem guten halben Jahr eine langjährige Beziehung mit seiner Freundin beendet. Diese Partnerschaft sei lange Zeit sehr harmonisch verlaufen, nur hätte sie sich sehnlichst Nachwuchs gewünscht; ein Wunsch, den ihr Andreas Lutzenberg aus nicht bekannten Gründen nicht habe erfüllen wollen.

„Ich habe dann noch mit dem Konrektor seiner Schule geredet. Lutzenberg hat sich immer als zuverlässiger und zuvorkommender Kollege gezeigt, der mit viel Engagement seinen Beruf ausübte. Der Konrektor hat sich sehr dafür interessiert, warum die Polizei ihm diese Fragen stellt. Da habe ich ihm einfach gesagt, dass Lutzenberg vermisst wird. Er war ziemlich betroffen und hat recht besorgt gewirkt. Lutzenberg hatte sich nämlich eigentlich für den Telefondienst gemeldet, der in seiner Schule einmal wöchentlich in den Ferien im Sekretariat stattfindet, ist zu diesem Termin aber nicht erschienen. Der Konrektor hat sich dann gedacht, Lutzenberg sei wahrscheinlich in Urlaub gefahren und hat den Termin einfach verschwitzt, auch wenn man so etwas von ihm nicht gewohnt gewesen ist, hat es geheißen."

„Und die Bekannten? Habt ihr da was erfahren können?", fragte Kluftinger.

Hefele berichtete, auch die Bekannten hätten teilweise ausgesagt, sie könnten sich nicht erklären, warum er sie seit einigen Tagen versetzt habe und auch auf dem Handy nicht erreichbar gewesen sei. Man habe sich aber nichts weiter dabei gedacht. „Schließlich waren Ferien und Lutzenberg ist gern verreist. Viele hätten es schon seltsam gefunden, dass er für die großen Ferien keinen Urlaub geplant hat", schloss Hefele.

Schließlich forderte Kluftinger diejenigen Kollegen, die die persönlichen Dinge Lutzenbergs untersucht hatten, auf, einen Bericht abzugeben. Sie hatten wirkliche Neuigkeiten auf Lager:

Nicht nur das Fotoalbum, sondern Wachters gesamte Adresse, seine Bankverbindung, alle seine Telefonnummern seien in Lutzenbergs privatem Telefonbuch vermerkt gewesen.

Bei der Auswertung von Lutzenbergs PC sei man noch nicht recht weiter gekommen. Aber man habe die Nummern auf seinen Telefonrechnungen überprüft und sei darauf gestoßen, dass er in den letzten Wochen immer wieder bei Wachter zu Hause angerufen hatte. Die Anrufe hätten immer abends stattgefunden. Dies habe sich auch, so die Auskunft der Telekom, in dem Zeitraum, für den noch keine Rechnung vorlag, so fortgesetzt.

Kluftinger dankte, ohne die Erkenntnisse zu kommentieren, ordnete noch kurz an, dass am nächsten Morgen bitte alle dort weitermachen sollten, wo sie aufgehört hatten. Das Exposé zum beruflichen Werdegang Wachters erwarte er am Morgen des nächsten Tages. Alle waren müde, auch er.

Als die Konferenz von Kluftinger mit einem „Gute Nacht" beendet wurde, ergriff der Leiter der PD Kempten-Oberallgäu noch das Wort, sehr zum Leidwesen der Anwesenden.

Alles höre sich doch recht „vuivaschbrechnd oh", Kluftinger und die Kollegen hätten sich jetzt ja tatsächlich „ohgschdrengd". Er sei durchaus zufrieden mit den Fortschritten.

Die Polizisten hatten solches Lob keineswegs erwartet. Und es kam noch besser:

Sie wüssten ja, „wia eanst die Logn" sei und würden dem auch Rechnung „trong". Die Überstunden würden „eana olle" zu hundert Prozent ausgeglichen, dafür setze er sich schon ein, sie könnten sich darauf „verlossn".

Mit einem „Kemans guat hoam, meine Doman und Hean" schloss er.

Im kurzen Vieraugengespräch mit Kluftinger wurde nur besprochen, dass Lodenbacher über alles weiterhin auf dem Laufenden gehalten werden wolle und dass der Fall natürlich weiterhin oberste Priorität hätte. Kluftinger gab sich wortkarg. Schließlich war er den ganzen Tag auf den Beinen gewesen – von seinem kleinen Büroschläfchen abgesehen. Lodenbacher war dagegen sicher nach Hause gegangen, hatte wahrscheinlich bereits ein leckeres Abendessen von seiner Frau bereitet bekommen, um danach noch einmal kurz in die Konferenz hineinzuschneien.

Knapp verabschiedete sich Kluftinger noch von den Mitarbeitern, die sich ebenfalls auf den Weg machten. Er hatte furchtbaren Hunger.

★★★

Kluftinger stellte seinen Wagen in der Garage ab, nahm das Stück Parmesan, das er auf den Beifahrersitz gelegt hatte, mit nach oben und ließ seine Aktentasche – er hatte sie eigentlich mitgenommen, um einige Papiere nochmals durchzusehen – wohlweislich im Kofferraum neben seiner Trommel liegen. Er öffnete die Wohnungstür, wollte gerade nach seiner Frau rufen, als er sich klar wurde, dass diese ja in Urlaub war. Die abendliche Begrüßung war ihm so in Fleisch und Blut übergegangen, dass sie unterbewusst ablief. Mit den Worten Konditionierung und Schlüsselreiz hätte sein Sohn dieses Verhalten lernpsychologisch begründet.

Der Kommissar ging in die leere Küche, in die ihn ein schwer erträgliches Hungergefühl trieb. Er überlegte kurz, schlug den Weg in den Keller ein und holte aus der Tiefkühltruhe eine Tupperdose, in der sich – so stand in der Schrift seiner Frau zu lesen – vorgekochte Kässpatzen befanden. Vielleicht würde sein Kässpatzen-Montagsritual diesem turbulenten Tag etwas Konstanz zurückgeben.

Nachdem er das Backrohr auf 250 Grad eingestellt und die Spatzen in eine feuerfeste Form gefüllt hatte, die ihm von seiner Frau vor deren Abreise für diesen Zweck empfohlen worden war, schob er sein Abendessen in den Ofen und ging einem weiteren durch Kaffee und Tee verursachten Bedürfnis nach, dessen Befriedigung nun keinen Aufschub mehr duldete. Er genoss es, danach die Brille oben zu lassen, was er nicht mehr durfte, seit er verheiratet war.

Nun aber wurde das Hungerbedürfnis wieder dominant. So dominant, dass er nicht warten konnte, bis seine geliebten Spatzen aufgetaut und durcherhitzt waren. Als er feststellte, dass es weder schneller ging, wenn er vor dem Rohr kauerte und hineinsah, noch, wenn er die Tür öffnete und mit dem Fingerrücken die Temperatur des Essens prüfte, machte er sich daran, den Parmesan aus dem Papier zu befreien und schnitt sich ein Stück ab. Das Messer hatte Mühe, sich durch den harten Käse, in dem das Salz schon auskristallisiert war, zu kämpfen. Kluftinger schwante nichts Gutes bei einer solchen Konsistenz des von Langhammer so gerühmten Lebensmittels. Dennoch wollte er es versuchen. Einen Kanten Brot dazu, das würde den schlimmsten Hunger schon einmal stillen. Im Brottopf fanden sich allerdings nur altbackene Semmeln. Er ging in die Speis, holte sich die Notration-Packung Knäckebrot und nahm sich eine Scheibe heraus.

Säuberlich belegte er das trockene Brot mit Parmesanscheiben. Der Geschmack des Käses war keine Offenbarung. Eine viel zu trockene und bröselige Angelegenheit. Und viel zu salzig. Bevor er weiter essen konnte, nahm er sich eine Flasche Bier aus dem Kühlschrank und goss sie in seinen Krug.

Was diese Deppen immer hatten: Da hat man so guten einheimischen Käse im Allgäu und dann muss man den Italienern ihren alten Bröckelkäse nachmachen. Auf Pasta asciutta, gut, gerieben und als Würze. Aber zum so Essen? Das war, fand Kluftinger, so etwas wie Ruccola, Latte Macchiato und Aceto Balsamico: Modetrends, die man mitmachen musste, wenn man den Anschein machen wollte, dass man beim Essen international, weltoffen und genießerisch war. Auch seine Frau schleppte dieses ganze Toskanazeug an, ihm schmeckte das meiste nicht. Nicht einmal die Grissini, die sie neulich zum Salat auf den Tisch gestellt hatte, nachdem sie in einem neu eröffneten italienischen Gemüseladen zugeschlagen hatte. Das waren einfach nur trockene, völlig geschmacklose Brotstangen. Erika hatte gesagt, das sei eine leichte Beilage zum Salat und auch zum Wein. Zum Wein. Wenn er das schon hörte. Es erinnerte ihn immer an die für ihn furchtbaren Einladungen, wenn Bekannte seiner Frau kamen und sie versuchte, beim Essen international, weltoffen und genießerisch zu wirken. Er hatte nur gesagt, sie könne beim nächsten Mal ruhig wieder dünne Salzletten mit

Lauge und Salz kaufen, nicht diese missratenen. Und sie hatte eingesehen, dass ein weiteres kulinarisches Experiment bei ihrem Mann fehlgeschlagen war.

Nun wollte Kluftinger endlich das, was für ihn ein kulinarischer Hochgenuss war und ging zum Backrohr. Und siehe da, während er den Parmesan getestet und für mangelhaft befunden hatte, waren die Spatzen fertig geworden. Der Käse brutzelte schon am Rand der Schüssel, so sollte es sein. Hungrig zog er den Herd auf, griff zur Schüssel und für einen Bruchteil einer Sekunde schien er seinen Körper zu verlassen und sich selbst in Zeitlupe dabei zu beobachten, wie er die Glasschüssel abrupt wieder aus den Händen gleiten und auf das Gitter zurückfallen ließ. Es war eine Verzögerung, die Kluftinger sonst bei kleinen Kindern immer mit Erstaunen sah: Es dauerte einen Moment, ehe sie zu schreien anfingen, wenn ihnen etwas zustieß. Man konnte beinahe zusehen, wie sie allmählich darüber nachdachten, dass irgendetwas nicht in Ordnung war und dass man darauf vorsichtshalber durch Schreien aufmerksam machen sollte. Kluftinger war erwachsen. Trotzdem schrie er, er hatte sich höllisch die Finger verbrannt.

„Du Dreckschüssl, saublöde, Zefix!"

Er hielt die Finger schnell unter den Wasserhahn. Er wusste, dass ihm das auch die nächsten Tage noch wehtun würde. Das Ding war immerhin 250 Grad heiß gewesen. Seine Fingerkuppen kamen ihm ganz glatt vor.

Und weit und breit niemand, dem er die Schuld geben konnte. Weit und breit niemand, dem er den restlichen Abend erzählen konnte, welch große Schmerzen er hatte, und vor dem er Mutmaßungen anstellen konnte, ob das nun Verbrennungen zweiten oder dritten Grades waren.

„Kreuzkruzifix", sagte Kluftinger noch mal, nahm sich Topflappen und stellte die Schüssel auf den Tisch.

Die Kässpatzen waren so, wie sie der Kommissar eigentlich nicht gern mochte, oben trocken und beinahe verbrannt, unten dafür leicht matschig, das sah er gleich, als er sich eine Portion auf den Teller löffelte.

Auf einmal wurde ihm bewusst, dass etwas eklatant Wichtiges

fehlte: Seine Frau hatte nur die Spatzen eingefroren, nicht aber die Zwiebeln! Kässpatzen ohne Zwiebeln, dachte sich Kluftinger, das wäre wie Weißwürste ohne süßen Senf. Es ging einfach nicht.

Zwiebeln bräunen, da war er sich sicher, das konnte schließlich sogar er.

Als Kluftinger sich aus dem kleinen emaillierten Körbchen, das an der Wand der engen Speisekammer befestigt war, einige Zwiebeln nehmen wollte, blitzte ihm aber aus dem Regal darüber eine einfachere Lösung seines Problems entgegen: eine Plastikdose voller dänischer Röstzwiebeln. Seine Frau hatte sie einmal gekauft, nachdem sie bei Ikea festgestellt hatte, dass sie zu Hot Dogs so gut passten. Das war aber bestimmt schon vor einem dreiviertel Jahr gewesen. Sie standen seitdem im Regal und verstaubten langsam, da ihre Hausfrauenehre Erika jedes Mal daran hinderte, die Fertigzwiebeln zu verwenden. Zwiebeln macht man selber und wenn die fertigen auch hundert Mal im Regal stehen.

Ein Glücksfall für Kluftinger, der am Tisch die Packung öffnete und auf einen Schlag ein Drittel des Inhalts über die Spatzen verteilte: Wenn sie schon einmal offen waren, sollten sie auch gegessen werden.

Und sie schmeckten dem Kommissar nicht schlecht. Sie waren krosser als die selbst gemachten, nicht ganz so geschmackvoll, aber eben knusprig und mindestens genauso fettig.

Nach dem dritten Löffel Spatzen hielt Kluftinger inne. Es war zu still im Haus, kein Mucks war zu hören. Er schaltete Bayern 1 ein, drehte aber schnell weiter. Ihm war nach Informationen. Bayern 5 war da die richtige Wahl.

Das Radio war kein Ersatz für Gespräche am Tisch, aber so ging es schon besser. Man kam sich nicht mehr ganz so einsam vor. Als er die Portion Spatzen bezwungen hatte, blieb er noch etwas am Tisch sitzen. Er nahm sich die Packung Röstzwiebeln, auf der zu lesen war, dass ihr Inhalt sich auch einfach als Knabberei zwischendurch eignete, und beschloss, etwas davon zum Nachtisch zu nehmen.

Nachdem er das Geschirr in die Spülmaschine geräumt und die

Klappe geschlossen hatte, verspürte er das dringende Bedürfnis noch mit jemandem zu sprechen.

Er nahm das Telefon und überlegte, ob er nicht die Nummer wählen sollte, die seine Frau ihm hinterlassen hatte, falls er sie im Hotel in Spanien erreichen wollte. Aber er wusste keine dieser billigen Vorwahlnummern auswendig, dachte an die Umstände, die ihm sicher bevorstehen würden, bis er seine Gattin endlich an der Strippe hätte: Vermittlung, Rezeption, vielleicht verstanden die nur Englisch. Er verwarf die Idee. Morgen vielleicht, heute noch nicht.

Er tat etwas, was er so spontan schon lange nicht mehr gemacht hatte. Er rief bei seinen Eltern an.

Kluftinger wählte die Nummer und setzte sich in den Sessel, nicht ohne vorher die Dose Röstzwiebeln neben sich zu platzieren. Er legte die Füße auf den Couchtisch und genoss es, dass ihn heute niemand dafür rügte.

„Inger? Ja? Hallo?", schallte es aus dem Hörer.

„Vatter, wie oft hab ich dir schon gesagt, dass du bei dem Telefon erst auf den Annahmeknopf drücken musst, bevor man dich hört? Griaß di, i bins.", begrüßte er nun in alter Tradition seinen Vater.

„Griaß di, Bub! Na, wie geht's dir Strohwitwer? Die Mutter wollt' dich heute Abend eh noch anrufen und fragen, ob du irgendwas brauchst. Ja sag, wie hast du's?"

„Du, ja, geht schon. Und ihr?", erwiderte der Kommissar wortkarg. Mit seinem Vater zu telefonieren war er eigentlich gar nicht gewohnt. Sein Vater rief ihn so gut wie nie an, er wusste wohl – so dachte sich Kluftinger oft – noch nicht einmal seine Telefonnummer.

Wenn es etwas Wichtiges gab und sein Vater überwand sich doch einmal, dann wurde die Kommunikation auf das Nötige reduziert, sodass die Gespräche nur wenige Minuten dauerten. Mit seiner Mutter hingegen konnte Kluftinger auch lange, für einen Mann sehr lange, telefonieren. Er hatte ein Verhältnis zu seinen Eltern, wie er es sich besser kaum hätte wünschen können. Nur die fernmündliche Unterhaltung mit dem Vater klappte nicht recht, wobei keiner hätte sagen können, woran dies lag. Und Kluftinger musste sich, wenn er ehrlich war, eingestehen, dass dies zwischen ihm und seinem Sohn eigentlich genauso war.

„Ja, uns geht's gut, aber jetzt erzähl, wie geht's denn mit deinem Fall? Man hört gar nichts mehr! Macht ihr aber schon Fortschritte, sag?", tönte es aus dem Hörer und Kluftinger, der schon auf die Worte „Ich geb dir die Mutter" eingestellt war, war so verblüfft, dass sein Vater nachfragte, dass er eine Weile brauchte, bis er antwortete:

„Mei Vatter, heut ist schon einiges vorwärts gegangen, es war ein ganz schön anstrengender Tag."

„Jetzt lass dir nicht alles aus der Nase ziehen, wie weit seid ihr denn?"

Kluftinger war sehr müde und geschafft und wollte eigentlich nicht noch einmal den Fall durchkauen. Aber er erkannte, wie in seinem längst pensionierten Vater der alte Polizistengeist wieder aufschien, und da wollte er ihn nicht enttäuschen. Mit dem ernsten Hinweis, dass dies niemanden etwas anginge, schilderte er eher oberflächlich und in knappen Worten seinem Vater das Tagesgeschehen.

„Hast aber schon angeordnet, dass diese Memminger Wohnung überwacht wird, gell?", fragte der Vater nach.

„Vatter, ich bin ja kein Depp, oder?"

„Ja mei, manchmal vergisst man das und dann geht einem der Täter durch die Lappen." Dies war der Moment, in dem der Kommissar bereits bereute, irgendetwas erzählt zu haben. Wenn er dem nicht gleich einen Riegel vorschieben würde, würde er die nächste Zeit mit zwar gut gemeinten, aber überaus anstrengenden Ratschlägen des erfahrenen ehemaligen Landpolizisten Kluftinger überschwemmt werden.

„Ich mach das schon Vatter, keine Angst. Du, was anderes, ist die Mutter auch da?", fragte er in betont freundlichem Ton, dem man seine Ungeduld und Genervtheit nicht anmerkte.

„Ja, ja, ist schon recht, hast keine Bauernsprechstunde heut, ich merk's schon. Warte, ich hol sie." Kluftinger senior hatte den Hörer hingelegt und rief lautstark seine Frau. Sein Vater hatte sich noch immer nicht daran gewöhnt, dass er das tragbare

Telefon auch ins Wohnzimmer hätte bringen können. Er telefonierte immer im Gang, dort, wo früher das alte Wählscheibentelefon gestanden war. Dort übergab er nun auch seiner Frau den Hörer, die sich, weniger Gewohnheitsmensch, erst wieder in den Sessel setzte, bevor sie das Gespräch übernahm.

„Ja, Bub, griaß di. Und, wie hast du's, sag?", fragte sie ihren gut fünfzigjährigen „Buben".

„Ja, geht schon. Ganz schön stressig. Der Vatter, dass er es nie lernt. Kein Servus, kein Pfügott, jedesmal dasselbe", beklagte sich der Kommissar.

„Mei, du kennst ihn doch. So ist er halt. Er ist eh ganz aufgeregt wegen deinem Fall. Er redet nichts anderes mehr, vor allem seitdem du im Fernsehen warst. Neulich hat er es auch deinem Onkel ganz stolz am Telefon erzählt. Aber das im Fernsehen, das hast du prima gemacht. Du hast so richtig seriös gewirkt. Ganz toll, wirklich. Jetzt sag, mutest du dir da nicht zu viel zu mit der ganzen Arbeit?", fragte seine Mutter besorgt, die ihn schon im Gymnasium und später auf der Polizeiakademie bedauert hatte, weil er doch immer gar so viel lernen musste.

„Du, klar ist es anstrengend, aber was soll ich denn machen?"

„Lass dir halt gescheit helfen und mach nicht immer alles selber. Und grad jetzt, wo doch die Erika in Urlaub ist. Das hat jetzt ja sein müssen. Hast denn noch was zum Anziehen? Soll ich was waschen?"

„Mutter, rechne mal nach, wie lange ist die Erika jetzt weg?"

„Ja, ja, ich frag ja nur. Und essen? Hast du was im Haus?"

„Ich hab mir Kässpatzen gemacht."

„Was, du? Und wie sind sie geworden?"

„Die Erika hat sie eingefroren gehabt und ich hab sie im Rohr aufgetaut. Und mir die Finger an der heißen Schüssel verbrannt."

„Kaltes Wasser, du musst sofort kaltes Wasser drauf geben."

„Mutter, ich weiß. Und bei euch?"

„Bei uns … nix eigentlich. Der Vatter hat sich heute wieder zwei Zähne ziehen lassen, obwohl, wenn du mich fragst, gebraucht hätte es das nicht. Ihm hat ja nichts wehgetan. Und ich hab heute den ganzen Tag nur Fenster geputzt. Mit dem

Dampfreiniger, den ihr mir zum Geburtstag geschenkt habt. Du, der geht wirklich gut. Und bügeln kann man mit dem auch ganz prima."

Kluftinger war versöhnt. Endlich hatte er das Gespräch da, wo er es haben wollte. Bei belanglosen kleinen Alltagsdingen. Eine Weile ging es so weiter und Kluftinger plauderte entspannt über den Garten, die aktuelle Lokalpolitik und die Beerdigungen von Bekannten der Eltern, die er noch aus Jugendtagen kannte.

Dann aber merkte er, dass der Mutterinstinkt bei seiner Gesprächspartnerin wieder durchbrach.

„Du, mit dem Essen, immer nur das aufgetaute Zeug, das ist fei nichts. Du brauchst was Frisches, Salat, Fleisch, gerade bei deinem Stress. Iss Obst, morgens einen Apfel, am besten nimmst du dir ins Büro ein paar Bananen mit. Das haben sie neulich in der Sprechstunde im Dritten gesagt, dass Bananen so gesund sind. Du, die haben alles, was man braucht."

„Mutter, ich bin doch kein Kind mehr."

„Ja, das darf ich dir doch sagen, oder? Wenn du auch nichts Gescheites isst. Komm doch morgen Abend gleich mal zu uns, dann koche ich abends warm. Hast du denn Zeit morgen?"

„Keine Ahnung, wie es im Büro aussieht. Ich kann dich ja morgen im Lauf des Tages anrufen."

„Ja, aber kommst schon, gell? Was wünschst du dir denn?"

Sich jetzt auch noch überlegen zu müssen, was er denn gerne zu essen gehabt hätte, war zu viel. Er war sowieso ganz schön voll von den Spatzen. Was ihn aber nicht davon abhielt, immer wieder in die Dose mit den Röstzwiebeln zu langen.

„Du, keine Ahnung. Ich lass mich überraschen. Also dann, ich melde mich morgen."

„Aber nicht zu spät, dass ich den Vatter noch einkaufen schicken kann."

„Ja Mutter. Also dann. Pfiati."

„Ja, ist ja schon recht. Du mit deinem also dann. Denk an die Bananen. Die machen fit. Machs gut, Bub, bis morgen. Pfiati, gut' Nacht."

„Nacht Mutter."

Kluftinger griff zur Fernbedienung und stellte den Fernseher lauter. Er zappte. Er hätte dieses Wort nie verwendet, aber er liebte die Tätigkeit. Seine Frau weniger. Irgendwo blieb er hängen.

Als Kluftinger aufwachte, hätte er nicht sagen können, wann er genau eingeschlafen war. Im Fernsehen lief irgend eine Börsensendung, er schaltete aus, stand auf und bemerkte kaum, wie die leere Röstzwiebeldose, die auf seinem Bauch gelegen war, auf den Boden fiel.

Schlaftrunken ging er ins Bad, putzte sich die Zähne, quälte sich in seinen Schlafanzug und löschte das Licht. 0.07 Uhr schon. Er drehte sich um und fühlte die Vorboten eines ausgewachsenen Sodbrennens. Nie mehr eine ganze Dose dänische Röstzwiebeln auf einmal!

✲✲✲

Es war für Kluftinger seltsam gewesen, an diesem zweiten Morgen ohne seine Frau. Dennoch hatte alles wieder gut geklappt: Er war ohne Probleme aus dem Bett gekommen, auch wenn ihn heute schon wieder der grausame Pfeifton seines Radioweckers aus dem Schlaf gerissen hatte und nicht Erikas sanfte Stimme. Das Frühstück hatte er ausgelassen. Auch wenn er sich dadurch etwas Zeit gespart hatte, nahm er sich doch vor, in Zukunft so spät wirklich nicht mehr so fett zu essen.

„Guten Morgen, Frau Henske", trällerte er im Präsidium seiner Sekretärin im Gang entgegen, die gerade beim Kopierer stand. Er fühlte sich gut und das nicht nur, weil er sich ein bisschen vorkam wie ein Schuljunge, dessen Eltern verreist sind und der sich nun allein zu Hause als kleiner Erwachsener bewähren muss. Er hatte sich für den Tag einiges vorgenommen und diese Tatsache fühlte sich besser an als die Ungewissheit, ob sie in dem Fall irgendwie weiter kommen würden. Davon hatte er in den letzten Tagen genug gehabt.

„Ist das Exposé schon da?", rief er durch die offen stehende Tür seiner Sekretärin zu. Vor allem auf Zeitungsausschnitte aus den fraglichen Jahren hatte er es abgesehen.

Sandra Henske erschien mit einem stattlichen Stapel Papier unter dem Arm in seinem Büro. „Hab es gerade für die Akten noch einmal kopiert", sagte sie und freute sich über die gute Stimmung ihres Chefs. Sie bezeichnete sich selbst als sehr mitfühlenden Menschen und neigte deswegen dazu, sich den Launen vor allem Kluftingers anzupassen. „Da hat sich ein Kollege gestern noch ziemlich reingehängt, um das alles zu bekommen", bemerkte Sandy noch.

„Danke. Wenn's geht, in der nächsten Zeit bitte keine Anrufe", bat der Kommissar höflich.

Er klappte den Pappeinband des Stapels um und begann zu lesen. Das erste Blatt zeigte die Regionalseite der Allgäuer Zeitung vom 1.6.1975. Kluftinger schmunzelte ein wenig, als er das Papier vor sich liegen hatte. Auch die Zeitungen sahen damals anders aus, dachte er. Rechts oben stand ein Artikel mit der Überschrift: „Bakterien sind ihre Leidenschaft". Die Unterzeile lautete: „Hoffnungsvolle Talente der Lebensmittelbranche kommen aus dem Allgäu". Der Artikel erzählte davon, dass Wachter und Lutzenberg für eine Forschungsarbeit im Rahmen ihres Studiums einen von der Industrie gesponserten Wissenschaftspreis bekommen hatten. „Ich hätte nie gedacht, dass wir das schaffen", wurde ein bescheidener Robert Lutzenberg zitiert. Philip Wachter klang da schon etwas selbstbewusster: „Ich hatte die ganze Zeit das Gefühl, dass wir an etwas Wichtigem dran sind." Ein Mann der Milchindustrie wurde mit den Worten zitiert: „Es haben schon einige in diese Richtung geforscht, aber die beiden Allgäuer sind auf dem vielversprechendsten Weg. Wahrscheinlich ist es die Nähe zur Milchwirtschaft, die sie beflügelt hat."

Natürlich, dachte sich Kluftinger und verdrehte die Augen, sind wir im Allgäu nicht alle irgendwie verkappte Milchbauern? Dennoch schien die Aussage des Industrie-Menschen zumindest für Lutzenberg zu stimmen, dessen Eltern laut Zeitungsartikel in einer Sennerei gearbeitet hatten und den der Umgang mit Milchprodukten und ihre vielseitige Verwendbarkeit schon immer fasziniert habe. „Käse, Butter, Sahne, Joghurt: All das war irgendwann einmal ‚nur' Milch", hatte er damals gesagt.

Kluftinger machte sich auf einem Schmierzettel ein paar Notizen und kennzeichnete die Stellen, an denen es um Fachbegriffe ging, mit einem Fragezeichen. Er würde sich später mit den Leuten aus dem Labor darüber unterhalten. Jetzt interessierten ihn vor allen Dingen die Aussagen über Wachters und Lutzenbergs gemeinsame Zeit. Laut eines weiteren Zeitungsberichts, der ein paar Tage später in einem überregionalen Blatt erschienen war, hatten die beiden sich während des Studiums kennen gelernt. Das hatte ihm auch Julia Wagner schon erzählt. Der Ehrgeiz und die Freude am Forschen habe sie zusammengebracht und gemeinsam arbeiten lassen, stand dort zu lesen. Fragt sich nur, wer den Ehrgeiz und wer die Freude am Forschen hatte, dachte Kluftinger.

Die Preisverleihung wurde auch in mehreren Artikeln und Fachblättern aufgegriffen, sodass sich langsam ein geschlossenes Bild ergab: Lutzenberg und Wachter waren erst Kollegen und dann Freunde, die zusammen am Beginn einer großen Zukunft standen, darin waren sich alle, die damals zu Wort kamen, einig. Sie waren unabhängig voneinander im Allgäu groß geworden, Wachter in Kempten, Lutzenberg in Weiler. Studiert hatten sie in München, dort waren sie sich zum ersten Mal begegnet. Eine Hausarbeit, die die beiden gemeinsam schreiben mussten, hatte sie schließlich zusammengebracht. Am Ende ihres Studiums lagen ihnen lukrative Angebote aus ganz Deutschland vor; eines kam von einer riesigen Molkerei-Kette, die ihren Sitz in Köln hatte. Es stand zwar nicht explizit in den Unterlagen, aber Kluftinger gewann aus dem, was da geschrieben stand, den Eindruck, dass Lutzenberg lieber in die Forschung gegangen wäre, während Wachter vor allem das große Geld zu locken schien. Aber er konnte sich da auch täuschen.

Kluftinger schenkte sich einen Kaffee ein, setzte sich dann sofort wieder hin und blätterte weiter. Er war neugierig. Es folgten einige Artikel aus Fachzeitschriften, in denen vor allem auf den wissenschaftlichen Gehalt ihrer Forschungen eingegangen wurde. Der Kommissar überflog sie nur kurz, daraus wurde er sowieso nicht schlau. Er wollte nun detailliert wissen, wie es zu dem Skandal kam, von dem Schönmanger erzählt hatte. Alles

begann mit einer Notiz, diesmal aus dem Kölner General-
anzeiger vom Januar 1987. „Mehrere Altenheimbewohner an
Magen-Darm-Infektion erkrankt", hieß es da. Sofort wurde
spekuliert, ob es sich um verdorbenes Essen handeln könnte.
Einen Tag später war zu lesen, dass das Altenheim den Lie-
feranten seiner Molkereiprodukte kurze Zeit vorher gewechselt
hatte. Wie sich ein paar Artikel später schließlich herausstellte,
waren es diese Produkte gewesen, die die Erkrankungen ausgelöst hatten. Weitere Menschen mit den gleichen Symptomen
meldeten sich. Endlich wurde auch der Schuldige eingekreist:
Es war ein Joghurt der neuen Firma.
„Na, schon so fleißig?"
Kluftinger erschrak. Strobl war hereingekommen, er hatte ihn
nicht gehört.
„Wenn's dir nichts ausmacht, würde ich hier gern noch ein
bisschen in Ruhe weiter lesen", sagte Kluftinger, den die
Berichte regelrecht fesselten.
„Soll mir recht sein. Ich wollte mich jetzt mal um den Kram
aus der Wohnung kümmern, da bin ich sicher auch eine Weile
beschäftigt", antwortete Strobl und öffnete die Tür zum Ne-
benzimmer.
„Eugen?", rief Kluftinger ihm nach. „Wenn der Richard
kommt, soll er dir halt dabei helfen." So wären die Aufgaben
nicht nur gerecht verteilt, Maier würde ihn dann auch in Ruhe
lassen, dachte der Kommissar.
Er beugte sich wieder über den Papierstapel, fuhr kurz mit dem
Finger suchend darüber und fand dann die Stelle, an der er vorher unterbrochen worden war.
Über mehrere Tage hinweg wurde in der Zeitung über die
Ermittlungen berichtet, schließlich startete das Unternehmen
eine Rückrufaktion und nahm den Joghurt aus dem Sortiment.
Und jetzt kamen auch seine beiden Allgäuer ins Spiel: Die zwei
waren offenbar federführend an der Entwicklung beteiligt
gewesen.
Kluftinger blätterte weiter und hatte nun ein paar polizeiliche
Unterlagen vor sich. Offenbar von den Kollegen aus Köln. Wer
immer ihm den Stapel zusammengestellt hatte, hatte wirklich

ganze Arbeit geleistet, dachte Kluftinger und nickte dabei anerkennend. Er nahm sich vor, den Betreffenden ausfindig zu machen und extra zu loben.

Laut Ermittlungen konnte den beiden Entwicklern aber kein Verschulden nachgewiesen werden. Doch ihr steiler Aufstieg schien damit erst einmal beendet. Offenbar wurden die beiden entlassen, das entnahm Kluftinger aus einem Bericht in einem Fachblatt. In den Tageszeitungen fand er keinen Hinweis darauf, weder im Allgäuer noch in einem überregionalen Blatt. Er wunderte sich sehr darüber, erklärte es sich aber dann damit, dass damals, in den achtziger Jahren, die Menschen für Ernährungsfragen wohl noch nicht so sensibilisiert waren wie heute. Die Firma hatte alles heruntergespielt, wie es intern zugegangen war, las er nicht. Ein paar Mal tauchten die Begriffe Krebs erregend auf, aber erhärten ließ sich der Verdacht offenbar nicht.

Er hielt inne und dachte nach. Er konnte sich nicht erinnern, dass Lebensmittel oder Ernährung in seiner Jugend jemals eine Rolle gespielt hatten. Klar, es gab schon Binsenweisheiten wie „Iss Butter, das ist gesund" oder „Ein Apfel am Tag hilft gegen jede Plag". Aber das war's auch schon gewesen. Niemand achtete damals beim Einkauf auf die Bestandteile der Speisen. Jedenfalls niemand, den er kannte. Das begann erst, nachdem die ersten großen Lebensmittelskandale bekannt geworden waren. Aber in den siebziger Jahren? Ihm fielen auf Anhieb keine Skandale aus dieser Zeit ein.

Er überlegte: War nicht die Sache mit dem gepanschten Wein in dieser Zeit gewesen? Als die Österreicher auf die Idee kamen, Frostschutzmittel in ihre Getränke zu kippen? Glykol hieß das Mittel, daran konnte er sich gut erinnern, schließlich war es monatelang in aller Munde gewesen – im wahrsten Sinne des Wortes. Er hatte damals immer gefrotzelt, dass er den österreichischen Wein statt zu trinken schon immer ins Kühlwasser seines Autos gekippt hatte.

Aber nein, das war später gewesen, Anfang der Achtziger, vermutete er.

War die Welt damals also noch ganz in Ordnung gewesen?

Davon konnte wohl auch keine Rede sein. Er erinnerte sich an seinen Schulfreund, wie hieß er doch gleich, richtig: Kreutzer. Er hatte den Bauernhof seines Vaters übernommen und wollte daraus einen wirtschaftlichen Betrieb machen. Kluftinger hatte sich darüber des Öfteren mit Martin unterhalten. Ihr müsst rationalisieren, vergrößern, Masse produzieren, hatte Martin die Lehrer in der Landwirtschaftsschule immer zitiert. Er hatte sich auf Hühner spezialisiert und eine der ersten großen Hühnerfarmen im Allgäu eröffnet. So an die 10 000 müssen das gewesen sein. Alle im Käfig, versteht sich. Von Tierschutz, Bio oder Ökologie hatte damals noch keiner geredet. Auch Martin nicht. Na ja, bis '72 oder '73 das Hühnerfleisch in die Schlagzeilen geriet. Weil angeblich zu viele Salmonellen darin waren, wegen der schlechten Haltung. Das haben sich dann einige zu Herzen genommen, aber so richtig durchschlagend war der Erfolg auch nach diesen Fällen nicht gewesen. Nur für Martins Unternehmen brachte es das Aus; soviel Kluftinger wusste, arbeitete er jetzt in einem großen, industriellen Schweinemastbetrieb irgendwo in Norddeutschland. Es war jedenfalls das Letzte, was er von ihm gehört hatte.

Das war für lange Zeit das letzte Mal, dass das Thema Ernährung diskutiert wurde, meinte sich Kluftinger zu erinnern. Das würde zumindest erklären, dass der Kölner Skandal – denn nach heutigen Maßstäben war es sicherlich ein solcher – in den Medien nicht so hochgespielt wurde. Glück für Wachter und Lutzenberg, dachte sich Kluftinger. Sie waren ihren Job zwar erst einmal los, aber sie wurden nicht öffentlich an den Pranger gestellt. Er vermutete sogar, dass hier die wenigsten etwas davon mitbekommen hatten. Er selbst konnte sich ja auch nicht daran erinnern. Das war wohl auch der Grund, warum die Schönmangers ganz gut mit Wachters Vergangenheit leben konnten: Für die Insider war er bekannt, da standen ihm die ganz großen Türen nicht mehr offen. Aber die Krugzeller hatten so einen guten Fang gemacht, den sie sich sonst nie hätten leisten können. Und es bestand sicher auch nicht die Gefahr, dass in Zeiten, in denen BSE, Schweinemast und Krebs erregende Stoffe in Kartoffelchips für Schlagzeilen sorgten, irgendein

Hahn noch nach den längst vergessenen Skandalen von vorgestern krähen würde.

Dennoch war Kluftinger noch nicht zufrieden mit dem, was er bisher herausgefunden hatte. Es erklärte zwar detailliert, warum die Sterne der beiden nicht mehr in der Milchstraße leuchteten. Weshalb sie sich aber entzweit hatten, war ihm noch nicht klar.

Kluftinger blätterte die weiteren Seiten durch. Eine konkrete Antwort auf die Frage fand er nicht. Es klang in den Berichten, die folgten, immer nur an, dass die beiden sich wohl über ihre Forschungen in die Haare bekommen hatten. Mehr ging daraus zunächst nicht hervor.

Kluftinger klappte den Umschlag wieder zu. Er sah nun ein wenig klarer, sein Wissen war mit Details angereichert. Er blickte auf die Uhr: drei viertel zwölf. Er hatte gar nicht gemerkt, wie die Zeit vergangen war. Es war tatsächlich eine spannende Lektüre gewesen, obwohl er sonst kein Freund von Archiv-Recherchen war.

Er erhob sich unter lautem Ächzen aus seinem Bürostuhl und streckte sich. Dann warf er einen Blick ins Nebenzimmer: Maier, Strobl und Hefele saßen dort hinter einem Berg aus Akten, Papieren, Büchern und Notizzetteln. Er verkniff sich die Frage, ob sie da überhaupt noch den Überblick behalten konnten.

„Na, habt ihr was?", fragte er stattdessen.

„Ja, gut dass du kommst, wir haben wirklich was Interessantes gefunden."

Strobl erhob sich und hielt Kluftinger einige Papiere unter die Nase. Der brauchte ein paar Sekunden, bis er sah, dass es sich dabei um Kontoauszüge handelte.

„Lass mich nicht raten, sag, was los ist", drängte der Kommissar.

„Lutzenberg scheint ein recht ordentlicher Mensch gewesen zu sein, zumindest was seine Finanzen betrifft", begann Strobl. „Er hat seine Auszüge immer brav abgeheftet. Das sind die normalen Kontobewegungen, die wir auch in den letzten Monaten immer wieder gefunden haben", sagte er und fuhr mit seinem Finger die Eintragungen entlang. „Gehalt, Miete, Telefon,

Auszahlungen am Automaten, Kreditkarte und so weiter. Aber jetzt kommt's: In den letzten sechs Wochen hat er des Öfteren Geld eingezahlt. Immer in überschaubaren Beträgen. Hier." Er gab Kluftinger die Auszüge und deutete auf einige Zahlen. Es waren Einzahlungen zwischen 500 und 14 000 Euro. „Drei Sachen sind daran ungewöhnlich. Erstens hat er sonst eigentlich nie was auf sein Konto bar einbezahlt, das haben wir schon überprüft. Zweitens sind die Beträge nie höher als 15 000 Euro, also der Grenze, ab der die Bank laut Geldwäsche-Gesetz die Einzahlung melden muss. Drittens: Rechnet man das Ganze zusammen ..." – Strobl machte eine Kunstpause und blickte seine beiden Kollegen an, mit denen er die Akten durchgearbeitet hatte – „gibt das die nette Summe von 100 000 Euro innerhalb von sechs Wochen."

Kluftinger pfiff zwischen den Zähnen. „Warum habt ihr mir das nicht gleich gesagt?", fragte er.

„Na, du wolltest doch nicht gestört werden", erwiderte Strobl etwas beleidigt.

Kluftinger merkte, dass sie etwas mehr Begeisterung von ihm erwartet hatten, und fügte hinzu: „Gute Arbeit, Männer. Gute Arbeit."

Schlagartig hellten sich die Mienen der Polizeibeamten auf.

„Und wie machen wir jetzt weiter?", fragte Maier.

Der Kommissar blickte zur Decke und überlegte. „Am besten wäre natürlich, wenn wir wüssten, woher er das Geld hat. Aber das wird wahrscheinlich das schwerste Stück Arbeit. Wenn wir ihn haben, wird er uns das als erstes erklären müssen. Bis dahin konzentrieren wir uns mal auf seine finanziellen Angelegenheiten. Was hat er mit dem Geld vorgehabt? Hat er Reisekataloge daheim? Hat er sich nach einem neuen Auto umgeschaut? Hat er sich kürzlich irgendetwas besonders Teures geleistet? Eine Reise gebucht? Wir müssen auch seine Bekannten und Nachbarn gezielt danach fragen. Hat er in letzter Zeit über seine Verhältnisse gelebt? Gibt es Umsätze von der Kreditkarte, die noch nicht verbucht sind? Vielleicht weiß ja auch jemand was von einem ... sagen wir mal Nebenjob."

Kluftinger senkte seinen Blick von der Decke und schaute seine

Kollegen an. Die blickten erwartungsvoll zurück. „Also, pack' mer's!" sagte er und klatschte dabei in die Hände. Dann schnappte er sich einen Stapel Papier, setzte sich zu ihnen an den Tisch und begann seinerseits, die Unterlagen durchzusehen.

★★★

„Ja. Kluftinger. Grüß Gott. Sie reden doch Deutsch auch, oder?" Kluftinger schickte ein Stoßgebet zum Himmel. Gerade hatte er die vierzehnstellige Telefonnummer des Urlaubsdomizils seiner Frau gewählt. Gleich als er nach Hause gekommen war, hatte er sich dazu durchgerungen, sie anzurufen. Den ganzen Tag hatte er mit sich gekämpft. Eigentlich hatte er gehofft, dass sie anrufen würde, denn sonst bestand die Gefahr, dass er ausländisch würde reden müssen. Zwar hatte er sich sicherheitshalber ein paar Redewendungen aus dem kleinen gelben Englischwörterbuch für Touristen auf einem Zettel notiert und neben sich gelegt. Er hatte aber inständig gehofft, sie nicht anwenden zu müssen.

Was Kluftinger als Antwort hörte, war noch schlimmer als erwartet: Es klang wie eine Mischung aus Spanisch und Englisch. Er musste es also tatsächlich wagen: „Well, em ... The room of Mrs. Kluftinger, please ... Was? ... Kluftinger! ... Ja, Kluftinger halt. Erika ... Klafftindscher. Errika Klafftindscher. Kei, ell, ju, eff, tee ... Yes, Kluftinger and Langhammer ... Thank you very much, good night."

Kluftinger hatte es geschafft, er hörte das Freizeichen, man hatte ihn also zu Erikas Zimmer durchgestellt.

„Hallo?"

„Endlich hab ich dich an der Strippe! Von wegen, die sprechen sicher deutsch an der Rezeption! Mein Gott, Schatz, mir ist so öd!"

„Abend, Herr Kluftinger. Moment. Ich gebe Ihnen die Erika. Einen kleinen Moment, gell!"

Kluftinger war wie versteinert. Hatte er Frau Dr. Langhammer gerade Schatz genannt? Es kostete ihn ja schon genug Überwindung, seine Frau so zu nennen, aber sie liebte solche Kosenamen nun einmal. Noch einmal fuhr ihm der Schreck in die Glieder: Das würde die Langhammer doch bestimmt brühwarm ihrem Mann weiter erzählen.

Seine Frau unterbrach mit ihrer Begrüßung seine gedanklichen Horrorszenarien. „Ja griaß di, wie geht's dir denn? Kommst du zurecht daheim?"

„Keine Sorge, Erika, die Küche steht noch. Aber mit dem Fall, ich sag's dir. Wir wissen jetzt endlich, wer das auf der Beerdigung war."

„Ihr habt den Mörder schon gefunden?"

„Nein, einen Verdächtigen haben wir. Es geht zu im Geschäft, Wahnsinn!", sagte Kluftinger. Wie immer hatte er statt Büro Geschäft gesagt. Jeder im Allgäu ging zur Arbeit ins Geschäft, ganz egal, was sein Beruf war.

„Und wer ist es jetzt?"

„Jetzt stell dir vor: Es ist der Sohn vom Freund vom Dings."

„Welcher Dings?"

„Ja, der Dings, der … na, der Wachter halt."

„Hoi! Ja, so was. Mei, grad wenn ich nicht da bin, hast du's so streng! Ich denk an dich, Butzele!"

„Ist die Langhammer im Zimmer? Hört die mit?", fragte der Kommissar eilends.

„Ja, tut mir Leid." Mehr konnte Erika in diesem Augenblick nicht sagen, ohne die Situation weiter zu verschlimmern. Sie hatte ganz selbstverständlich den Kosenamen verwendet, der eigentlich nur für eine Unterhaltung unter vier Augen bestimmt war.

„Danke. Grad vor der. Schönen Dank. Wie oft hab ich dir schon gesagt, dass du dieses Butzele lassen sollst, und jetzt vor Leuten! Ich bin ein Mann in den Fünfzigern. Das erzählt die doch brühwarm ihrem Doktor! Wie steh ich jetzt denn da?"

„Es tut mir Lei-heid", flüsterte seine Frau, die aber dann geflissentlich über die Situation hinwegging und wieder zur normalen Lautstärke zurückkehrte. Nach einigen Details, die Kluftinger ihr noch erzählte und bei denen sie einige Dinge wie „Pressekonferenz", „LKA", „im Fernsehen?" besonders deutlich wiederholte, um angerichteten Schaden wieder gut zu machen, wartete seine Frau auf das Stichwort, um nun auch ihre Neuigkeiten zu erzählen.

„Und bei euch?", fragte Kluftinger und Erika konnte anfangen.

„Mei, du, das ist ja so fantastisch hier. So edel. Das Hotel ist echt Spitzenklasse. Und du, in der Früh geht es gleich los mit den Wellnessangeboten. Ganz toll."

„Aha", war alles was Kluftinger seiner Frau entgegnete, die sich seiner Ansicht nach gerade anhörte wie ein sprechender Reiseprospekt.

„Und lauter nette Leute. Das Essen – ein Gedicht. Alles immer frisch und ganz viele Salate und Früchte. Zum Frühstück zum Beispiel gibt's einen frisch gepressten Fruchtcocktail. Stell dir vor, hier im Hotelgarten wachsen sogar Orangen. Ganz gepflegt ist das. Und heute haben wir schon einen Ausflug ins Hinterland gemacht. Eine Ölmühle haben wir da angeschaut, da bewegen noch Pferde den Mühlstein. Du wirst sehen, ich habe eine Flasche Öl eingekauft. Ganz toll. Und alles naturbelassen."

Erika Kluftinger schien nicht mehr zu stoppen. In höchsten Tönen lobte sie ihren Urlaub, allerdings hätte Kluftinger kaum wiederholen können, was sie ihm alles erzählt hatte. Das meiste rauschte einfach an ihm vorbei. Ab und zu streute er ein „ah so", „aha", „hm" oder „mmh" ein – redundante nonverbale Äußerungen zur Aufrechterhaltung der Kommunikation – wie Kluftingers Sohn dies einmal genannt hatte.

„Und die Langhammerin? Hältst du es mit der aus? Nervt sie recht, oder?"

„Ja, ganz toll verstehen wir uns, was für eine Frage, Schatz! Wir haben auch wirklich schon nette Leute kennen gelernt."

Kluftinger sah den Zeitpunkt gekommen, das Gespräch zu beenden. Das war ja schon beinahe nicht mehr seine Erika, die da redete. Von wegen „Fruchtcocktail" und „ganz edel".

„Ja, also,", sagte er, seine Frau verstand, ließ es sich aber nicht nehmen, noch eine Frage, die ihr Frau Langhammer hörbar zugeflüstert hatte, an ihren Mann zu stellen:

„Ja genau, habt ihr schon zusammen gekocht, ihr Stroh-witwer?"

Musste sie ihn auch daran noch erinnern? Er verabschiedete sich und versprach, bald wieder anzurufen. Als er den Hörer aufgelegt hatte, dachte er eine Sekunde über den Preis des Anrufs nach. Ohne Vorwahlnummer ...

***

Als Kluftinger am nächsten Morgen ins Büro kam, waren seine Kollegen alle schon da. Es war neun Uhr – er hatte verschlafen. Irgendwie musste er seinen Wecker falsch gestellt haben. Als er morgens die Anzeige anblinzelte, fuhr ihm der Schreck in alle Glieder: Viertel nach acht. In Rekordzeit machte er sich fertig und raste ins Büro.

Seine Kollegen empfingen ihn mit einem breiten Grinsen. Um ihnen gleich den Wind aus den Segeln zu nehmen, sagte er: „Tut mir leid, ich hatte noch etwas Dringendes zu erledigen. Lasst uns gleich mit der Besprechung anfangen."

„Das muss ja ganz schön dringend gewesen sein, dass du nicht einmal mehr Zeit hattest, dich zu rasieren", erwiderte Strobl schadenfroh und konnte sich des zustimmenden Gelächters seiner Kollegen sicher sein. Kluftinger presste die Lippen zusammen. Verdammt, die Rasur. Die hatte er in der Eile ganz vergessen. Jetzt war es ziemlich offensichtlich, dass er verschlafen hatte, und seine Notlüge mit dem dringenden Termin stand reichlich unglaubwürdig da. Er überlegte kurz, ob er versuchen sollte, seine Geschichte noch etwas auszuschmücken, etwa mit einem kaputten Rasierapparat, entschied sich dann aber dagegen. Er würde sich wohl nur noch mehr der Häme seiner Kollegen aussetzen.

„Gibt es irgendwas Neues heute Morgen? Eine Spur von Lutzenberg?", fragte der Kommissar.

„Leider immer noch nichts", antwortete Hefele, dessen Kinn ebenfalls ein Bartschatten zierte. Ob seine Frau gerade auch verreist ist, fragte sich Kluftinger und nahm sich vor, mit dem Kollegen heute noch darüber zu sprechen. Vielleicht fand er in ihm ja einen Leidensgenossen.

„Was die Papiere angeht, da warst du gestern ja teilweise selbst dabei, da haben wir nichts gefunden, was auf bevorstehende Reisen oder sonst was Auffälliges hinweist", sagte Maier. „Ich habe heute schon mit den Kollegen gesprochen, die sich im Umfeld unseres Herrn Lutzenberg umgehört haben", sagte er und Kluftinger fragte sich, warum er im Bezug auf Lutzenberg das Wort „unser" benutzt hatte.

„Die haben gesagt …", Maier machte eine Pause, zog sein Tonbandgerät aus der Hosentasche, hielt es sich ans Ohr, drückte irgendeine Taste, lauschte ein paar Sekunden, schaltete es wieder ab und fuhr fort: „ … dass es da bis jetzt auch nichts Nennenswertes zu vermelden gibt."

„Anscheinend ist Lutzenberg wirklich komplett unauffällig gewesen und hat sich auch in den letzten Wochen und Monaten nicht anders verhalten", schloss Maier seinen Bericht.

„Gut, ich werde heute noch mal nach Weiler fahren. Wenn ich das beim letzten Mal richtig mitbekommen habe, hatte Lutzenberg im Haus der Alten, bei der Richard und ich vorgestern waren, früher mal ein Zimmer." Maier nickte. „Mal sehen, ob wir da was finden", sagte der Kommissar.

„Durchsuchungsbefehl?", fragte Hefele.

„Nein, ich denke nicht, dass uns die gute Frau Lutzenberg daran hindern wird, uns ein bisschen umzusehen. Gut, ich fahr dann gleich los", sagte Kluftinger. „Eugen, du kommst mit. Ihr andern macht einfach da weiter, wo wir gestern aufgehört haben."

Als die beiden zur Tür gingen, bemerkte Kluftinger den enttäuschten Blick Maiers, der wohl damit gerechnet hatte, seinen Chef auf der Fahrt nach Weiler wieder begleiten zu dürfen. Aber auch wenn es Kluftinger Leid tat und er hoffte, Maier würde das nicht als einen Tadel ansehen: Heute hätte er ihn und sein Tonbandgerät einfach nicht ertragen.

★★★

Wieder fuhr Kluftinger „hintenrum". Strobl, der offenbar noch nicht oft hier gewesen war, amüsierte sich während der ganzen Fahrt über die seiner Ansicht nach kuriosen Namen, die die kleinen Dörfer und Weiler trugen; wenn er einen besonders skurril fand, las er ihn laut vor. So beschränkte sich ihre Unterhaltung während der Fahrt auf Worte wie Sibratshofen, Bischlecht, Ebratshofen, Harbatshofen, Kimpflen, Wigglis und Dreiheiligen.

Als sie vor Lina Lutzenbergs Häuschen angekommen waren, zog Kluftinger seine Jacke aus und legte sie ins Auto, bevor er mit Strobl auf das Haus zuging. Zu präsent war noch die Erinnerung an seinen „Saunagang" beim letzten Besuch. Als er auf den Klingelknopf drückte, sah er sich den Himmel an. Es war nicht ganz so heiß wie beim letzten Mal, es braute sich irgendetwas zusammen. Dunkle Wolken türmten sich am Horizont, die Sonne war nur noch als milchige Scheibe zu sehen. Noch wehte allerdings kein Lüftchen und es war drückend und schwül, obwohl es früher Vormittag war. Kluftinger seufzte, als er seinen Finger auf den Klingelknopf presste. Es dauerte wieder einige Zeit, bis sich etwas tat, dann öffnete die alte Frau, die die gleiche Kleidung trug wie schon vor zwei Tagen. Sie blickte die beiden Männer zuerst etwas verwirrt an, dann aber hellte sich ihr Blick auf und sie erkannte den Kommissar.

„Ja, mei, der Herr Polizist ist wieder da. Komm er doch rein." Strobl blickte ihn fragend an und Kluftinger deutete mit einem Schulterzucken an, dass er sich an der ungewöhnlichen Sprechweise der Frau nicht stören solle.

„Ich hab grad einen Tee gemacht, da können die Herren gleich einen mittrinken", freute sich die Alte scheinbar über den unangemeldeten Besuch.

„Nein, nein, kein Tee", fiel Kluftinger ihr blitzartig ins Wort und fügte, damit es nicht unhöflich klang, hinzu: „Wir sind etwas in Eile, Frau Lutzenberg."

Sie war inzwischen in der Küche verschwunden und die beiden Beamten folgten ihr. „Haben Sie irgendetwas von Ihrem Neffen gehört?", wollte Strobl wissen.

Als Kluftinger ihren fragenden Blick sah, stellte er schnell seinen Kollegen vor: „Das ist Eugen Strobl, er arbeitet auch bei uns in Kempten bei der Polizei. Also, hat sich Ihr Neffe in der letzten Zeit gemeldet?"

„Welcher Neffe denn? Mei, so viele sagen zu mir Tante Lina ...", sie kniff die Augenbrauen zusammen und sah aus, als ob sie angestrengt überlegte.

„Wir meinen den, wegen dem wir das letzte Mal schon hier waren. Den Andreas", versuchte der Kommissar den Prozess zu beschleunigen.

„Den Andreas, ja …", Kluftinger und Strobl sahen sich triumphierend an, „ … ja, der war schon lang nicht mehr da", vollendete Lina Lutzenberg den Satz. „Jetzt wo er's sagt: Das ist eigentlich schon ungewöhnlich."

„Sagen Sie, hat der Andreas hier irgendwelche Sachen, die Sie uns zeigen könnten?", fragte Strobl.

„Das weiß ich nicht, was der hier für Sachen hat. Ich geh' ja in sein Zimmer nicht hinein", antwortete die Alte.

„Er hat hier noch immer ein Zimmer?", fragte Kluftinger.

„Ja freilich. Sein Kinderzimmer halt. Das ist ja immer sein Zimmer gewesen, oder was hat er gedacht, wer da jetzt drin wohnt?"

Kluftinger ging gar nicht auf die Frage ein. „Können wir das Zimmer einmal sehen?"

„Sicher, sicher." Lina winkte die beiden zur Treppe, hielt sich am Geländer fest und stieg ganz langsam, Stufe für Stufe, hinauf. Die beiden Beamten folgten ihr ungeduldig. Als sie endlich den Absatz erreichten, deutete die Frau auf das Ende des Ganges: „Da. Das ist sein Zimmer. Aber dass mir die Herren Polizisten auch keine Unordnung machen", mahnte sie Kluftinger mit erhobenem Zeigefinger.

Das Zimmer war spärlich eingerichtet: In der Mitte stand ein hohes Bett aus einem einfachen Metallgestell, rechts von der Tür nahm eine große, alte Kommode fast die gesamte Länge der Wand ein, dem Bett gegenüber befand sich ein großer Schrank. Der Boden war mit dickem Teppich ausgelegt, hinter dem Bett gingen ein Fenster und eine Tür auf den Balkon. Kluftinger zog die Vorhänge zurück und sah hinaus: Der Himmel hatte sich in ein Grau-Violett verdunkelt. An den Bäumen vor dem Haus raschelten die Blätter, als die ersten Windböen durch ihre Wipfel pfiffen. Es würde wohl gleich ein mächtiges Gewitter geben.

„Schau du mal im Schrank, ich nehm mir die Kommode vor", sagte Kluftinger und zog eine der oberen Schubladen auf. Sie klemmte ein bisschen und er musste gleichzeitig an beiden Messinggriffen rütteln, um sie herauszubekommen. In der Schublade lagen fein säuberlich nebeneinander dicke, offenbar selbst gestrickte Socken. Es mussten so um die zwanzig Paar sein, schätzte Kluftinger, dem diese große Zahl reichlich ungewöhnlich vorkam.

Er zog die nächste Schublade auf: gemusterte Hemden und Krawatten. In einer weiteren lag weiße Feinripp-Unterwäsche. Beim Anblick dieser neben jeglichem Modetrend liegenden Kleidungsstücke konnte sich der Kommissar gut vorstellen, warum sie Lutzenberg hier eingelagert hatte. Schließlich zog er die letzte auf.

Es schien das zu sein, was seine Frau immer die „Kruscht-Schublade" nannte. So eine gab es ihr zufolge in jedem Haushalt: Vom Kleingeld in mindestens drei Währungen über Büroklammern, Kugelschreiber und Tesafilm bis zu Briefkuverts und rostigen Schlüsseln fand sich darin so ziemlich alles, was man meist nicht brauchte, aber doch auch nicht wegwerfen wollte. Allerdings konnte er sie nur etwa bis zur Hälfte herausziehen. Irgendwas hatte sich wohl verklemmt. Er ging in die Knie und musste sich mit einer Hand am Boden abstützen, weil sich seine Verletzung, die er sich bei der Beerdigung zugezogen hatte, in dieser extremen Stellung wieder bemerkbar machte. Er befand sich nun auf Augenhöhe mit der Schublade und spähte hinein. Es war dunkel, aber er konnte erkennen, dass ganz hinten noch irgendetwas lag. Er streckte seine Hand hinein und bekam einen Karton zu fassen. Er war mit einem Gummiband umspannt. Kluftinger hakte einen Finger in dem Band ein und zog die Schachtel ans Licht.

„Hast du was?", fragte Strobl, der die intensiven Bemühungen seines Chefs um den Inhalt der Kommode bemerkt hatte.

„Ich weiß nicht", antwortete der und zog eine Schachtel aus schwarzer Pappe hervor. Kluftinger streifte das Gummiband hastig ab. Er öffnete den Deckel. „Ja, ich glaub, ich hab was", sagte er halblaut beim Blick auf den Inhalt. Einen Moment war nur das Atmen der beiden Polizisten zu hören. Dann tat es plötzlich einen unerhört lauten Schlag, der die beiden zusammenzucken ließ. Sie brauchte einige Sekunden, um zu realisieren, dass es ein heftiger Donner gewesen war, der sie so erschreckt hatte.

„Da hat wohl irgendwo der Blitz eingeschlagen", sagte Strobl. Kluftinger nickte nur und blickte noch immer auf den Inhalt der Kiste. Sie war voll mit Papieren, teilweise handbeschrieben, teilweise Ausschnitte aus Zeitungen. Ganz oben lag ein Foto. Es zeigte den alten Lutzenberg und Wachter.

Kluftinger erkannte Wachter, weil er das Foto in dem zunächst verschwundenen Album schon einmal gesehen hatte. Sonst hätte er Schwierigkeiten gehabt, Lutzenbergs Nebenmann zu identifizieren. Denn Wachter hatte kein Gesicht. Es war weggekratzt.

„Mein lieber Scholli", kommentierte Strobl mit einem ungläubigen Kopfschütteln den Fund.

„Das kannst du laut sagen", gab Kluftinger über die Schulter zurück. Mit vor Aufregung zitternden Händen nahm er den Papierstapel aus der Schachtel: Einige der Zeitungsausschnitte kamen Kluftinger bekannt vor, er hatte sie tags zuvor noch in seinem Büro studiert. Manche Artikel waren mit handschriftlichen Notizen versehen. Neben einem Interview mit Wachter stand mehrmals das Wort „Lüge" mit einem Ausrufezeichen versehen, andere Passagen waren einfach durchgestrichen, hinter manchen standen ein paar Ergänzungen.

„Scheint so, als würden wir hier drin das Motiv finden", sagte Strobl. Kluftinger dachte genauso. Er verschloss die Schachtel wieder, klemmte sie sich unter den Arm und fragte: „Hast du irgendwas? Sonst gehen wir. Ich möchte mir das so schnell wie möglich anschauen." Strobl schüttelte den Kopf. Sie gingen die Treppe hinunter und wollten sich gerade von Lina Lutzenberg verabschieden, als das Telefon klingelte.

Die Alte schlappte gemächlich zum Apparat, was Kluftinger gar nicht passte. Er wollte so schnell wie möglich ins Büro und sich die neuen Beweisstücke ansehen. Deswegen versuchte er, Blickkontakt mit Lina zu bekommen, um ihr wenigstens durch ein

Winken ihren Abschied mitzuteilen. Er hob gerade die Hand, da hörte er die Alte ins Telefon sagen: „Andreas? Mei, wo bist denn bloß, Bub? Du besuchst mich ja gar nimmer. Komm halt mal wieder vorbei."

Kluftinger war wie vom Donner gerührt. Er drückte Strobl das Paket in die Hand, rannte zum Telefon und riss Lina Lutzenberg den Hörer aus der Hand.

„Hallo? Herr Lutzenberg?"

Keine Antwort.

„Herr Lutzenberg? Hier spricht Kluftinger, Kripo Kempten. Herr Lutzenberg, sind Sie es?"

Es blieb eine ganze Weile still am anderen Ende der Leitung. Kluftinger holte gerade Luft für eine neue Frage, da bekam er Antwort.

„Ja."

„Herr Lutzenberg, um Himmels willen, wo sind Sie denn nur?"

„Das kann ich Ihnen nicht sagen, Herr …"

„Kluftinger. Herr Lutzenberg, Sie machen doch alles nur noch schlimmer. Wir können doch reden. Sagen Sie uns, wo Sie sind, ich verspreche Ihnen …"

„… Sie können mir gar nichts versprechen", unterbrach ihn sein Gesprächspartner. „Wenn ich zu Ihnen komme, finden mich die anderen auch. Die wissen doch dann, wo ich bin. Verstehen Sie das nicht? Ich kann nicht zu Ihnen kommen, das ist völlig unmöglich!"

Die letzten Worte sagte er so laut, dass die Membran in Kluftingers Telefonhörer vibrierte.

„Welche anderen? Es hat doch keinen Sinn, Sie müssen …", Kluftinger überlegte kurz, ob er die Worte „sich stellen" benutzen sollte, fuhr dann aber fort: „… schnellstens zu uns kommen. Wir wissen alles. Ich habe Ihre Unterlagen gefunden."

„Sie wissen nichts", kam es nun leise und bitter aus dem Telefonhörer. „Wenn Sie alles wüssten …" ein lautes Geräusch, das wie eine Sirene klang, ließ ihn kurz verstummen. Er musste laut sprechen, um den Krach zu übertönen: „Wenn Sie alles wüssten, wären Sie nicht da, wo Sie jetzt sind. Nichts ist so, wie es auf den ersten Blick scheint." Dann hörte Kluftinger ein Knacken in der Leitung und es war still. Er blies hörbar die Luft aus: „Aufgelegt. Einfach aufgelegt."

„Was hat er gesagt?", drängte Strobl seinen Chef zu einer Auskunft.

„Dass wir nicht alles wissen. Er klang, als hätte er große Angst." Der Kommissar schüttelte den Kopf. Eben noch war alles so klar gewesen und nun verstand er überhaupt nichts mehr.

★★★

Andreas Lutzenberg legte den Hörer auf. Er atmete tief durch. Er zitterte. Er hatte nicht damit gerechnet, dass die Polizei bei ihm in Weiler war. Er wischte sich mit der flachen Hand über die Stirn. Schweißtropfen hatten sich gebildet. Was sollte er tun? Er konnte nicht nach Hause. Nicht nach Memmingen. Und in Weiler waren sie auch schon. Aber wo sollte er hin? Sie durften ihn nicht finden. Wenn sie ihn finden würden … Er schüttelte den Kopf … nicht auszudenken, was dann passieren würde. Aber wo sollte er jetzt hin? Es gab nur eine Möglichkeit. Er nickte. Die Hütte. Dort würde er bleiben können, um sich über alles klar zu werden. Er brauchte Ruhe, musste nachdenken. Die nächsten Schritte würden entscheidend sein. Er musste sie wohl überlegt tun. In seiner jetzigen Verfassung schien ihm das schwer möglich. Etwas Ruhe, ja, dann würde er wissen, was zu tun war. Dann würde das alles ein Ende haben. Er schob die Tür der Telefonzelle auf und trat nach draußen. Es hatte inzwischen angefangen zu regnen. Schwere, dicke Tropfen fielen auf den trockenen Asphalt. Lutzenberg atmete tief ein. Er mochte diesen Geruch nach frischem Sommerregen. Er bog seinen Kopf nach hinten und ließ sich den Regen ins Gesicht fallen. Das kühle Wasser tat ihm gut.

★★★

„Hat er Ihnen gesagt, wo er ist?", wandte sich der Kommissar an Lina Lutzenberg.

„Nein, er hat mir ja den Telefonhörer aus der Hand gerissen", entgegnete die Alte.

Sie hat gar nicht so Unrecht, dachte Kluftinger. Vielleicht wäre es besser gewesen, wenn er sie einfach hätte reden lassen. Vielleicht wüsste er jetzt mehr. Vielleicht …

Der Kommissar ärgerte sich. Die Situation schien ihm verfahren. Wenn sie Lutzenberg auf der Spur gewesen waren, so würde der jetzt sicher vorsichtiger sein. Der Anruf hatte alles nur komplizierter gemacht.

„Chef?"

Strobls Stimme riss ihn aus seinen Gedanken. Ihm war bewusst, dass sein Kollege gerade etwas gesagt hatte, aber er hatte es nicht wahrgenommen.

„Was?"

„Sollen wir fahren? Oder hast du eine Ahnung, wo er sein könnte? Meinst du, er ruft vielleicht wieder an?"

Kluftinger hatte keine Ahnung und er rechnete auch nicht mit einem erneuten Anruf.

„Lass uns fahren", sagte er. „Und nimm die Sachen mit."

★★★

Er konnte die beiden Beamten sehen. Von seinem Standpunkt aus hatte er einen guten Überblick. Er jedoch blieb unsichtbar. Einer der beiden trug etwas unter dem Arm. Das mussten seine Unterlagen sein, von denen der Kommissar am Telefon gesprochen hatte. Für einen kurzen Moment schoss ihm durch den Kopf, sich zu stellen. Aber er wischte den Gedanken schnell wieder weg. Sie würden ihn verantwortlich machen, das war ihm klar. Eigentlich schon lange, aber richtig bewusst geworden war es ihm erst nach der Beerdigung. Er wusste immer noch nicht, wer die alte Frau war, die den Kommissar bei der Trauerfeier auf ihn aufmerksam gemacht hatte. Vielleicht hätte er souveräner reagieren sollen, vielleicht hatte sie ihn nur verwechselt. Aber seine Nerven waren mit ihm durchgegangen. Deswegen war es nun auch so wichtig, einen kühlen Kopf zu bewahren. Zu viel stand auf dem Spiel; noch einmal würde er sich nicht so sinnlos in Gefahr begeben. Deswegen konnte er sich auch unmöglich stellen. Er brauchte erst noch mehr Informationen.

Nachdem der dunkelgraue Passat aus seinem Sichtfeld verschwunden war, wartete er noch eine Stunde. Dann setzte er sich zu Fuß in Bewegung.

***

Kluftinger versuchte, sich während der ganzen Fahrt das Telefongespräch genauestens in Erinnerung zu rufen. Jetzt wäre er froh gewesen, hätte Tonband-Maier einfach sein Gerät zurückspulen lassen und das Gesagte wäre noch einmal zu hören gewesen. So aber war er auf sein Gedächtnis angewiesen. Ein Satz ging ihm nicht aus dem Kopf. Drängte sich immer wieder in seine Erinnerung, überlagerte die anderen Sätze. Zuerst hatte Kluftinger noch versucht, sich mehr auf die anderen Worte zu konzentrieren, die gesprochen worden waren. Er hatte geradezu das Gefühl, dieser Satz, der in seinem Kopf widerhallte, beeinträchtige die Erinnerung an den Rest der Unterhaltung. Doch dann vertraute er seinem Instinkt, der ihm zu sagen schien, dass dieser Satz besonders wichtig war: „Es ist nichts so, wie es auf den ersten Blick scheint …"

„Wie bitte?", fragte Strobl, weil Kluftinger die Worte halblaut ausgesprochen hatte.

„Was? Ach so … ‚Es ist nichts so, wie es zunächst scheint' hat Lutzenberg am Telefon gesagt."

„Klingt nach einer ziemlichen Binsenweisheit."

„Das schon. Aber vielleicht wollte er uns auch irgendetwas damit sagen."

„Was meinst du?"

„Ich weiß nicht. Dass wir etwas übersehen haben. Ich weiß es nicht. Ich weiß gar nichts mehr." Die letzten Worte begleitete der Kommissar mit einem Fausthieb auf die Schachtel, die sie aus Lutzenbergs Zimmer mitgenommen hatten.

Strobl sagte nichts. Er hatte beide Hände am Lenkrad und blickte auf die Straße.

„Da war noch etwas. Aber es fällt mir nicht mehr ein. Irgendwas

während des Gesprächs …" Kluftinger legte die Stirn in Falten.
„Etwas, was er gesagt hat?", versuchte Strobl zu helfen.
„Ich … ich weiß nicht genau …"

★★★

Er schloss seine Faust fest um den Schlüssel in seiner Tasche. Allein der Griff um das kühle Metall ließ ein wenig seiner Sicherheit zurückkehren, während er den Weg zurück zu seinem Auto ging. Es beruhigte ihn, denn der Schlüssel war Symbol für sein Refugium, das ihm zumindest für den Rest des Tages und die Nacht etwas Ruhe verschaffen würde.

Dann musste er eine Entscheidung getroffen haben, darüber war er sich klar. Jede weitere Stunde würde ein zu großes Risiko bedeuten. Aber heute konnte er so noch einmal durchatmen.

Er lächelte: Seine Großtante wollte ihm gleich einen Tee machen und fragte ihn, ob er heute hier schlafen würde. Sie hatte es gut. In ihrer Welt bekam sie nichts mit von dem, was ihn plagte. Er hoffte nur, dass sie seine eindringliche Bitte, niemandem zu sagen, dass er hier war, ernst nehmen würde.

Wie gern würde ich jetzt in ihrer Welt leben, dachte er sich, als er in einen schmalen Feldweg einbog. Aber er hatte sich nun einmal entschieden. Immerhin hatte er die Sache losgetreten. Hätte er Wachter nicht hinterherspioniert …

Sein Lächeln erstarb. Hatte er richtig gehandelt? Hätte er nicht besser alles auf sich beruhen lassen? Er musste ja unbedingt den Racheengel spielen. Andererseits: Hätte er nichts getan, hätte es ihn aufgefressen. Kaputt gemacht, wie seinen Vater. Er war Zeuge seines Verfalls gewesen. Die Enttäuschung über Wachters Verrat – so nannte er es, auch wenn sein Vater dieses Wort nie in den Mund genommen hätte – saß einfach zu tief. Davon hatte sich sein Vater nie erholt. Dabei hätte er jederzeit etwas Neues anfangen können, denn – da war sich Andreas Lutzenberg sicher – sein Vater war der Kopf hinter dem viel gelobten Duo gewesen. Das zeigte allein die Tatsache, dass Wachter nie wieder mit einer vergleichbaren Entdeckung aufwarten konnte.

Wachter hatte vom Genie seines Vaters profitiert wie ein Parasit. Und davon, dass sein Vater ein verantwortungsbewusster Wissenschaftler war. Nicht so skrupellos wie Wachter. Er hatte gewusst, dass ihre Entwicklung Risiken barg. Hatte vor der Krebsgefahr gewarnt, das wusste Andreas Lutzenberg aus den wenigen Erzählungen seines Vaters über diese Zeit.

Doch das schnelle Geld hatte Wachter gelockt. Außerdem wollte die Molkerei, die die beiden für viel Geld eingekauft hatte, Ergebnisse sehen. Also hatte er sich über die Bedenken seines Vaters hinweggesetzt und grünes Licht gegeben. Wie er die Kontrollen, die eigentlich notwendig gewesen wären, hatte umgehen können, wusste selbst sein Vater nicht.

Andreas Lutzenberg ging davon aus, dass er ein paar Berichte einfach gefälscht hatte. Langzeitstudien waren nicht notwendig gewesen, denn sein Vater hatte seine Bedenken nie öffentlich geäußert. Aber Wachter hatte Bescheid gewusst. Und trotzdem die Freigabe für den Joghurt erteilt. Ohne seinen Vater, der zu dieser Zeit gerade in Urlaub gewesen war, auch nur zu informieren. Als der zurückkam, war es zu spät. Für die Skrupellosigkeit seines „Freundes" musste auch er dran glauben. Das Schlimmste für seinen Vater war aber nicht der berufliche Abstieg. Es war die Enttäuschung, von seinem besten Freund so hintergangen worden zu sein. Davon hatte er sich nie mehr erholt.

Andreas Lutzenberg war jetzt bei seinem Wagen angekommen. Es hatte längst aufgehört zu regnen, die Luft roch noch nach feuchter Erde. Er atmete tief ein. Er sah das Bild seines Vaters im Krankenhaus vor sich. Wie er ihn aus müden Augen anblickte. Selbst in diesem Moment hatte er noch an seinen ehemaligen Weggefährten gedacht: „Lass gut sein", hatte er seinem Sohn mit heiserer Stimme zugeflüstert. Andreas Lutzenberg hatte verstanden, was sein Vater damit hatte sagen wollen. Es waren seine letzten Worte gewesen. Er musste ihm kein Versprechen mehr geben, das er nicht hätte halten können.

Bevor er ins Auto stieg, hielt er kurz inne. Dann nickte er sich selbst zu. Er hatte das Richtige getan.

***

„Herrgottnochmal, wie finden wir denn jetzt diesen Lutzenberg?" Kluftinger hatte die Frage mehr sich selbst gestellt, blickte dennoch in die Gesichter seiner Kollegen, die sich in seinem Büro versammelt hatten.

„Die Fahndung hat noch nichts gebracht", sagte Maier und fügte hinzu: „Weder hier noch international."

Kluftinger stand auf und lief hinter seinem Schreibtisch auf und ab.

„Habt ihr's über die Telefongesellschaft probiert?"

„Ja, wir sind dran", nickte Hefele, der mit seinen Kollegen in der Sitzgruppe Platz genommen hatte. „Aber die machen uns wenig Hoffnung. In jedem Fall wird es eine Weile dauern, bis sie uns Bescheid sagen."

„Hilft nix. So lange müssen wir eben warten. Dann hat das hier erst mal Priorität", sagte Kluftinger und klopfte dabei mit der flachen Hand auf die Schachtel, die sie in Lutzenbergs Zimmer gefunden hatten und die nun auf seinem Schreibtisch stand.

„Ich würde vorschlagen, dass du Hefele … Kruzitürken!" Kluftinger brach seinen Satz ab, weil die Sirene eines Polizeiwagens, der offenbar gerade zu einem dringenden Einsatz aufbrach, im Hof erklang und ein Gespräch im Büro unmöglich machte. Der Kommissar ging zum Fenster und wollte es schließen, stoppte jedoch mitten in der Bewegung.

„Ich Depp!", rief er, doch die anderen verstanden ihn wegen des Lärms nicht. Schnell schlug er das Fenster zu und lief aufgeregt zu seinen Kollegen.

„Jetzt weiß ich wieder, was mir die ganze Zeit nicht eingefallen ist."

Sie blickten ihn erstaunt an.

„Wegen des Gesprächs, ich hab dir doch gesagt, dass ich was übersehen habe", wandte er sich an Strobl. Der zog nur fragend die Augenbrauen nach oben.

„Die Sirene!", sagte Kluftinger und deutete mit dem Finger auf das Fenster, das er eben geschlossen hatte. „Die Sirene!", wiederholte er. „Wir brauchen sofort alle Feuerwehr-Einsätze der letzten eineinhalb Stunden im gesamten Umkreis. Und wenn das nicht reicht, in ganz Deutschland."

Die drei Kollegen in der Sitzgruppe blickten sich fragend an. Als Kluftinger bemerkte, dass sie nicht verstanden, was er meinte, fügte er hinzu: „Während ich mit Lutzenberg gesprochen habe, wurden wir von einer Sirene unterbrochen. Einer Feuerwehr-Sirene. Vielleicht kommen wir ihm so auf die Spur."

★★★

In der Hütte war es kühl, fast kalt. Lutzenberg fröstelte ein wenig. Es konnte aber auch an der Nervenanspannung liegen, der er seit fast drei Wochen ausgesetzt war. Er zog sich sein Jackett aus, das am Kragen bereits ganz speckig war. Kein Wunder, immerhin hatte er seit ein paar Tagen seine Kleidung nicht mehr gewechselt. Er öffnete den alten, knorrigen Bauernschrank und ließ seinen Blick über die Kleidungsstücke wandern, die sich darin befanden. Dicke Winterpullover bildeten die Hauptausstattung, auch eine Felljacke hing an einem Bügel. Kein Wunder, hatten sie die Hütte früher doch meistens im Winter genutzt. Er fragte sich, ob Wachter wohl auch einmal hier gewesen war. Er suchte weiter und entschied sich schließlich für das einzige Kleidungsstück, das für den Sommer nicht zu heiß war: ein uraltes, ausgewaschenes Karohemd mit Stehkragen. Er streifte sich sein T-Shirt ab und ging nach draußen zum Brunnen, um sich zu waschen. Das Wasser weckte in ihm neue Lebensgeister. Als er sich erfrischt auf die Veranda setzte, fühlte er sich zum ersten Mal seit vielen Tagen wieder wohl. Er genoss die Aussicht: Nein, hier würden sie ihn nicht finden. Dieser Ort strahlte einen derartigen Frieden aus, er konnte nicht anders, als sich sicher zu fühlen. Er blickte zum Himmel: Dunkle Wolken zogen schon wieder auf. Es würde gleich wieder regnen, dachte er. In diesem Augenblick hörte er den Wagen.

★★★

„Wir haben vielleicht was." Hefele winkte mit einem Blatt Papier, als er Kluftingers Büro betrat. Der Kommissar lief ihm entgegen. „Richard, Eugen, kommt ihr?", rief er ins Nebenzimmer.

„Es ist so", holte Hefele aus und fuhr sich mit der Hand über seinen buschigen Schnauzer. Er genoss sichtlich den Auftritt, den ihm die Situation bescherte. „Es gab heute um die fragliche Zeit im ganzen Allgäu nur zwei Feuerwehreinsätze. Einer davon in Kaufbeuren, aber den können wir wohl vernachlässigen."

„Wieso?", fragte Kluftinger.

„Na ja, die haben da nur eine Katze vom Hausdach einer alten Frau geholt. Sirene haben sie dazu keine gebraucht", grinste er und seine Lachfältchen gruben wieder tiefe Furchen um seine Augen. Als er jedoch bemerkte, dass seine Kollegen den Scherz gar nicht richtig wahrgenommen hatten, räusperte er sich und sprach weiter.

„Also, bleibt nur noch ein Einsatz. Und jetzt ratet mal, wo der war?"

„Himmelherrgottsakrament. Du bist doch nicht der Günther Jauch. Jetzt sag gefälligst wo." Kluftinger wurde ungeduldig, denn die Art, wie sich Hefele gebärdete, ließ darauf schließen, dass er eine gewichtige Information zu verkünden hatte.

„Schon gut, brauchst nicht gleich patzig zu werden", erwiderte Hefele beleidigt. „Also, wo war ich stehen geblieben?"

Kluftinger kochte innerlich. Sein Gesicht bekam rote Flecken.

„Ach ja, genau. Also: Der zweite Einsatz war – und jetzt haltet euch fest – in Weiler."

Die drei Kollegen machten große Augen. Hefele kostete dieses regungslose Erstaunen ein paar Sekunden aus, bevor er weiterredete: „Bei dem Einsatz war alles dabei: Zwei Löschfahrzeuge, Sirene – alles was dazu gehört. Sie mussten zu einer Scheune ausrücken. Ein Baum war mittenrein gekracht, weil dort nämlich …"

„… der Blitz eingeschlagen hat", vollendete Kluftinger den Satz. Diesmal war es Hefele, der staunte. Er kratzte sich durch sein Kraushaar am Kopf. „Woher …?"

„Natürlich. Der Schlag, den es getan hat, als wir bei der alten Lutzenberg waren", beantwortete Strobl die noch gar nicht zu

Ende gestellte Frage. Dann holte er tief Luft und sein Mund stand ein paar Sekunden offen: „Meinst du, dass er noch ...?" „Genau das meine ich", antwortete Kluftinger. „Wir müssen sofort los." Er rannte aus der Tür und schnappte sich das Jackett, das am Kleiderständer hing. Nach ein paar Metern hielt er an, ging noch mal ins Büro zurück, schloss die unterste Schreibtischschublade auf und nahm seine Dienstwaffe samt Halfter heraus. Er hasste dieses Ding, aber es schien ihm angebracht, es jetzt zumindest mitzunehmen.

„Wo geht ihr denn jetzt eigentlich hin, ich weiß gar nicht, was los ist", hörte er Maier hinter ihnen rufen.

„Keine Zeit zum Erklären", gab Kluftinger zurück. „Kümmere dich schon mal um die Kiste, die wir mitgebracht haben." Dann waren sie um die Ecke verschwunden.

Maiers „Immer muss ich mich um irgendwelche blöden Kisten kümmern" konnten sie schon nicht mehr hören.

★★★

Als sie in den schmalen Waldweg einbogen, hatte es bereits heftig zu regnen begonnen. Dicke Tropfen platschten auf die Windschutzscheibe. Es war einer dieser Regengüsse, bei denen man, sofern man zu Hause war, immer sagte: Jetzt möchte ich nicht da draußen sein. Doch Kluftinger, der sonst, wenn die Naturgewalten sich so kraftvoll zeigten, gerne seine Frau mit den Worten „Jetzt schau dir bloß mal diesen Regen an!" ans Fenster rief, bemerkte den Niederschlag kaum. Er spielte versonnen mit dem Schlüssel zu Lutzenbergs Hütte. Die Alte hatte ihm dieses zweite Exemplar schließlich doch noch gegeben, nachdem er ihr eindringlich versichert hatte, dass ihr Neffe oder Großneffe oder was er auch immer war, ernsthaft in Gefahr sei und er ihm helfen wolle. Erst hatte Lina Lutzenberg noch etwas herumgedruckst, was aber auch daran gelegen haben konnte, dass sie nach Kluftingers Meinung nicht ansatzweise verstand, was hier eigentlich vor sich ging. Schließlich hatte sie gesagt, dass sie das Versprechen, das sie Andreas gegeben hatte, nicht zu sagen, dass er hier war, sicher ausnahmsweise brechen konnte, wenn er doch in Gefahr sei, der Andi. Daraufhin hatte sie von der kleinen Hütte in Hinterschweinhöf, oberhalb von Weiler, an der österreichischen Grenze erzählt, die ihre Familie schon seit Generationen nutze, wenn auch inzwischen nur noch als Ferienhaus.

Ein heftiges Rumpeln schreckte ihn aus seinen Gedanken. Er blickte Strobl an, der seinen Chef verlegen angrinste. „Ich fürchte … wir stecken fest", sagte er zögernd und trat zur Bestätigung aufs Gas, was den Motor aufheulen und die Räder durchdrehen ließ. Der heftige Regen hatte den Boden aufgeweicht und in dieser schlammigen Brühe waren sie nun stecken geblieben. Kluftinger besah sich die Umgebung: Sie waren auf einem Waldweg gelandet, rings um sie standen riesige Tannen, nur ein schmaler Weg verlief zwischen den Bäumen. Er sah nach oben – es schüttete immer noch wie aus Kübeln. Jedes Mal, dachte er.

„Auch das noch", schnaubte der Kommissar. „Na gut, dann müssen wir eben laufen. Kann nicht mehr weit sein."

Strobl stieg ohne Protest mit seinem Chef aus dem Wagen, denn irgendwie fühlte er sich für die missliche Lage, in der sie steckten, verantwortlich. Kluftinger trug nur einen Janker über dem lindgrünen Hemd, Strobl hatte sich immerhin einen leichten Sommermantel angezogen, dessen Kragen er nun hochschlug. Sie staksten ungelenk durch den knöcheltiefen Schlamm, denn ihr Schuhwerk war nicht auf diese Wetterverhältnisse eingestellt. Doch schon nach wenigen Metern normalisierte sich ihr Gang, weil sich ihre Socken bereits anfühlten, als wären sie frisch aus der Waschmaschine. Auch wenn sie nicht so aussahen. Man ist entweder nass oder trocken, erinnerte sich Kluftinger an den Satz seiner Mutter, die ihm damit heute noch zum Regenschirm riet, wenn sich nur die kleinste Wolke am Himmel zeigte.

„Kruzifix, so ein Dreck", schimpfte er, als sein linker Halbschuh in einem Schlammloch mit einem Schmatzen untertauchte. Als er seinen Fuß wieder herauszog, blieb sein Schuh im Schlamm stecken. Kluftinger balancierte auf einem Bein, um nicht mit seinem weißen Socken in die braune Brühe zu treten. Dadurch

fiel es ihm schwer, das Gleichgewicht zu halten. Dazu peitsch-
te ihm noch der Regen ins Gesicht.

Kluftinger merkte, wie sich sein Körper langsam nach links
neigte. Er ruderte mit den Armen, immer schneller. Doch es
half nichts. Langsam sackte er nach links und dann nach hinten.
Noch während er fiel, stieß er einen Fluch aus und schloss dann
einfach die Augen.

„Hab dich", rief Strobl hinter ihm. Gerade noch rechtzeitig war
er seinem Chef zu Hilfe gekommen. Kluftinger grinste ihn
dankbar über die Schulter an. „Das wär beinahe schief gegangen."

Strobl half dem Kommissar, sich wieder aufzurichten, was nicht
ganz einfach war, schließlich fehlte ihm ein Schuh. Als Kluftinger zumindest sein Gleichgewicht wiedergefunden hatte,
wollte sich Strobl bereits weiter auf den Weg machen, doch sein
Chef rief ihn zurück.

„Was gibt's denn noch?", fragte Strobl.

„Mein Schuh", antwortete Kluftinger. „Ich find meinen Schuh
nicht mehr. Das darf doch nicht wahr sein. Mein Schuh! Mein
Schuh!" Er wiederholte die beiden Wörter so oft, dass es für
Strobl schon hysterisch klang. Also half er ihm suchen.

„Da ist er doch", sagte Strobl und deutete auf die Stelle, in der
Kluftinger gerade stecken geblieben war. Obwohl das Wetter
die Temperatur rapide hatte sinken lassen, wurde es Kluftinger
auf einmal heiß. Sein Gesicht verfärbte sich tiefrot, die Äderchen auf seiner Nase glühten: Der Schuh war unter dem großen braunen Dreckklumpen, den Strobl aus dem Schlamm zog,
nur noch zu erahnen. Priml. Kluftinger kochte. Er versuchte,
den Matsch wenigstens so weit wieder herauszubekommen,
dass er den Schuh wieder anziehen konnte – vergeblich.

„Weiter!", blaffte er Strobl an und setzte sich, den Schuh in der
Linken, widerwillig schnaubend in Bewegung. Mit finsterem
Blick, den Unterkiefer etwas nach vorne geschoben, stapfte er
den schlammigen Weg entlang – mit nur einem Schuh.

Strobl hielt sich ein paar Schritte hinter ihm. Er wollte nicht,
dass sein Chef das Grinsen auf seinem Gesicht sah.

„Das muss sie sein", rief Kluftinger, als sich der Wald auf eine

Lichtung öffnete. Kurz vor dem nächsten Waldstück stand eine kleine Holzhütte. Die Wände waren stark verwittert und die Hütte sah dadurch irgendwie aus, als wäre sie genauso gewachsen wie die Bäume, die um sie herum standen. Für einen kurzen Moment vergaß Kluftinger den Schuh-Zwischenfall. So eine Hütte war immer sein Traum gewesen. Wer weiß, eines Tages würde er vielleicht …

„Da steht ein Auto", weckte Strobl ihn aus seinen Tagträumen. Tatsächlich. Ein roter Kombi, das musste Lutzenbergs Opel sein. Kluftinger humpelte zwischen die Bäume. „Los, komm, nicht, dass er uns noch sieht", flüsterte er und winkte Strobl zu sich. „Wir gehen den Waldrand entlang und erst kurz vor der Hütte raus", sagte der Kommissar und malte mit seinem Finger den Weg in die Luft, den sie seiner Meinung nach einschlagen sollten. Strobl nickte. Mit einem fragenden Blick legte er die Hand an sein Pistolenhalfter. Kluftinger nickte ebenfalls. Er selbst ließ seine Waffe stecken.

Geduckt liefen sie immer an den Bäumen entlang in Richtung Hütte. Kluftinger musste die Zähne zusammenbeißen: Immer wieder bohrte sich ein spitzer Ast oder ein Stein durch den Strumpf hindurch in seine Fußsohle. Ihm war nie aufgefallen, wie steinig so ein Waldboden doch sein konnte. Die Schmerzen erreichten aber nur gedämpft sein Bewusstsein, das von der Konzentration auf die nächsten Minuten beherrscht wurde.

„Jetzt", gab der Kommissar das Kommando, als sie an der Stelle angekommen waren, die der Eingangstür der Hütte am nächsten war. Dann liefen sie los. Es waren nur etwa 30 Meter, die sie auf freiem Feld zu überbrücken hatten, aber Kluftinger kam es vor wie ein Marathon. Er rannte, so schnell er konnte, hüpfte dabei immer wieder, um nicht hinzufallen, wenn sein linkes Bein den nassen Grasboden berührte. Kluftinger schnaufte heftig, als er im „Hopserlauf" kurz nach Strobl ebenfalls die Tür erreichte. Er war sich nicht sicher, ob seine Atemlosigkeit von seiner Aufregung oder den schätzungsweise fünfzehn Kilo Übergewicht herrührte, die er um die Hüften mit sich herumschleppte.

Strobl und Kluftinger sahen sich einige Sekunden an. Keiner

wagte zu klopfen. Schließlich gab sich Kluftinger einen Ruck. Mit der Faust hämmerte er gegen die schwere Holztüre: „Aufmachen, Polizei!"

Noch bevor er die Worte ausgesprochen hatte, ärgerte er sich bereits darüber, dass er das Wort „Polizei" benutzt hatte. Er hätte besser nur so geklopft, jetzt hatte er Lutzenberg womöglich unnötig in Aufruhr versetzt. Doch in der Hütte regte sich nichts.

„Herr Lutzenberg, wir wissen, dass Sie da drin sind. Wir haben Ihr Auto draußen gesehen. Machen Sie auf!"

Nichts.

Mit einem Nicken bedeutete Kluftinger seinem Kollegen, die Tür zu öffnen. Der atmete noch einmal tief durch und drückte dann ganz langsam die Klinke herunter. Dann stieß er die Tür auf und streckte die Waffe ins Haus. „Polizei! Herr Lutzenberg, halten Sie die Hände über den Kopf, wir kommen jetzt rein", rief Strobl und seine Stimme zitterte dabei ein wenig. Im Haus rührte sich noch immer nichts. Nun wurde es auch Kluftinger mulmig und er legte seine Hand auf seine Waffe im Gürtelholster.

Kluftinger und Strobl kniffen die Augen zusammen. In der Hütte war es düster und die dicken Wolken am Himmel sorgten außerdem dafür, dass nur wenig Tageslicht in den Wohnraum fiel. Als sich ihre Augen an die Lichtverhältnisse gewöhnt hatten, sahen die beiden Beamten, dass das Zimmer leer war.

„Verdammt, das gibt's doch nicht", fluchte Strobl, nachdem er sich vergewissert hatte, dass sich auch in den Nischen und unter dem Bett niemand versteckt hielt. Er setzte sich an den Tisch und steckte seine Pistole wieder ein.

„Meinst du, er hat uns gesehen?"

„Glaub ich nicht. Dann hätte er ja durchs Fenster raus gemusst. Die sind aber zu", sagte Kluftinger. Strobl überzeugte sich mit einem Blick und nickte.

„Und jetzt?", fragte er.

Kluftinger kaute auf seiner Unterlippe herum. Er dachte nach. „Wir müssen auf jeden Fall Verstärkung holen. Du gehst zum

Wagen und rufst die Kollegen. Ich bleibe so lange hier und warte. Falls er zurückkommt."

„Und wenn er kommt?", fragte Strobl.

Kluftinger hätte diese Frage am liebsten verdrängt, aber sein Kollege hatte Recht. Was sollte er tun, wenn Lutzenberg zurückkam und auf ihn treffen würde?

„Dann lass ich mir irgendwas einfallen. Beeil dich einfach, damit ich nicht so lange alleine bin."

Strobl nickte. Er streckte seinen Kopf nach draußen, blickte nach links und rechts und stapfte in den Regen.

Plötzlich fiel Kluftinger etwas Wichtiges ein. Er lief ebenfalls nach draußen, humpelte ein paar Meter durch den Matsch und rief seinem Kollegen hinterher: „Und sag, dass sie ein paar Schuhe mitbringen sollen. Und Socken auch."

Er wollte gerade kehrt machen, da sah er es. Es war ihnen vorher nicht aufgefallen. Das diffuse Licht und der Regen hatten wohl verhindert, dass sie es gleich beim ersten Mal entdeckt hatten.

Vor ihm im Matsch lag ein menschlicher Körper.

„Eugen ... Eugen bleib da." Der Kommissar wollte seinen Kollegen zurückrufen, doch es kam nur ein heiseres Krächzen aus seiner Kehle. Er räusperte sich. „Eugen!" Strobl hatte den Wald schon fast wieder erreicht, als er die Stimme seines Chefs hörte. Er drehte sich um und ihm war gleich klar, dass es ernst war. Kluftinger sah ihn nicht an, er starrte nur auf den Boden vor ihm. Strobl wischte sich die Tropfen vom durchnässten Gesicht. Er konnte nicht erkennen, was es war, worauf sein Chef so gebannt starrte. Doch dass aus seinem vor kurzem noch so roten Gesicht jegliche Farbe gewichen war, das konnte er sehen. Als Kluftinger sich abwandte, seine Hände auf die Knie stützte und sich nach vorne beugte, als müsste er sich jeden Augenblick übergeben, begann Strobl zu laufen.

„Was ...?" Strobl wollte eigentlich fragen, was Kluftinger denn auf einmal habe, aber er brach schon nach dem ersten Wort ab. Er sah es selbst und bei dem Anblick stellten sich ihm die Nackenhaare auf. Ein Mensch lag in der vom Regen völlig aufgeweichten Erde. Sie hatten ihn nicht gesehen, als sie auf das

Haus zugelaufen waren, obwohl sie nur wenige Meter an ihm vorbeigekommen sein mussten. Aber es war nicht ihre Nachlässigkeit gewesen, die den Körper zunächst vor ihnen verborgen hatte: Der Mann – Strobl ging aufgrund der Kleidung und der Statur davon aus, dass es ein Mann war, und es beschlich ihn eine dunkle Ahnung, wer es war – war so mit Morast besudelt, dass er sich optisch kaum von seiner Umgebung abhob. Doch das war nicht das Schlimmste. Strobl musste sich ein paar Sekunden lang konzentrieren, ehe er erkannte, dass er mit dem Kopf nach unten im Schlamm lag. Er hatte es nicht gleich erkannt, denn der Schädel des Mannes war völlig zertrümmert.

„Mein Gott …", fand Strobl als erster wieder die Sprache. „Mein Gott … So was hab' ich noch nie gesehen." Er ging in weitem Bogen um die Leiche herum auf Kluftinger zu.

„Alles klar?", fragte er leise und legte ihm eine Hand auf die Schulter.

Kluftinger richtete sich wieder auf und nickte.

„Dir ist schon klar, wer das ist?", fragte der Kommissar und deutete bei dem Wort „das" mit dem Kopf auf die Stelle hinter ihm.

„Na ja, wissen kann man das nicht, so wie der aussieht. Aber es wäre zumindest wahrscheinlich wenn es …"

„… Lutzenberg wäre", vollendete Kluftinger Strobls Satz. Und fügte mit einem bitteren Lächeln hinzu: „Unser Mörder."

***

Es dauerte keine Stunde, da war die kleine Lichtung von zwei Dutzend Polizisten bevölkert. Einige fluchten, denn der Regen hatte nur unwesentlich nachgelassen und den Boden noch weiter aufgeweicht. Inzwischen kamen auch die ersten Polizeiwagen und ein Krankenwagen angefahren. Während die meisten Kollegen ab der Stelle, an der Strobls Wagen den Weg blockierte, zu Fuß gegangen waren, waren einige zurückgeblieben, um das Hindernis zu beseitigen. Offenbar waren sie erfolgreich gewesen.

Kluftinger war mit Strobl und Maier sowie zwei Beamten der Spurensicherung in der Hütte. Er saß am Tisch und trocknete sich mit einem Handtuch den Fuß. Seinen Socken, dem seine einstmals weiße Farbe nicht mehr anzusehen war, hatte er auf den Tisch gelegt, was die Kollegen der Spurensicherung mit einem missbilligenden Blick zur Kenntnis genommen hatten.

„Wagenspuren?", fragte Kluftinger einen von ihnen.

„Keine Chance. Bei dem Wetter. Das wäre gerade so, als würde man eine Sandburg in einem Sandsturm suchen."

Kluftinger fand den Vergleich zwar reichlich bemüht, ihm war aber klar, was damit gemeint war.

Ein Beamter in Uniform streckte seinen Kopf zur Tür herein. „Es scheint sich bei dem Toten um einen gewissen Andreas Lutzenberg zu handeln", verkündete er und hielt den Kripobeamten einen Geldbeutel entgegen. Maier nahm ihn und reichte ihn an Kluftinger weiter. Der sah ihn sich lange an und zischte dann: „Scheißdreck."

Strobl und Maier nickten nur. Ihr Hauptverdächtiger im Mordfall Wachter lag als „Moorleiche" mitten auf einer Lichtung in Hinterschweinhöf. Im Westallgäu.

„Was sollen wir jetzt machen?", fragte Maier zaghaft.

Kluftinger schnaufte hörbar aus. „Selbst wenn Lutzenberg unser Mann ist, im Fall Wachter, meine ich, für diesen Mord wird er nicht verantwortlich gewesen sein." Seine Worte klangen bitter.

„Glaubst du, dass das was mit dem ersten Fall zu tun hat?", fragte Strobl.

„Also ich bitte dich. Das scheint ja ganz offensichtlich. Ich hab' dir doch gesagt, dass er am Telefon so klang, als ob er Angst gehabt hätte. Wie es scheint, zu Recht." Kluftinger fiel Lutzenbergs Satz wieder ein: Nichts ist so, wie es auf den ersten Blick scheint. Das klang in seinen Ohren jetzt geradezu sarkastisch. Noch vor wenigen Stunden hätten sie beinahe einen Mörder ausfindig gemacht, und nun hatten sie eine zweite Leiche.

„Irgendwas gefunden?", fragte Kluftinger die beiden Beamten der Spurensicherung, die gerade ihre Koffer wieder zusammenpackten. „Nichts von Bedeutung. Na ja, jede Menge Fingerabdrücke immerhin. Ist, als würde man auf der Insel Mainau nach Blumen suchen."

Kluftinger schüttelte den Kopf. Seltsame Vergleiche stellte dieser Typ an.

Er stand auf: „Ist die Pathologie schon da?"

„Ja, die sind schon eine ganze Weile zugange."

Bevor er die Hütte verließ, fragte er: „Hat mir irgendwer einen Schuh mitgebracht?"

„Oh … das hab ich … also in der Aufregung", druckste Maier herum.

Mit einer wegwerfenden Handbewegung ging Kluftinger nach draußen.

„O.k., lass mich raten: Du willst abnehmen und hast gehört, dass man das mit Fuß-Reflexzonen-Massage am schnellsten schafft", kommentierte Georg Böhm den Aufzug des Kommissars.

Kluftinger grinste. Dr. Georg Böhm, der Pathologe, war so ziemlich der einzige, der ihm so etwas in der jetzigen Situation ungestraft sagen durfte. Kluftinger mochte den jungen Arzt. Der sportliche Mittdreißiger brachte durch seine humorvolle Art beinahe Kluftingers Weltbild ein wenig ins Wanken. Jedenfalls im Bezug auf Ärzte.

„Ich möchte nur wieder so leben wie unsere Vorfahren. Ganz ohne Klamotten. Und mit den Schuhen fang ich an, mich daran zu gewöhnen", scherzte der Kommissar sogar zurück.

„Sag mir Bescheid, wenn die Hose dran ist, damit ich mir rechtzeitig meine Kontaktlinsen rausnehmen kann."

Kluftinger gab auf, der Schlagfertigkeit Böhms war er nicht gewachsen.

„Was kannst du sagen, Schorsch?" Er wusste, dass Böhm es hasste, wenn man ihn Schorsch nannte.

Böhm lüftete kurz seine blaue Baseball-Kappe, die sein dichtes, dunkelbraunes Haar verbarg und sein sonnengebräuntes Gesicht vor dem Regen schützte, und sagte: „Nicht viel mehr als offensichtlich ist. Er wurde erschlagen und der Prügel da dürfte wohl die Tatwaffe sein." Er zeigte auf einen massiven, angespitzten Zaunpfahl, der neben der Leiche lag. Der war offenbar zum Mordinstrument umfunktioniert worden.

Kluftinger blickte einen Augenblick in Böhms blaue Augen. Er konnte kein Bedauern über diese grausame Tötungsart darin finden. Vielleicht waren die jungen Menschen von heute einfach abgebrühter, dachte der Kommissar.

„Eins ist aber ziemlich sicher", ergänzte Böhm. „Ihr seid nur ein klein wenig zu spät gekommen. Vielleicht ein oder zwei Stunden. Länger war er noch nicht tot."

Kluftinger sagte nichts dazu. Er fühlte sich auch so schon schlecht genug, diese Nachricht besserte seine Stimmungslage nicht. Er klopfte Böhm auf die Schulter und humpelte mit den Worten „Danke, Herr Doktor" zu einer Gruppe Streifenbeamter. Im Augenwinkel konnte er sehen, wie rechts neben ihm jemand seinen hinkenden Gang nachahmte. Er konnte es ihnen nicht verdenken, er gab schon eine komische Figur ab in seinem durchnässten Trachtenjanker und dem fehlenden Schuh.

„Na, Schlammpackung?", grinste ihn einer der Beamten an.

Er gehörte allerdings nicht zum erlesenen Kreis derjenigen, die in einer solchen Situation die Lizenz zum Lustigsein hatten.

„Schon irgendwas rausgefunden?", fragte Kluftinger in einem provozierenden Ton, der nahe legte, dass er es nicht für möglich hielt, dass die Beamten tatsächlich bereits erste Erfolge vorzuweisen hatten.

„Wir haben eine Brieftasche gefunden. Scheint sich um Andreas Lutzenberg zu handeln."

„Erzählt mir etwas, was ich noch nicht weiß", bellte Kluftinger zurück. Das Grinsen wich umgehend aus den Gesichtern der Beamten.

„Na ja, was soll man schon sagen, die Spuren hat's praktisch weggespült", rechtfertigte sich einer von ihnen.

Kluftinger nickte. Sogar die Natur schien gegen ihn zu arbeiten.

★★★

Als er endlich im Auto auf dem Weg nach Kempten saß, fühlte er sich kaum besser, auch wenn er nun wenigstens im Trockenen war. Er ließ sich noch kurz bei Lina Lutzenberg vorbeifahren, um ihr die Nachricht vom Tod ihres Neffen zu überbringen. Wenn es um solche Dinge ging, erledigte er sie lieber selbst. Nicht weil er erpicht darauf war, den Menschen schlimme Nachrichten zu überbringen. Aber sein Vertrauen in das Einfühlungsvermögen seiner Kollegen war einigermaßen gering. In diesem Fall hätten aber sicher auch die keinen Schaden angerichtet, denn Lina Lutzenberg nahm die Nachricht völlig teilnahmslos zur Kenntnis. Das verstörte den Kommissar regelrecht. Aber vielleicht hatte sie auch gar nicht mitbekommen, was er ihr gesagt hatte. Und vielleicht war es so besser für sie.

Der Weg von der Hauptwache zu seinem Büro glich noch einmal einem Spießrutenlauf. Seine Kollegen sparten nicht mit „klugen" Bemerkungen über sein Aussehen. Von „Na, frisch geduscht?" bis „Wie lange ist deine Frau jetzt schon in Urlaub?" war alles dabei. Nur seine Sekretärin sagte nichts. Sein Aufzug schien bei ihr einen regelrechten Schockzustand auszulösen.

Endlich in seinem Büro angekommen, trocknete sich Kluftinger notdürftig die Haare und zog sich dann die einzige Ersatzkleidung an, die er in seinem Schrank aufbewahrte – seinen guten Anzug. Er hatte ihn dort hängen, seit einmal der bayerische Innenminister auf einer Wahlkampfreise in der Direktion Station gemacht hatte. Kluftinger hatte nichts von dem Termin gewusst, weil er die zwei Tage davor frei gehabt hatte. Am Tag darauf fand er sich mit grünem Hemd und grauer Strickjacke in der Zeitung auf einem Bild hinter dem Minister wieder. Seine Frau hätte beinahe geweint, als sie das Foto sah. Und sie wäre mit Sicherheit in den Hungerstreik getreten, hätte er sich daraufhin keinen Not-Anzug ins Büro gehängt.

Er hatte sich gerade das Sakko übergestreift, da kam Dietmar Lodenbacher herein, der Leiter der Polizeiinspektion. Er stutzte kurz, als er Kluftinger im Anzug sah, denn das war ein seltener Anblick, aber sein Blick verriet schließlich Zufriedenheit über die geschmackvolle Kleidung des Kommissars. Kluftinger würde sich hüten, ihm den wahren Grund für seinen Aufzug zu nennen.

„Des is a sauberer Schlamassl", begann Lodenbacher und legte die Stirn in tiefe Sorgenfalten. Er nahm seine Halbbrille ab und fuchtelte damit herum. Dass man nun aber schnell etwas tun müsse, dass man der Presse auf keinen Fall einen möglichen Zusammenhang andeuten dürfe, dass jetzt etwas vorwärts gehen müsse, waren die Hauptbestandteile seines etwa dreiminütigen Monologs. Selten hatte Kluftinger so viele Synonyme für Lodenbachers Eingangsforderung „Wir brauchen Ergebnisse" gehört.

„Die Kollegen sind schon im Konferenzraum", unterbrach Sandy die Rede des Inspektionsleiters – und deutete Kluftinger mit einem Lächeln an, dass sie sich wohl bewusst war, ihn gerade vor weiteren Tiraden des Chefs gerettet zu haben.

Zu dritt schritten sie in den Raum und schlagartig wurde es still. Kluftinger sagte während der kurzen Lagebesprechung nicht viel. Er überließ Lodenbacher das Reden. Nur einmal mischte er sich ein. Als Lodenbacher wieder nebulös andeutete, dass man nun aber die Ärmel hochkrempeln müsse, konkretisierte er dessen Forderung. Ohne aufzusehen sagte er: „Ich möchte morgen alles über Lutzenberg wissen. Wo hat er sich die letzten Tage aufgehalten? Da könnte vielleicht sein Wagen Aufschluss geben. Liegen Tankquittungen drin? Hat er irgendwo einen Strafzettel bekommen? Hat er seine Kreditkarte benutzt? Wen hat er angerufen? Ich will wissen, was er gegessen hat und wann er aufs Klo gegangen ist, soweit sich das eben rausfinden lässt. Und vor allem will ich jedes Detail der Kiste, die wir bei ihm gefunden haben, bis morgen früh um acht katalogisiert und auf Spuren untersucht auf dem Schreibtisch haben."

Lodenbacher, der sich zu seiner Ansprache hingestellt hatte, blickte Kluftinger, der am Rand des Tisches in einem Stuhl saß, über den Rand seiner goldenen Brille hinweg irritiert an.

„San Sie fertig?", fragte er schließlich und klang dabei wie ein kleiner Angestellter, der seinen Chef um Redeerlaubnis bittet. Kluftinger nahm das sehr wohl wahr und auch die Kollegen bemerkten es.

„Moch'n Sie's so", beendete Lodenbacher schließlich die Konferenz. Kluftinger verließ mit ihm den Raum und er spürte dabei die respektvollen Blicke seiner Kollegen.

Draußen im Gang nahm Lodenbacher ihn noch kurz zur Seite. „Kennen's no die Presse verarzten?", fragte er. „Sogn's denen holt nix über Lutzenbergs und Wachters Feindschaft. Und als Todesursache reicht erschlagen, moan i, wie genau muss net mit rein."

Er wollte schon nicken, da schob Lodenbacher noch nach: „Wos moanan Sie?"

Kluftinger hob die Augenbrauen. Lodenbacher hatte ihn noch nie nach seiner Meinung gefragt. Er wusste nicht, ob es vielleicht am Anzug lag.

„Ich denke, das kriege ich schon hin", antwortete er schließlich.

„Jo, Sie mochen des schon", sagte Lodenbacher und er klang nun viel zuversichtlicher als noch vor wenigen Minuten. Zum Abschied klopfte er seinem Kommissar noch auf die Schulter und verschwand dann um die Ecke. Kluftinger sah ihm ein paar Sekunden nach, bevor auch er ging.

***

Auf dem Weg zu seinen Eltern hatte Kluftinger die Scheibe heruntergekurbelt. Es war spät geworden, fast neun, und der Regen hatte inzwischen aufgehört. Es roch nach nassem Asphalt und frischem Gras.

Und irgendwo zwischen Krugzell und Altusried fiel ihm auf, wie schön es heute war, auch wenn immer noch große, dunkelgraue Regenwolken am Himmel hingen. Es wirkte alles so ruhig, so friedlich. Jedenfalls so lange, bis sich die Tür zum Haus seiner Eltern öffnete:

„Mei, jetzt kommst du, wo ich gerade das Rohr ausgemacht und die Spatzen in den Kühlschrank gestellt habe. Ich hab nämlich Kässpatzen für dich gemacht", empfing ihn seine Mutter gleich mit dem gewohnten Redeschwall. „Mit zwei Eiern extra. Die aufgewärmten gestern waren doch bestimmt nicht gut. Allerdings hat der Vatter jetzt die ganzen Zwiebeln aufgegessen, weil er die doch so gern mag. Aber Salat ist noch da und die Spatzen wärme ich dir halt schnell auf."

Dann ging sie auf das ein, was ihr sofort an ihrem Filius aufgefallen war, als sie ihn erblickt hatte:

„Hoi, was hast denn du heut' an? War was Offizielles bei euch?"
Kluftinger sah an sich herunter und fühlte sich sehr unwohl dabei, dass er immer noch den dunklen Anzug tragen musste: „Nein, offiziell kann man nicht sagen. Mein anderes G'wand ist bei einem Einsatz während des Gewitters ganz nass geworden und obendrein völlig verschlammt. Da habe ich mich schnell umziehen müssen."

„Nicht, dass du dich erkältet hast. Du hast ja gar keine Socken an. Ja und die dreckigen Sachen, soll ich dir die nicht waschen? Die brauchst du doch wieder", bot seine Mutter an.

„Nein, lass sein. Die Erika hat mir doch erklärt, wie man wäscht. Ich mach das dann schon."

„Du? Nein, Bub, das wird nichts. Und am Ende machst du es dann doch nicht und lässt die Kleider in einer alten Tüte im Auto vergammeln und dann haben sie lauter Stockflecken."
Kluftinger fühlte sich wieder wie früher, als er noch bei den Eltern gewohnt hatte und seine Mutter es sich nicht hatte nehmen lassen, das Leben ihres Sohnes zu regeln. Beinahe wäre er laut geworden und hätte gesagt, dass er das sehr wohl selbst im Griff habe. Er entschloss sich aber für die abgeschwächte Variante:

„Mutter ... ich mach das schon. Lass gut sein. Ja?"

„Bitte, ich wollte dir nur helfen. Wie du meinst. Jetzt komm aber rein, ich hol dir ein paar Wollsocken vom Vatter, es ist zwar Sommer, aber ohne Socken rumlaufen ist nichts."
Gegen die Socken hatte er nichts einzuwenden.

Mittlerweile hatte Maria Kluftinger eine weitere Ration Zwiebeln geschält und schmurgelte sie gerade in der Pfanne, während der „Bub" an seinem seit jeher angestammten Platz auf der kurzen Seite der Eckbank vor dem Fenster saß und den mittlerweile etwas laschen Salat verspeiste. Auf die Kässpatzen hatte er überraschend wenig Appetit. Zum einen konnte er die Bilder des heutigen Tages nicht aus seinem Gedächtnis verbannen, zum anderen gab es eine massive Häufung von Kässpatzen in seinem derzeitigen Leben. Trotzdem tat er so, als freue er sich darauf, schließlich hatte seine Mutter ihm wohlweislich sein Leibgericht gekocht, auch auf die Gefahr hin, dass ihr Gatte daraufhin wieder gesundheitliche Probleme bekam: Gastritis durch das Fett, zu viel Cholesterin und nicht zuletzt Blähungen von den vielen Zwiebeln. Sie wäre enttäuscht gewesen, hätte ihr Sohn keine Spatzen essen wollen.

„Jetzt erzähl", sagte sein Vater, als er die Küche betrat, „was für Ergebnisse gab es heute?"

„Vatter, hör mir auf. Kein guter Tag heute. Heute haben sie uns unseren Mörder umgebracht. Stell dir das vor. Wir kommen durch Zufall auf seine Spur und finden ihn tot im Schlamm vor einer Berghütte liegen. So viel dazu. Mir reicht's heute."

„Euren Mörder? Euren ehemaligen Verdächtigen, meinst du."

„Ja, Vatter, natürlich."

„Weil uns haben sie schon damals auf der Polizeischule einge- bläut, dass man nie nur eine Spur verfolgen darf. Nie voreilige Schlüsse ziehen. Immer mehrgleisig fahren. Ich habe das im Beruf auch immer beherzigt."

„Zeig mir halt einen oder zwei weitere Verdächtige! Ich würde liebend gern ihre Spur verfolgen. Außerdem war das mit dem Mörder ja nicht wörtlich gemeint. Trotzdem kann es immer noch sein, dass er Wachter auf dem Gewissen hat, auch wenn er jetzt selber tot ist.

Das Problem ist, dass wir einen weiteren Mord aufzuklären haben", erwiderte Kluftinger leicht gereizt.

„Du, vielleicht solltet ihr überlegen, ob es da nicht einen Zusammenhang gibt. Wir hatten da auch einmal einen ähn- lichen Fall. Denk mal darüber nach!"

„Ihr? Einen Mord?"

„Nein, kein Mord, ich war ja nicht bei der Kripo. Aber das waren damals zwei Brandstiftungen, die auch zusammenhin- gen."

„Herrgott, Vatter", fing Kluftinger nun beinahe ungehalten an, milderte aber die Schärfe des Tones umgehend wieder etwas ab. „Wir gehen ja davon aus, dass es einen Zusammenhang gibt. Und eine Brandstiftung aus den fünfziger Jahren kannst du auch nicht mit einem Doppelmord vergleichen. Du warst ein guter Polizist, aber lass mich bitte auch meine Arbeit so machen, wie ich denke."

Dass sich in der weiteren Unterhaltung die Stimmung zwischen Vater und Sohn nicht weiter zum Negativen aufschaukelte, lag an der Müdigkeit Kluftingers und vor allem wohl am Eingreifen der Mutter, die einen Streit zwischen „ihren beiden Männern" nicht gut vertragen konnte.

Kluftinger zog es vor, weitere Auseinandersetzungen durch sein Gehen zu verhindern.

„Wenn ihr jetzt wieder eine Leiche habt, da musst du sicher morgen wieder ins Fernsehen. Dann kannst du doch noch einmal den Anzug anziehen! Der steht dir fei wirklich gut. Das macht was her. Wo habt ihr denn den gekauft?", begleitete seine Mutter seinen Weg zur Tür mit einem kontinuierlichen Redestrom.

„Was weiß ich, ich glaub, beim Horten. Jedenfalls im Schlussverkauf. Ich war froh, dass wir einen gefunden haben, der der Erika auch gefallen hat. Der war auch nicht mal teuer. Und wenigstens mussten wir nicht nach Metzingen fahren, da hat nämlich die Erika hingewollt, weil es da so günstige Designersachen gibt. Da war mir das schon lieber. Weißt ja, was ich von diesem Zeug halte. Ein Janker tut's da grad so gut."

Kluftinger legte seine Hand auf die Klinke der Haustür.

„Aber nicht immer den Janker, wenn du ins Fernsehen kommst. Zieh den Anzug halt noch mal an. Mir zuliebe."

„Ist schon gut."

Gerade, als er nach draußen gehen wollte, schaute sich seine Mutter verschwörerisch um, streckte ihm die Hand entgegen und flüsterte: „Da, hast noch was."

Kluftinger verdrehte die Augen: „Mama, ich brauch kein Geld. Ich verdiene gut genug."

Frau Kluftinger machte ein beleidigtes Gesicht: „Aber früher hast dich doch auch immer gefreut, wenn wir dir dein Milchgeld für die Schule mitgegeben haben. Und ab und zu auch mal so …"

„Ja, früher. Aber jetzt bin ich 56 und aus dem Gröbsten raus."

Seine Mutter schien das nicht verstehen zu wollen. „Dann halt nicht", sagte sie trotzig und steckte den Geldschein – der Kommissar meinte, eine 50-Euro-Banknote zu erkennen – in ihre Kittelschürze.

Kluftinger war genervt. Vielleicht hätte er doch nicht herkommen sollen.

★★★

Das Telefon im Büro des Kommissars klingelte.

„Kluftinger?"

„Grüß Gott, Stoll ist mein Name. Wir kennen uns, aber Sie werden sich nicht an mich erinnern können. Ich bin der Inhaber der Käserei in Böserscheidegg." Der Mann klang bedrückt.

„Ich muss Ihnen was sagen, Herr Kommissar. Ich hab das gelesen, von dem Mord auf der Berghütte. Das hat doch den jungen Lutzenberg erwischt, oder?"

Kluftinger stutzte. Der Anrufer konnte eigentlich nicht wissen, dass es sich bei dem Todesopfer um Andreas Lutzenberg handelte, der Name war nicht veröffentlicht worden.

„Woher wissen Sie das, Herr Stoll?", fragte Kluftinger sofort nach.

„Das ist eine blöde Geschichte. Ich fühle mich daran nicht ganz unschuldig, Herr Kommissar. Mich beschäftigt das sehr", sagte Stoll. Kluftinger wurde aus seinen Äußerungen nicht schlau. Was konnte er denn mit dem Mord zu tun haben und warum rief er ihn an? Er war gespannt.

„Ich höre …?"

„Ja, wissen Sie, Sie waren doch bei uns, Sie und Ihr Kollege, und ich hab Ihnen doch gesagt, dass der Lutzenberg manchmal noch bei seiner Tante in Weiler ist", sagte Stoll und machte keine Anstalten weiter zu reden.

„Ja, und?"

„Ich hab' dann über unser Gespräch noch nachgedacht, und dann ist mir eingefallen, dass der alte Lutzenberg manchmal von einer Hütte gesprochen hat, die sie noch hätten. Und dass sein Bub da manchmal oben ist, zum Nachdenken. Komisch hab ich mir damals gedacht, zum Nachdenken. Aber ich hab halt dann gedacht, wenn er im Unterland wohnt, da ist es doch allweil neblig, und da wird er die Hütte brauchen, dass er das Sonnenlicht mal sieht. Hab ich mir da gedacht. Und drum ist es mir wieder eingefallen." Der Mann wurde offensichtlich ein wenig ruhiger und lockerer.

Um ihn wieder zum Sprechen zu animieren, sagte Kluftinger: „Herr Stoll, bleiben wir beim Thema. Was hat das alles mit dem Mord an Lutzenberg zu tun und warum fühlen Sie sich denn daran schuldig? Klären Sie mich jetzt halt endlich auf, Herr Stoll."

„Ja, mir ist das wieder eingefallen und ich wollte Sie schon anrufen im Präsidium. Vielmehr hab ich das zu meiner Frau gesagt, dass sie Sie anrufen soll."

„Und weiter?", fragte Kluftinger, der den Mann als eher wortkarg in Erinnerung hatte.

„Ja, mei, dann haben wir es vergessen."

„Was?"

„Sie anzurufen. Beide haben wir es vergessen. Und dann hat gestern Vormittag der eine angerufen. Und deswegen bin ich mit schuld dran."

„Wer hat angerufen?"

„Keine Ahnung. Er hat ja keinen Namen gesagt. Er hat bloß gesagt, dass er ein ganz guter Freund von dem Lutzenberg Andreas ist."

„Was wollte er denn wissen?"

„Ja das gleiche wie Sie auch. Wo der junge Lutzenberg sein könnte, weil er nicht in Memmingen war, und jetzt hat ihn der, der angerufen hat, gesucht. Und grad wichtig sei es, dass er ihn bald findet, weil ihm sonst viel Geld durch die Lappen gehen würde, und er hat gesagt, dass es um einen wichtigen Auftrag geht. Und da hab ich ihm dann auch gesagt, dass die Tante noch in Weiler wohnt und dass er ja vielleicht auf der Hütte ist. Ich hab ihm geraten, er soll bei der Hütte vorbeischauen, weil ich ja ungefähr wusste, wo die liegt. Oder die Alte fragen. Auf einmal ist mir das dann auch komisch vorgekommen, weil ich doch gedacht hab, dass der Lutzenberg Lehrer ist, was will denn der mit einem Auftrag, dachte ich mir. Aber eigentlich hab ich mir gedacht, das geht mich ja gar nichts an.

Ja, und jetzt bin ja vielleicht ich daran schuld, dass er tot ist, weil ich doch gesagt habe, wo er sein könnte und vielleicht war das ja der Mörder, mit dem ich da telefoniert habe."

„Ich verstehe. Und als wir bei Ihnen waren, konnten Sie sich an die Hütte nicht erinnern?"

„Na, das sag ich ja."

„Herr Stoll, haben Sie die Nummer des Anrufers auf dem Display Ihres Telefons sehen können?"

„Nein, das hab ich nicht. Ich hab noch eins mit Wählscheibe in der Käserei."

„Fiel Ihnen an seiner Stimme irgendetwas auf? Hat er hochdeutsch gesprochen oder Dialekt? Könnte es ein Ausländer gewesen sein?"

„Nix. Gar nix. Eher hochdeutsch, würd ich schon sagen. Aber vielleicht schon von unserer Gegend. Ich weiß nicht mehr."

„Hat der Mann sonst irgendetwas gesagt, was uns weiterhelfen könnte?"

„Nein. Danke, hat er noch gesagt."

Kluftinger wusste nicht, was er noch weiter hätte fragen können. Er kündigte an, dass er Stoll eventuell zur Erkennung einer Stimme heranziehen werde, und verabschiedete sich, nicht ohne ihn für seinen Anruf zu loben. Mit seinem Schuldgefühl aber musste der Käser allein fertig werden. Darauf ging Kluftinger nicht mehr ein.

Er lehnte sich über seinen Schreibtisch, stützte seinen Kopf mit den Händen ab und rieb sich die Augen. Hätte er mehr nachbohren sollen, als sie in Böserscheidegg waren? Was hätte es überhaupt geändert? Sie wussten damals noch nicht einmal, dass sie sich so für den jungen Lutzenberg zu interessieren hatten. Woher hätte er wissen sollen, dass es noch etwas gab, was Stoll hätte wissen können? Er hatte sich wirklich nichts vorzuwerfen. Wie aber war der Anrufer dann auf Lutzenbergs Spur gekommen? Hatte er mit der Alten gesprochen? Das hätte sie doch erzählt! Sicher, sie hatten sich – im Nachhinein betrachtet – sehr auf die Alte verlassen. Zwar hatten sie die örtliche Polizei damit beauftragt, verschärft Streife vor dem Haus zu fahren, aber sie rechneten doch damit, dass die Alte ihnen Bescheid gegeben hätte, hätte sich etwas getan.

Für halb zwölf hatte Kluftinger eine Konferenz angesetzt. Er hatte aber nicht viel Hoffnung auf wirklich Neues.

Es klopfte an Kluftingers Tür und kurz darauf traten Strobl und Maier ein. Sie hatten die Kiste aus Lutzenbergs Zimmer in Weiler nun restlos durchforstet.

Maier klang nicht euphorisch, als er verkündete, sie hätten außer den Fotos, auf denen Wachter zusammen mit Andreas Lutzenbergs Vater zu sehen und auf denen das Gesicht Wachters entweder zerkratzt oder durchgestrichen war, kaum etwas Spektakuläres gefunden.

„Wir haben das alles durchgelesen. Viele der Texte, die wir gefunden haben, sind Kopien von Zeitungsartikeln über Wachters und Lutzenbergs gemeinsame Zeit. Entweder der Vater hat die Zeitungsausschnitte gesammelt und Andreas hat sie dann gefunden, gelesen und kommentiert oder er hat sie sich in irgendeinem Archiv oder einer Bibliothek besorgt", vermutete Maier.

„Was hat er denn genau kommentiert an diesen Artikeln? Oder kann es auch sein Vater gewesen sein?"

Strobl kam Maier mit der Antwort zuvor:

„Also, das war der Sohn. Wir haben genügend Schriftproben, auch aus der Memminger Wohnung. Die Schriften sind sich zwar ähnlich, aber das war sicher der Sohn."

Nun ergriff beinahe eifersüchtig Maier wieder das Wort.

„Was er geschrieben hat, ist eigentlich immer das Gleiche. Er hat sich Stellen in den Artikeln angestrichen, in denen dem Vater seiner Meinung nach Unrecht getan wurde. Vor allem bei den Berichten, in denen Wachter hoch gelobt wird, stehen immer wieder Dinge wie ‚unverschämt', ‚infame Lüge' oder ‚Schwein'. Bei Stellen, in denen Wachter in einem Interview zitiert ist. Wir haben, denke ich, ein Motiv, das man als tiefen persönlichen Hass bezeichnen könnte. Offenbar hat er es Wachter nicht verziehen, dass er weiterhin Karriere machte."

„Und sein Vater? Ich dachte, der hätte sich freiwillig aus dem

Geschäft zurückgezogen und sich für die kleine Käserei entschieden", sagte Kluftinger, wobei er nicht hoffte, von den beiden Kollegen darauf eine Antwort zu bekommen.

„Mir ist bei den Berichten noch etwas aufgefallen. Erst beim zweiten oder dritten Lesen. Ich weiß nicht, ich kann mich auch täuschen. Aber ich hab mich gefragt, warum der Lutzenberg so eine Wut auf den Wachter gehabt hat. Und durch seine Anstreichungen und Kommentare habe ich das erst bemerkt: Als das neue Verfahren gerade am Anfang stand, da schienen beide irgendwie gleichberechtigt. Sowohl Wachter als auch Lutzenberg werden interviewt, sie treten immer als Team auf. Immer reden beide von ihrem Projekt, von ihren Fortschritten, von ihrem Erfolg."

Kluftinger hörte aufmerksam zu und forderte Maier mit einem zustimmenden Nicken auf, weiter zu sprechen. Auch Strobl hing, obwohl er ungefähr wusste, was er sagen würde, ebenfalls an Maiers Lippen.

„Und als dann in den Fachzeitschriften angekündigt wird, dass das neue Verfahren bald einsatzfähig sei, da kommt Lutzenberg eigentlich kaum noch vor. Auf einmal wird nur noch Wachter zitiert. Da spricht Wachter dann von seiner Entwicklung und seinem Institut. Lutzenberg wird nur am Rande genannt. Das fällt einem eben gar nicht so auf, da bin ich nur durch die Anmerkungen draufgekommen. Ja, und dann, beim Skandal, als der rauskam, da spricht Wachter wieder von beiden. Da nennt er sogar sehr oft Lutzenbergs Namen und stellt ihn fast so als den Frontmann hin. Als den Verantwortlichen. Ich weiß nicht, aber das würde vielleicht Lutzenbergs Wut auf Wachter erklären. Vielleicht hatte er das Gefühl, dass Wachter seinen Vater als Sündenbock haben wollte. Vielleicht hat es auch nichts zu sagen", schloss Maier bescheiden.

„Logisch. Ja. Wenn das so wäre, dann ist auch klar, warum der Lutzenberg sich mit Wachter in Verbindung gesetzt hat. Vielleicht wollte er so etwas wie eine posthume Rehabilitation. Sehr gut, Maier, sehr gut."

Maier strahlte über das ganze Gesicht. Er sonnte sich in diesem Lob.

„Ja, noch was haben wir gefunden in der Kiste", hakte Strobl ein.

„Was denn?" Kluftinger war angetan vom Engagement seiner Kollegen.

„Hier", sagte Strobl und legte einige Fotos auf den Schreibtisch seines Vorgesetzten. Der Kommissar warf einen schnellen Blick darauf. Man sah auf allen ein Haus, offenbar ein verlassenes Bauernhaus mit einer großen Halle, vielleicht einer ehemaligen Tenne oder einer Maschinenhalle. Davor stand auf einigen Bildern ein Lieferwagen, auf einem auch ein Sattelzug mit einer Plane auf dem Auflieger. Eine kleine Fotoserie dokumentierte wohl dessen Abfahrt von besagtem Haus. Nicht alle Fotos waren scharf und auf den meisten war es sehr dunkel oder zumindest dämmrig.

„Die Fotos zeigen immer diesen Bauernhof. Keine Ahnung, wo das sein kann. Es gibt da eigentlich keine Anhaltspunkte. Die Entfernung des Fotografen zu den Motiven muss ziemlich groß gewesen sein, man kann den Lastwagen nicht identifizieren, zumal auf dem Anhänger nichts steht. Die Kollegen im Fotolabor haben gesagt, die Nummer ist auf keinen Fall so zu vergrößern, dass man sie erkennen könnte."

Kluftinger sagte halblaut, mitten im Überlegen:

„Warum hat er das fotografiert? Warum sind die Fotos in der Kiste mit den Fotos von Wachter und Lutzenbergs Vater und den Zeitungsausschnitten?"

„Irgendetwas war Lutzenberg da auf der Spur."

Kluftinger besah sich die Fotos genauer. Vielleicht kannte er ja den Hof von einem Ausflug oder einer Wanderung. Vielleicht ließ sich eine charakteristische Landschaftsmarke ausmachen. Aber nichts. Rings herum nur Wiesen und ein kleines Wäldchen. In der Nachbarschaft konnte man einen anderen kleinen Hof erkennen. Auch dieser sagte Kluftinger nichts. Das konnte beinahe überall zwischen Bregenz und Augsburg sein. Nichts auch nur annähernd Charakteristisches.

„Wir müssen wissen, wo das ist und was da vorgeht. Das kann uns weiterbringen. Vielleicht kann man ein paar Luftbilder auswerten. Wenn die Amerikaner damals jeden Flecken im Irak kannten, jedes Schwimmbad von Saddam, dann werden wir ja im Allgäu einen Bauernhof finden. Klemmt ihr euch dahinter?" „Ja klar. Werden schon was machen können", sagte Strobl und zeigte dadurch, dass er sozusagen die Leitung dieses Teils der Ermittlungen implizit für sich beanspruchte.

Als die beiden das Zimmer verließen, betätigte Kluftinger den kleinen Hebel unter seinem Bürostuhl und kippte die Lehne ein Stück zurück.

Wer weiß, vielleicht war es wirklich Wachters Mörder, den sie da vor der Berghütte im Schlamm gefunden hatten. Aufklärung darüber konnte es aber doch nur geben, wenn sie seinen Mörder wiederum dingfest gemacht hatten. Kluftinger war verzweifelt. Zwei Stunden, vielleicht nur eine, waren sie zu spät zur Hütte gekommen.

Aber immerhin: Nun hatten sie wieder etwas, dem sie nachgehen konnten.

Er nahm sich einen Brauereiblock und notierte sich darauf, dass er einem seiner Mitarbeiter bei der nächsten Dienstbesprechung den Auftrag geben müsse, ehemalige andere Mitarbeiter Wachters oder Lutzenbergs zu finden. Immerhin hatten sie zusammen in einem Institut gearbeitet, möglich, dass die wussten, warum sich die beiden ehemaligen Partner so dauerhaft entzweiten, dass der Sohn des einen sogar nach dem Tod seines Vaters diese Geschichte nicht ruhen ließ. Dass die zwei Familien nicht mehr zusammenpassten, mochte die Erklärung sein, die sich Wachters Töchter zurechtgelegt hatten. Wobei Kluftinger nicht daran zweifelte, dass die beiden jungen Frauen tatsächlich davon überzeugt waren.

Kluftinger wählte die Kurzwahlnummer von Sandy und bat sie darum, bei der Gemeindeverwaltung in Weiler anzurufen und nach der Todesursache von Robert Lutzenberg, Andreas' Vater, zu fragen. Die musste ja aus dem dort sicher noch vorhandenen Totenschein hervorgehen. Zudem brauche er die Anschrift des Arztes, der damals den Totenschein ausgestellt hatte.

Nicht, dass sich der Kommissar davon allzu viel versprochen hätte. Es interessierte ihn einfach zu erfahren, woran denn Robert Lutzenberg in recht jungen Jahren gestorben war.

Sandy tat ihr Bestes, und nur etwa eine halbe Stunde später hatte er die Nachricht, dass Lutzenberg an Magenkrebs gestorben war. Zwar stand „multiples Organversagen" als Ursache im Totenschein, als einschlägige schwere Erkrankung aber war Krebs vermerkt. Weitere zehn Minuten später klingelte Kluftingers Telefon. Sandy hatte eine Verbindung mit Lutzenbergs ehemaligem Hausarzt hergestellt.

In einem gepflegten Lindauer Dialekt, der die Nähe der Schweiz andeutete, erklärte der Arzt, dass Lutzenberg stets gastritisch gewesen sei. Mehrmals habe er Magengeschwüre gehabt, Koliken. Er sei unverbesserlicher Kettenraucher gewesen, immer etwas nervös, immer angespannt. Irgendwann habe man ihn dann zu einer gründlichen Magenspiegelung überreden können. Dabei habe man Krebs festgestellt. Man habe noch versucht, einen Teil des Magens zu entfernen, beim Öffnen des Bauchraums aber hätten die Kollegen Metastasen an beinahe allen inneren Organen feststellen müssen. Ein hoffnungsloser Fall. Lutzenberg, der bis zum letzten Tag seines Lebens weiter geraucht hatte, sei knappe sechs Wochen später zu Hause gestorben. Man habe ihm nur noch Morphium geben können gegen die starken Schmerzen.

Kluftinger bedankte sich, hängte ein und war nicht sonderlich enttäuscht, dass auch diese Information ihn nicht weiterbrachte. Schließlich hatte er sich diesbezüglich keine großen Hoffnungen gemacht.

Nach dem gestrigen, hektischen Tag war dieser Freitag geradezu lähmend. Er verlief schließlich so unspektakulär, dass Kluftinger nach der Vier-Uhr-Konferenz beschloss, nach Hause zu gehen und sich noch etwas hinzulegen.

Der Donnerstag steckte ihm noch in den Knochen, vielleicht würde der nächste Tag sie weiter voranbringen.

Außerdem war am Abend noch Musikprobe.

Er freute sich, dass er die Trommel dazu nicht extra ins Auto laden musste. Zum Glück lag die ja noch im Kofferraum.

***

Es war nicht nur die erste Musikprobe seit über zwei Wochen, die Kluftinger wieder einmal besuchen konnte. Es war die erste seit noch viel mehr Wochen, auf die er sich richtig freute. Vielleicht lag es an der Tatsache, dass ihm allein zu Hause die Decke auf den Kopf fiel. Da kam es ihm gelegen, dass wegen eines bevorstehenden Auftritts am heutigen Freitag eine Übungsstunde angesetzt worden war. Nicht, dass er mit seiner Frau nach einem harten Tag noch viel geredet hätte. Aber allein ihre Gegenwart, ihr beruhigendes, wissendes Schweigen tat ihm gut. Das wurde ihm nun bewusst. Nun, da sie nicht da war. Kluftinger ärgerte sich darüber: Dass er wie alle war und erst bemerkte, wie wichtig ihm etwas war, wenn er es gerade einmal nicht hatte.

All diese Gedanken würde er bei der Musikprobe verscheuchen können, denn die Gespräche dort drehten sich nicht um seelische Befindlichkeiten.

„He, des koscht a Runde": Mit diesen Worten schlug ihm schon beim Ausladen der Trommel ein Vereinskollege auf die Schulter und Kluftinger fühlte sich bestätigt – hier war die Welt noch in Ordnung. Hier gab es keine Probleme, die man nicht durch das Zahlen einer „Runde" lösen konnte.

„I wars fei nicht", grinste Johann ihn an, als er das Musikheim im ersten Stock des Feuerwehrhauses betrat. Wird auch nicht lustiger, je öfter man den Witz hört, dachte sich Kluftinger, sagte aber: „Bist du da ganz sicher, Johann? Einige Spuren führen nämlich eindeutig zu dir ..."

Johann, den alle den „langen Johann" nannten, weil er mit seinen spindeldürren Armen und Beinen und seinem nahezu haarlosen Kopf noch größer wirkte als die Einsneunzig, die er als seine Größe angab, blickte für ein paar Sekunden prüfend in Kluftingers Gesicht, bevor er sich sicher war, dass dieser nur einen Spaß gemacht hatte. Dann lachte er sein kurzes, kehliges Lachen, das ein bisschen wie Husten klang, und klopfte auf den Stuhl neben sich. Er schien froh zu sein, dass Kluftinger wieder da war. Denn seit Johann Asthma hatte, klang nicht nur sein Lachen so rasselnd, auch die Tuba hatte er gegen Becken eintauschen müssen. Und wenn Kluftinger nicht da war, musste er zusätzlich noch die große Trommel bedienen. „Isch scho besser, wenn du da bisch, Klufti", grinste ihn Johann an.

„Danke, Hansi", grinste Kluftinger zurück, der wusste, dass Johann diesen Spitznamen mindestens ebenso verabscheute wie er den seinen.

Die Musikprobe verlief gut, auch wenn der Kommissar einige strenge Blicke des Dirigenten wegen ein paar falscher Einsätze erdulden musste. Schnell ging man zum gemütlichen Teil über, der den meisten sowieso viel wichtiger zu sein schien. Kluftinger hatte sich schon manchmal gewundert, warum man nicht ein weniger aufwändiges Hobby als Vorwand für ein feuchtfröhliches Beisammensein pflegte.

Als sich nach der Probe die meisten Musiker noch „auf eine Halbe Bier" beim „Mondwirt", so hieß die Wirtschaft, die dem Musikheim am nächsten war, trafen, war Kluftinger ein gefragter Mann. In allen Einzelheiten musste er von dem Mord erzählen, ein paar „geheime" Informationen verraten, damit die Eingeweihten dann beim Frühstückstisch vor ihrer Familie mit den frisch erworbenen Kenntnissen prahlen konnten. Man sage bestimmt nichts weiter, versprochen. Kluftinger hatte einige Mühe, die Fragen diplomatisch-nichtssagend zu beantworten, ohne dabei unhöflich oder überheblich zu klingen.

„Ach weißt du, um den Wachter war's nicht schad, wenn du mich fragst", beteiligte sich nun auch Johann an dem Gespräch. Einige der Musiker, die mit am Tisch saßen, nickten.

Kluftinger wurde hellhörig. „Hast du ihn gekannt?", fragte er.

„Nur vom Wegschau'n", sagte er und wuchs nochmals um einige Zentimeter, als er für diesen Spruch Gelächter in der Runde erntete.

„Der hat uns doch die Milchpreise versaut", schaltete sich das Tenorhorn in die Diskussion ein. Gregor Merk, der seinen Spitznamen daher hatte, dass ihn der Dirigent in den Proben immer mit dem Satz „Tenorhorn, schneller" zurechtwies, war Landwirt, genau wie Johann.

„Was soll das heißen, er hat euch die Milchpreise versaut?", fragte Kluftinger und gab sich große Mühe, dabei zu klingen, als würde ihn die Antwort nur ganz privat interessieren.

„Ach, seit der da war, haben die doch viel weniger für die Milch bezahlt", schimpfte Gregor.

„Das stimmt nicht ganz. Er war schon eine Weile da, bis die Preise gesunken sind. Marktwirtschaft, haben sie immer gesagt. Ja, das glaub ich. Weil wir auf einmal mit jeder Mark wirtschaften mussten", wetterte auch Johann und zeigte sich zufrieden über sein Bonmot.

„Und wie kommt ihr drauf, dass er was damit zu tun hat?", wollte es Kluftinger nun endlich genau wissen.

„Weil die wegen dem teuren Gehalt von dem kein Geld für uns mehr übrig hatten", redete sich Gregor in Rage. „Weil der abgesahnt hat und wir in die Röhre geschaut haben. Deswegen!"

Kluftinger wollte nicht weiter Öl ins Feuer gießen, seine Musikkollegen schienen bereits erregt genug. Er nahm sich aber vor, diesem Punkt noch genauer nachzugehen.

„Und, geht's deinem Knie wieder besser?", fragte Paul, der sich ächzend mit einer halben Bier zu ihm auf die Eckbank fallen ließ und Gregor mit den Worten „Jetzt lass da mal den Meister hin, Tenorhorn" verscheuchte. Kluftinger wusste, dass er auf seine Verletzung vom Friedhof anspielte, immerhin war Paul ja „live" dabei gewesen, als er Lutzenberg über die Gräber gejagt hatte. Der Gedanke, dass er ihn damals noch lebendig hätte fassen können, schmerzte ihn mehr als die Erinnerung an sein lädiertes Bein.

„Geht schon", antwortete er dementsprechend kurz.

„War schon eine wilde G'schicht, die Beerdigung. Seitdem fragt jeder, der zum Spielen eingeteilt wird, ob du auch wieder da bist. Bist richtig berühmt geworden mit deiner Verfolgungsjagd."

Kluftinger grinste gequält. Ihm war das Thema unangenehm.

„Du, was ich dich mal fragen wollte", lenkte er deshalb das Gespräch auf ein anderes Thema, das er heute Abend noch hatte ansprechen wollen. „Weißt du zufällig, wo das ist?" Er zog aus seiner Gesäßtasche das Bild des Einödhofs, das sie in Lutzenbergs Kiste gefunden hatten.

Paul sah ihn misstrauisch an. „Hat das was mit dem Fall zu

tun?", wollte er wissen. In dem Moment wurde dem Kommissar bewusst, dass er sich keine glaubhafte Erklärung zurechtgelegt hatte, worum es sich sonst hätte handeln können. Auf die Schnelle konnte er aus den Gedankenfetzen, die ihm als mögliche Antwort durch den Kopf schossen, auch keine plausible Antwort zusammensetzen. Also antwortete er ehrlich: „Also ... irgendwie schon."

Sofort hellte sich Pauls Miene auf. „Also wenn das so ist ... gib mal her", erwiderte er plötzlich ganz aufgeregt und riss ihm das Bild geradezu aus den Fingern. Dass er nun möglicherweise den entscheidenden Hinweis in einem Mordfall würde geben können, schmeichelte offensichtlich seinem Ego. Deswegen sah er sich das Foto auch ganz genau an, drehte es, hielt es gegen das Licht, wendete es, als könnte er auf der Rückseite auch etwas erkennen. Dann sagte er enttäuscht: „Kenn ich nicht." Und schob sofort nach: „Und du weißt: Keiner kennt sich hier in der Gegend so gut aus wie ich."

„Ich weiß", antwortete Kluftinger ehrlich. Und als er das Bild wieder einsteckte, fügte er noch hinzu: „Deswegen habe ich dich ja gefragt. Du hast mir aber auch so geholfen."

Die Schmeichelei blieb nicht ohne Wirkung und Paul nahm einen tiefen, zufriedenen Schluck aus seinem Bierglas. Kluftinger wusste nun immerhin, dass das Haus nicht in der Umgebung von Altusried stand. Hier kannte sich tatsächlich keiner so gut aus wie Paul.

***

Das Wochenende verbrachte Kluftinger, obwohl sich der Sommer von seiner schönsten Seite zeigte, größtenteils im Bett oder auf der Couch. Die letzten Tage hatten ihn doch mehr geschlaucht, als er gedacht hatte. Gerade noch rechtzeitig hatte er am Samstag kurz vor Ladenschluss gemerkt, dass er mit den Vorräten nicht über den Sonntag kommen würde. Wenigstens Wurst und Brot musste er sich also im Supermarkt besorgen. Er war froh, als es am Sonntagabend Zeit war, ins Bett zu gehen: Die große Freiheit, die man als Strohwitwer angeblich genoss, beschränkte sich für ihn darauf, vor dem Fernseher mit den Händen zu essen, sich diese dann an seiner alten Jogginghose abzuputzen und seinen Blähungen ungeniert nachzugeben.

Voller Tatendrang rief Kluftinger, ohne vorher ins Büro zu fahren, am folgenden Montag nach dem Frühstück gleich bei der Käserei Schönmanger an, um sich für 8.30 Uhr anzukündigen. Er hatte die Sekretärin gebeten, sowohl Schönmanger senior als auch seinen Sohn von seinem Besuch zu unterrichten. Er hatte nicht gefragt, ob die beiden Zeit hätten. Er ging einfach davon aus.

Tatsächlich bat ihn Frau Moser gleich ins Büro des Chefs und versprach, auch der Sohn komme sofort.

„Was kann ich für Sie tun, Herr Kommissar?" Schönmanger legte einige Papiere beiseite und ging auf Kluftinger zu, um ihm die Hand zu schütteln.

„Ich hätte da noch ein paar Fragen."

„Gut, setzen wir uns aufs Sofa. Einen Kaffee vielleicht, Herr Kluftinger?"

„Ja, wenn Sie einen haben, gern. Sie müssen aber nicht extra einen machen." Kluftinger hatte zum Frühstück nur einen löslichen Kaffee getrunken. Sonst brühte seine Frau morgens meist einen frischen.

„Kein Problem, wir haben jetzt so einen Vollautomaten, da drücken Sie nur auf den Knopf und heraus kommt ein frisch gemahlener und frisch gebrühter Kaffee. Mein Sohn hat auf die Anschaffung bestanden."

Noch bevor Kluftinger seine Frage stellen konnte, kam Frau Moser mit dem duftenden Getränk herein. Tatsächlich wie im Café, dachte sich Kluftinger. Aber sündteuer, solche Maschinen.

„Herr Schönmanger, was mich interessieren würde, ist, wie Sie mit den Bauern das Milchgeld aushandeln. Gibt es da feste Sätze oder bezahlen Sie unterschiedliche Preise für den Liter?"

Schönmanger schien verwundert über diese Frage, antwortete aber dennoch ohne Umschweife.

„Nun, die Landwirte sind bei uns unter Vertrag und nach einer gewissen Laufzeit wird neu über den Preis verhandelt. Die

Bauern leben eher von staatlichen Subventionen als von dem, was wir ihnen zahlen, das ist in der EU nun mal so. Von uns bekommen sie aber regelmäßig Geld, je nachdem, wie viel Milch wir bei ihnen holen. Das Milchgeld von der EU bekommen sie nur einmal im Jahr. Viele verschleudern das dann gleich und haben das Jahr über ein ziemlich knappes Budget."

„Bekommt jeder Landwirt das Gleiche für seine Milch?"

„In etwa, ja. Es gibt da schon ein paar Unterschiede. Wir haben Bauern, deren Großeltern schon bei unserer Firma ablieferten. Da kann man den Preis nicht endlos nach unten drücken. Da hat man irgendwie auch eine Verantwortung. Wir haben zum Beispiel auch einen alten Bauern, der hat noch sechs Kühe im Stall. Der bringt seine Milch noch selbst mit dem Traktor, damit er sich den Preis für die Abholung spart. Teilweise hat der Keimzahlen, dass wir die Milch wegschütten müssen. Aber wir nehmen sie ihm eben ab, solange er den Hof noch hat. Was soll's. Mein Sohn ist da natürlich strikt dagegen."

In diesem Moment betrat Peter Schönmanger das Zimmer. Er fragte ohne weitere Begrüßung, worum es eigentlich gehe.

„Um Ihre Milchpreise, Herr Schönmanger."

Auch der Junior schien durch die Aussage irritiert, wollte im Gegensatz zu seinem Vater aber den Grund der Frage wissen.

„Ach, nur so. Interessiert mich einfach", gab Kluftinger zurück. Und indem er sich an den alten Schönmanger wandte, fuhr er fort: „Wissen Sie, oft jammern die Bauern über das wenige Milchgeld, das sie bekommen. Da wollte ich jetzt mal genauer nachfragen, wie das so läuft."

In gereiztem Ton fuhr Peter Schönmanger dazwischen: „Wenig Milchgeld? Ja von wegen! Die können doch nur jammern, die Bauern. Wir sind ein Unternehmen, das auf Wirtschaftlichkeit angewiesen ist. Uns weht ein scharfer Wind ins Gesicht, wir müssen marktwirtschaftlich denken. Denen bläst man alles hinten rein, die leben vom Staat, mit den ganzen Subventionen. Und dann meinen sie noch, sie könnten uns hohe Preise diktieren. Aber ohne uns. Ich sage denen immer, dass sie ja auch auf uns angewiesen sind. Wenn wir die Milch nicht holen, was machen sie denn dann? Und ich sage den Bauern klipp und

klar, dass wir notfalls auch woanders unsere Milch kaufen können."

„Wo würden Sie ihre Milch denn herbekommen, wenn nicht
von den umliegenden Höfen?", wandte sich Kluftinger nun an
den Sohn.

„Es gibt einen Haufen Bauern im Land. Wir hätten halt vielleicht weitere Wege. Wenn ich denke, was die ganz großen
Firmen zahlen, zum Beispiel in Oberbayern, da verdienen sich
unsere Bauern noch eine goldene Nase. Da wäre sicher noch
mehr drin, aber mein Vater hat da eben noch etwas romantische
Ansichten bei ‚seinen' alten Bauern. Stimmt's?"

„Sicher, wenn du das so nennen willst", räumte der ein, „aber
ich habe als Unternehmer eben auch Verantwortung und die
sind schon ewig mit uns im Geschäft."

„Gut, das war's dann eigentlich", sagte der Kommissar.

Noch im Auto freute er sich darüber, dass er sich von Vater
Schönmanger mit Handschlag, seinen Sohn aber nur mit einem
Nicken verabschiedet hatte.

Er malte sich aus, wie einige Bauern reagieren würden, wenn
der alte Schönmanger nicht mehr Firmenchef sein würde. Da
sah er einigen Ärger auf den Junior zukommen.

***

Wieder im Büro beschloss Kluftinger, erst einmal seinen
Schreibtisch etwas zu ordnen. Vielleicht weil er hoffte, damit
auch Ordnung in seine Gedanken zu bringen. All die verschiedenen Berichte kamen auf thematisch geordnete Stöße, die
Fotos extra. Das Wichtigste war damit verräumt. Er ging zu seinem Garderobenhaken, zog aus der Innentasche seiner Jacke das
Foto des ominösen Bauernhofs heraus und legte es zu den
anderen auf den Stapel. Kluftinger setzte sich wieder, war aber
zu unruhig, um gleich weiter zu arbeiten, und beschloss, seinen
Tisch abzuwischen. Er befeuchtete am Waschbecken sein stets
in der Hosentasche befindliches Stofftaschentuch, ließ die Seife
darüber gleiten und fing an zu putzen. Das musste natürlich
säuberlich geschehen, ebenso säuberlich, wie nachher das

Taschentuch gewaschen und über die Stuhllehne zum Trocknen aufgehängt werden musste. Vermeidungshandlungen hätte sein Sohn das wohl genannt.

Er setzte sich. Er nahm sich das Foto des Einödhofs zur Hand und betrachtete es. Nur oberflächlich. Nur um wenigstens etwas zu tun. Plötzlich fuhr der Kommissar hoch, fischte aus den Akten das zu seinem Foto passende Negativ, wobei er sich wie ein Schneekönig freute, dass alles so schön geordnet war und er nicht lange suchen musste, und verließ sein Zimmer mit der eiligen Bitte an Sandy, bei den Kollegen vom Fotolabor im Keller des Präsidiums seinen sofortigen Besuch anzukündigen.

„Servus. Ich brauche dringend Ihre Hilfe. Könnten Sie mir ein Negativ so vergrößern, dass man genaue Details erkennen kann? Und wann könnte ich die Abzüge haben?", fiel der Kommissar mit der Tür ins Haus. Roland Porscht, der hinter seinem riesigen Computerbildschirm kaum zu sehen war, musterte den Kommissar über den Rand seiner Halbbrille hinweg.

„Tag, Herr Kluftinger. Das geht natürlich. Aber welche Abzüge meinen Sie denn genau?", frage er verwirrt.

„Die von dem Bildausschnitt. Bitte, wenn ihr die gleich entwickelt."

„Herr Kluftinger", sagte Porscht und der kurz vor der Pensionierung stehende Fotolaborant lächelte dabei väterlich, „die müssen wir doch nicht mehr entwickeln. Den Bildausschnitt kann ich Ihnen sofort einscannen und ausdrucken. Kein Thema. Geben Sie mir doch gleich mal das Negativ."

Kluftingers Vorstellungen vom Fotolabor der Polizei waren offenbar etwas veraltet und viel zu romantisch. Heutzutage stand niemand mehr stundenlang in der Dunkelkammer und hantierte bei Rotlicht mit Chemikalienbädern. Das meiste war auch hier mittlerweile computerisiert. Kluftinger wagte sich gar nicht auszumalen, was für eine Umstellung es für den alten Kollegen gewesen sein musste. Von der Agfa-Klack bis zum digitalen Foto hatte der ja fast alles mitgemacht. Dennoch schien er sehr gut mit der neuen Technik zurecht zu kommen. Jedenfalls besser als der Kommissar. Und was Kluftinger am meisten an ihm schätzte: Wenn er ihm sagte, etwas sei dringend, hatte er noch nie auf die Einhaltung des Dienstwegs bestanden oder ihn mit Sätzen wie „Andere haben's auch eilig" ausgebremst.

„Ach dieses Foto", nickte er. „Das hatte ich schon einmal hier unten. Ich sage Ihnen, an dem Lkw ist nichts weiter zu erkennen. Ich hab das schon einmal versucht", erklärte der Fotoexperte.

„Nein. Ich meine nicht den Lkw. Da, am Rand ist doch der Nachbarhof. Oder halt Teile davon. Können wir diesen Ausschnitt größer machen? Da sind doch irgendwelche Maschinen rund um das Haus aufgestellt."

„Wir können es versuchen. Worauf genau haben Sie es denn abgesehen?", fragte Porscht, dessen Name so gut zu seinem Beruf passte, weil er an eine Fotogeschäft-Kette erinnerte. Einige Mausklicks später war auf dem Computerbildschirm der von Kluftinger gewünschte Bildausschnitt zu sehen.

„Lauter Landmaschinen, was meinen Sie?"

„Würde ich auch sagen", pflichtete Porscht bei.

„Da, ein Ladewagen, mehrere Güllefässer, Heubreiter und Schwadenrechen. Und ... Moment ... mindestens acht alte Schlepper", sagte Kluftinger und Porscht fügte an: „Eicher und Porsche. Nur Eicher und Porsche-Traktoren. Baujahr bis maximal 1970, würde ich sagen."

Kluftinger sah ihn bewundernd an.

„Woran können Sie das erkennen?"

„An der Farbe, Herr Kluftinger. Eicher waren immer blau, Porsche waren immer rot. Ich bin auf einem Hof groß geworden und da kennt man sich bei Landmaschinen ein bisschen aus. Beide Firmen gibt es nicht mehr, die sind also nicht mehr die Jüngsten. Nach 1970 haben sie die sicher nicht mehr gebaut. Und die runde Form ist auch typisch für die alten Karren."

„Stimmt, Eicher sind immer hellblau. Als Kind bin ich bei der Heuernte sogar selber ab und zu mit dem kleinen Eichertraktor unseres damaligen Nachbarn gefahren", erinnerte sich Kluftinger. „Was macht der bloß mit so vielen alten Maschinen?", dachte er laut und legte die Stirn in Falten. Plötzlich hellte sich seine Mine auf. „Meinen Sie, der handelt vielleicht damit?"

„Na ja, es gibt da irre Sammler, soweit ich weiß, aber der hier scheint so viel davon zu haben, dass er sie vielleicht verkaufen könnte. Man müsste halt mal in den Anzeigen in der Zeitung schauen, wer alte Porsche- und Eicher-Traktoren anbietet."

Kluftinger war begeistert. „Klar! So kommen wir vielleicht weiter. Vielen Dank, Sie haben mir sehr geholfen", sagte Kluftinger bereits im Gehen. Dass Porscht ihm noch nachrief, er solle auch bei den Anzeigen im Bauernblatt nachsehen und vor allem sein Foto nicht vergessen, hörte der Kommissar bereits nicht mehr.

★★★

Sandy Henske war gerade dabei, sich telefonisch bei der Anzeigenabteilung der Allgäuer Zeitung die Kleinanzeigen der letzten Monate zu besorgen, in denen alte Landmaschinen zum Kauf angeboten wurden, als Porscht nach oben kam, um das Foto samt den Detailausdrucken in Kluftingers Abteilung abzugeben. Auf einem gelben Klebezettel waren mit Bleistift die Worte „Bauernblatt vielleicht. Gruß Porscht" vermerkt. Mit einem Nicken und einem Lächeln nahm Sandy die Unterlagen entgegen.

„Kleiner Tipp noch", flüsterte Porscht stolz und tippte mit dem Finger auf den gelben Zettel.

Sandy Henske nahm den Hörer in die Hand, hielt die Sprechmuschel zu und antwortete leise: „Macht der Chef schon, aber danke trotzdem. Bist ein helles Köpfschn, Porschti, aber unser Gluftinger ooch. Isser selber draufgekommn, auf das Bauernblatt", grinste sie. Sie war dem Fotolaboranten mal bei einem Betriebsfest näher gekommen und seitdem mit ihm per Du. „Tschuldschung. Nu bin isch wieder Ohr", führte sie das Telefongespräch mit der Zeitung weiter.

★★★

Zwanzig Minuten später hatte Kluftinger zwei Faxe mit etwa 15 Annoncen auf seinem Schreibtisch liegen, in denen alte Landmaschinen angeboten wurden. Er war beruhigt, denn er hatte mit einer größeren Anzahl und damit mit mehr Arbeit gerechnet. Interessanterweise fand sich im Anzeigenteil der Zeitung weitaus mehr als im wöchentlich erscheinenden Bauernblatt. Hier wurden eher neue, große Maschinen angeboten, wurden Milchkontingente gehandelt und nicht zuletzt „fleißige junge Frauen zwecks gemeinsamer Bewirtschaftung eines Bauernhofes und Lebenspartnerschaft" gesucht.

Kluftinger rief die Nummern nacheinander an, wobei er sich als Interessent ausgab. Schnell konnte er einige der Angebote streichen: Mal waren die Traktoren zu neu, um zu besagtem Foto zu passen, mal passten die Fabrikate nicht zu den abgebildeten Maschinen.

Bei einem alten Ladewagen der Firma Mengele war Kluftinger zunächst hellhörig geworden. Er hätte auch noch zwei alte Traktoren und einen Unimog anzubieten, sagte der Verkäufer. Kluftinger hatte nach der Adresse gefragt, um die Angebote besichtigen zu können, und bat um eine Wegbeschreibung. „In Görisried. Kemptener-Wald-Straße. Das ist im neuen Wohngebiet. Die zweite Straße rechts rein, wenn Sie von Kaisersmad kommen. Das letzte von den Reihenhäusern. Die Traktoren stehen im Garten, der Ladewagen vor der Garage. Das kann man nicht übersehen."

Kluftinger strich die Annonce auf seinem Fax durch und sagte, er würde sich dann wieder melden. Dabei fragte er sich, was die Nachbarn dieses Herrn wohl zu seinem außergewöhnlichen Hobby sagten.

Am Ende blieben zwei Adressen übrig, die in Frage kamen: einmal ein Duracher Landmaschinenhändler, der mehrere alte Geräte in einem Weiler bei Betzigau stehen hatte. Zum anderen ein Privatmann, der in der Nähe von Wildpoldsried wohnte und Kluftinger versicherte, er könne ihm an alten Maschinen besorgen, was er wolle, zudem habe er einiges „umanandstehen". Er solle halt kommen und sich alles einmal ansehen, man würde dann schon ins Geschäft kommen.

„Kommat halt it grad zur Stallzeit. Sonst bin i heut' am Holz spalten, da kannscht scho kommen!", hatte der Anbieter Kluftinger mit vertraulichem „Du" empfohlen.

Der Kommissar rief Maier zu sich und erklärte ihm, dass sie beide Adressen sofort überprüfen müssten. Sie würden sich dabei als Interessenten für alte Landmaschinen ausgeben, man könne ja nie wissen.

„Kennst du dich da ein bisschen aus, Richard, bei Landmaschinen?", fragte Kluftinger seinen verdutzten Mitarbeiter, der mit einer Antwort zögerte.

„Gut, dann lass vorwiegend mich reden. Nicht dass die gleich merken, wer wir sind."

„In Ordnung", sagte Maier kleinlaut. Ihm war nicht recht wohl bei dem Gedanken, den Landmaschinenkunden zu geben und dabei vielleicht in verdreckten Pfützen unter alten Traktoren zu liegen oder möglicherweise sogar auf Misthaufen herumzulaufen.

„Also, pack mer's", sagte Kluftinger zu Maier, nicht ohne ihn noch einmal von oben bis unten zu mustern. Maier hatte einen gelb-weißen Pullunder mit Rautenmuster an, darunter ein gelbliches Hemd. Wortlos ging Kluftinger zum Kleiderhaken, nahm seinen gestrickten braunen Trachtenjanker, den er seit seinem „Anzugerlebnis" dort hängen hatte, und hielt ihn Maier hin. Ebenfalls wortlos zog der seinen Pullunder aus und streifte sich die Trachtenjacke über. „Besser so", sagte Kluftinger mit einem Lächeln. Maier sagte nichts, holte aus seinem Schreibtisch noch das Diktiergerät, ließ es in die rechte Jankertasche gleiten und machte sich mit seinem Vorgesetzten auf den Weg.

***

„Betzigau oder Wildpoldsried?" Maier wusste nicht recht, was er auf die Frage des Kommissars antworten sollte, und bevor er begriffen hatte, was er von ihm wollte, war Kluftingers Entscheidung bereits gefallen: Sie würden zuerst nach Wildpoldsried fahren. Auf der Fahrt wurde nicht viel gesprochen,

Kluftinger hatte das nachmittägliche Wunschkonzert auf Bayern 1 eingestellt und beide lauschten dem Radio.

In Wildpoldsried zog Kluftinger einen Packen Brauerei-Notizzettel aus seiner Hemdtasche und gab sie Maier. „Such mal das Blatt, auf dem Botzenhard draufsteht."

Gegenüber des Sportplatzes bogen sie links auf eine kleine Straße, die zunächst an einem Gartenbaubetrieb vorbeiführte, dann durch einen kleinen Durchlass unter der Bahnlinie entlang ging und mit zunehmender Steigung immer enger wurde. Nach einer Linkskurve ging es noch ein paar hundert Meter in Biegungen weiter, dann wurde ein Hohlweg daraus, der durch ein kleines Waldstück führte.

„Die Straße haben sie auch gebaut, wie die Ochsen gelaufen sind", merkte Kluftinger an, der auf diesem steilen Stück sogar in den ersten Gang herunterschalten musste. „Ein Lkw kommt da doch gar nicht erst durch, ich glaube hier sind wir falsch", mutmaßte er.

„Abwarten, Chef, man weiß ja nie", antwortete Maier.

Nach dem Hohlweg öffnete sich eine Art Hochebene, die zunächst den Blick auf einen einzeln stehenden Hof freigab: Es war nicht der, den sie vom Foto her kannten.

„War wohl nix, wir drehen besser um. Vielleicht haben wir uns auch verfahren. Stimmt die Wegbeschreibung denn noch, Richard?"

„Normalerweise schon. Unten stand der Wegweiser nach Fronschwenden, das sollte hier sein. Du hast aufgeschrieben, es sei der zweite Hof. Aber da ist nur der eine. Vielleicht dahinter. Könnte doch sein."

Am ersten Bauernhof bog Kluftinger ein um umzudrehen. Also doch nach Betzigau.

„Da, das ist es", rief Maier plötzlich aufgeregt.

„Wo denn?"

„Da sind unsere beiden Höfe. Die vom Foto. Da unten."

Tatsächlich: Hinter dem auf einer Anhöhe gelegenen Bauernhof ging es in eine Senke, in der die zwei gesuchten Häuser lagen. Erst von hier aus waren sie einzusehen. Betzigau hatte sich damit erledigt.

„Sauber, Richard. Wir haben unsere Stecknadel im Heuhaufen!", sagte Kluftinger nun geradezu euphorisch. Er bog wieder auf den Weg ein, der hier nur noch geschottert war, und hielt an einer Weggabelung. Rechts ging es zu dem kleinen Hof, der tatsächlich mit einer riesigen Menge alter Maschinen umgeben war, halblinks ging es weiter hinunter zu dem Bauernhof, vor dem auf dem Foto der Lkw stand. Kluftinger fuhr nach links.

Alles schien hier ruhig zu sein. Langsam näherten sich die beiden Beamten dem Gebäude. Das Wohnhaus schien leer zu stehen, zumindest waren keine Vorhänge zu sehen, zwei der ausgeblichenen grünen Fensterläden hatten sich aus ihrer Verankerung gelöst und hingen schräg nach unten.

Sie stellten das Auto vor der Tenne im Hof ab und gingen zum breiten Tor, das in den ehemaligen Wirtschaftsteil des Anwesens führte. „Zu", sagte Kluftinger mit Blick auf die zwei mächtigen neuen Riegel, die mit massiven Vorhängeschlössern gesichert waren und die so gar nicht zum desolaten Zustand des restlichen Hauses passen wollten.

Gerade wollte er vorschlagen, sie könnten ja mal in die Fenster sehen, als sie ein Motorengeräusch hörten, das schnell näher kam. Auf den Weg war ein Passat Kombi eingebogen, ein eckiger, wie Kluftinger ihn fuhr, nur in weinrot. Er röhrte wie ein Traktor, der Auspuff musste abgefallen sein.

„Zefix", zischte Kluftinger. „Und jetzt?"

Der geheimnisvolle Hof interessierte sie brennend, aber als Polizisten wollten sie noch nicht in Erscheinung treten. Und nun das. Der Wagen hielt, ein kleiner, hagerer, älterer Mann – Kluftinger taxierte ihn rasch auf Mitte 60 – stieg aus und lief hastig auf sie zu. Er hinkte leicht und ging etwas bucklig in seinem verblichenen blauen Arbeitsgewand, das aus einer etwas zu weiten Hose und einer kurzen Stoffjacke bestand. Dazu trug er schwarze Gummistiefel und eine grün-gelbe Schildmütze. Als er näher kam, erkannte Kluftinger darauf den Schriftzug des Traktorenherstellers John Deere. War es doch kein verlassener Hof? War es der Bauer, der da auf sie zulief?

„Grüß Gott, was suchen Sie da?", fragte der Unbekannte.

„Ähm … den Botzenhard. Der wohnt doch da, oder?", gab Kluftinger zur Antwort.

„Na, der wohnt da nicht. Des bin nämlich ich. Und ich wohn da oberhalb." Botzenhard zeigte auf sein Haus. „Sind Sie der, der wo heut angerufen hat wegen dem Traktor?"

„Ja, genau. Kluftinger. Und das ist ein Bekannter von mir", erwiderte Kluftinger und zeigte auf Maier.

„So, dann müsst ihr halt rauf kommen. Da stehen die Sachen. Habt ihr das nicht gesehen?"

„Nein, wir dachten, es wäre hier. Schöner Hof. Ist der gar nicht bewohnt? Ist ja eine sehr ruhige Lage hier."

„Brauchen's sich gar nicht dafür interessieren. Der gehört schon jemand. Den können's nicht kaufen."

„Ich sag ja nur, der ist schön gelegen."

„Ja, jetzt fahr'mer zu mir nauf. Dann zeig ich euch die Traktoren, die …", sagte Botzenhard, ließ den Rest seines Satzes in einem schweren Hustenanfall untergehen und stieg in sein Auto. Kluftinger und Maier fuhren ihm das kurze Stück Weg nach. „Der passt ja auf wie ein Wachhund", fand Maier und sein Vorgesetzter pflichtete ihm bei.

An Botzenhards Haus angekommen, fiel dem Kommissar als Erstes auf, dass der Traktor noch lief. An dem alten Schlepper war hinten ein roter hydraulischer Holzspalter angeschlossen. Überall lagen Holzscheite am Boden, offenbar war Botzenhard sofort in sein Auto gestiegen, als er die beiden zum Nachbarhof hatte fahren sehen. Noch immer hustend stieg er aus seinem roten Passat aus.

„I hab a Ei drin", sagte er keuchend und fasste sich dabei an den Hals.

„Was?", fragte Maier.

„I hab a Ei drin, drum muss i so husten."

Da Maier offenbar immer noch nicht verstanden hatte, beantwortete Kluftinger seinen fragenden Blick ungeduldig mit den Worten: „Er hat sich anscheinend an einem Ei verschluckt. Bei der Brotzeit, wahrscheinlich."

„I kau immer a Hei oder a Stroh, jetzt hab ich's in Hals gekriegt."

Kluftinger wurde rot. Also kein Ei, sondern Heu. Das hatte jetzt auch Maier verstanden, der ein zufriedenes Siegerlächeln aufsetzte. Der Kommissar machte nur eine wegwerfende Handbewegung.

„So, was für einen Traktor sucht ihr denn?", fragte Botzenhard.

„Einen ... einen Eicher."

„Groß, klein, alt, neuer, ein, zwei oder drei Zylinder, mit Frontlader, mit Hydraulik, i hab alles. Für was brauchst du den denn?", fragte Botzenhard, der allmählich Vertrauen zu fassen schien, immerhin war er bereits wieder beim ungezwungenen „Du" angekommen.

„Für ... für's Holz eigentlich", log Kluftinger.

„Soso, also doch mit Frontlader?"

Maier mischte sich ein: „Nein, wir brauchen keinen Frontlader, keine Raupe oder so etwas, einen Traktor suchen wir. Fürs Holz. Einen kleinen. Keinen Radlader."

„Was? Weischt nicht, was ein Frontlader ist? Und du willst einen Traktor fürs Holz? Da, das ist ein Frontlader. Das, was vorn am Traktor ist, das Gestänge mit der Schaufel. Ein hydraulischer Lader halt! Ja du wärsch gut, einen Radlader hab ich nicht."

Maier wurde klar, dass er etwas Unpassendes gesagt hatte. Sein Chef versuchte, es auszubügeln, warf Maier aber vorher einen wütenden Blick zu: „Er ist für mich, der Traktor. Mein Bekannter ist nur gerade bei mir zu Besuch und ist schnell mitgefahren."

„Soso. Ein Eicher mit Frontlader. Ein kleiner. Da hab ich grad keinen. Aber einen alten Porsche, den könntest haben. Der wär klein. Hat aber kein Verdeck. Der wär net teuer. Komm, ich zeig ihn dir, der steht hinterm Haus."

Sie bogen ums Hauseck und Botzenhard führte sie zu einem ehemals roten Traktor, der von Rost überzogen war.

„Aha", heuchelte Kluftinger Interesse, „hat der noch TÜV?"

„Na, TÜV hat der keinen, den musst du halt machen. Ein bisschen was muss man da schon richten."

Maier sah den Moment gekommen, sein Glück noch einmal zu versuchen und mischte sich erneut ins Gespräch ein.

„Und die Abgase? Hat der schon eine Abgasreinigung? Der ist ja offen, da sitzt man ja dauernd im Qualm."

Nicht nur Botzenhard, auch Kluftinger überging diese Frage einfach.

„Und das Baujahr?", fragte Kluftinger weiter.

„Ein Achtundfünfziger ist das, zwei Zylinder, luftgekühlt. Da hab ich mal einen Deutz-Motor eingebaut, der läuft schon."

„Wissen Sie, Herr Botzenhard", Kluftinger blieb trotz des offensiven Duzens seines Gegenübers beim „Sie", „eigentlich wollte ich einen Eicher. Ich hab am Nachbarhof vorher einen hinter der Scheune stehen sehen."

„Ja, das ist ein alter Sechzehner Einzylinder. Den hab ich aber auch."

Kluftingers Versuch, das Gespräch wieder auf den anderen Bauernhof zu lenken, war zunächst misslungen. „Und der da unten, wem gehört der denn? Vielleicht könnte man den auch haben?"

„Wieso denn unbedingt den da unten? Der gehört schon jemandem. So, jetzt schaust dich halt hier bei mir noch um und dann überlegst du dir, was du eigentlich für einen Traktor suchst. Ich bin jetzt im Stall. Ich hab nicht ewig derweil für euch. Kommts halt wieder, wenn ihr wisst, was ihr wollt."

Botzenhard wurde ungemütlicher. Er ging zum noch immer laufenden Traktor, schaltete ihn aus und begab sich in den Kuhstall. Da Kluftinger bemerkte, dass Botzenhard dort am Fenster stehen blieb, sah er sich die weiteren Maschinen im Hof genauer an, wobei er gestenreich vorgab, mit Maier darüber ein Gespräch zu führen. Maier spielte mit, setzte sich auf einige Maschinen und drehte etwas am Lenkrad.

„Jetzt am besten noch ‚Brumm, brumm' machen! Nicht so übertreiben, Richard", zischte Kluftinger.

Als er bei einem blauen Traktor, auf dem der Schriftzug „Tiger" prangte, die Motorhaube öffnete und interessiert hineinsah, schien Botzenhard beruhigt und zog sich vom Fenster in das Innere des Stalls zurück.

„Kein Wort mehr, Richard. Sonst nimmt der uns die Traktorkäufer nie mehr ab", schnautzte Kluftinger sofort seinen Kollegen an, was dieser mit einem devoten Nicken quittierte.

Eine Weile streiften die beiden noch zwischen den alten

Maschinen herum, dann ging Kluftinger zu Botzenhard in den Stall. Maier ging wortlos zum Auto.

Botzenhard warf gerade Heu aus dem oberen Stock durch eine Luke nach unten. Kluftinger wartete vor dem kleinen Haufen die nächste Ladung ab und rief dann hinauf: „Herr Botzenhard? Eine Frage!"

Botzenhard kauerte ungelenk oben an der Luke und fragte mit einem Grashalm im Mund: „Ja? Hast was gefunden?"

„Ja, der Tiger, was soll denn der kosten?"

„Der Zweizylinder? Mei, müsst mer halt reden. Brauchst einen Gummiwagen auch dazu?"

Kluftinger wusste aus seiner Heuernte-Erfahrung, dass die Bauern die Anhänger immer so genannt hatten, weil sie – im Unterschied zu den alten Pferdekarren, die noch auf Holz-rädern liefen – Gummiräder hatten.

„Nein … eigentlich hab' ich keinen Platz dafür. Aber der Trak-tor ist nett."

„Wart schnell, ich komm runter, dann können wir ja verhan-deln."

Botzenhards Stimme wurde leiser. Er entfernte sich von der Luke und kam dann eine steile, alte Holztreppe am anderen Ende des kleinen Kuhstalls, in dem nach Kluftingers Zählung noch sieben Kühe, drei Kälber und einige Hasenställe standen, wieder herunter.

„Viel Vieh haben Sie ja nicht mehr, Herr Botzenhard. Sind Sie nur noch im Nebenerwerb, oder?"

„Na, ich hab meine Bauernrente. Ich hab ja eine so genannte Farmerlunge, vom Heustaub, weißt. Die Viecher und die alten Karren, des ist halt mein Hobby. Und so kann ich meine Rente aufbessern. Viel hat man da nicht, obwohl man das ganze Leben geschafft hat." Beide gingen nun wieder zu den Traktoren. Maier sah sie, blieb aber im Auto sitzen. Er schmollte.

„Mei", begann Botzenhard die Verhandlungen, „zwölfhundert Euro müsst ich da schon sehen. Der ist gut beieinander. Der hat mich selber schon elfhundert gekostet."

„Was? Zwölfhundert? Ohne Frontlader?" Kluftinger gab sich empört.

„Ja mei, sonst musst halt zu Fuß gehen oder mit dem Schubkarren fahren, wenn dir das zu teuer ist", blieb sein Verhandlungspartner hart. „Überlegst dir's halt. Ich bin ja allweil da, heut kauft den keiner mehr. Schläfst halt nochmal drüber. Aber weiter runter gehe ich nicht."

Dafür, dass Botzenhard vorher von „verhandeln" gesprochen hatte, zeigte er sich jetzt wenig nachgiebig. Kluftinger beschloss, mit einem kleinen Kniff nochmals auf den Nachbarhof zu sprechen zu kommen. Obwohl er fürchtete, es könnte allmählich zu deutlich werden, dass er sich dafür mehr als für den Traktor interessierte, wagte er es.

Botzenhard schien ihn inzwischen wieder als ebenbürtigen Verhandlungspartner in Sachen historischer Landmaschinen zu akzeptieren.

„Wenn vielleicht doch noch ein Gummiwagen dabei wäre …", begann der Kommissar, „könnte man über den Preis reden. Aber den müsst ich dann irgendwo unterstellen." Wieder sah Kluftinger zum unteren Hof. „In einem aufgelösten Hof, da wäre sicher viel Platz. Wüssten Sie da was, Herr Botzenhard? Vielleicht in der Nachbarschaft? Da unten geht das nicht, was meinen Sie? Wem gehört denn das Haus?"

Das war Botzenhard nun eindeutig zu viel. „Weißt du was, ich gehe jetzt die Kühe füttern und melken. Ich hab nämlich Arbeit. Du hebst mich auf. Ich verkauf dir den Karren und von mir aus einen Gummiwagen und weiter nix. Meld dich wieder, wenn du weißt, was du willst. Das wird mir jetzt zu bunt."

Botzenhard ging in Richtung Stall, drehte sich aber noch einmal um: „Das ist Leut' aushorchen, was ihr da macht. Jetzt schaut's, dass ihr mir vom Hof kommt. Und das sag ich euch nochmal: Den Hof da unten könnt's ihr weder kaufen, noch könnt's ihr da was unterstellen. Der geht euch überhaupt nix an. Pfiagott beinand."

Fluchend betrat er den Stall und wartete am Fenster, bis Kluftinger im Auto saß und losfuhr.

„Noch was erreicht?", fragte Maier gereizt.

„Nicht wirklich."

Der Kommissar wollte Maiers unpassendes Auftreten nicht

noch einmal thematisieren, daher sagte er: „Und? Was halten wir jetzt von dem Botzenhard?"

Maier zögerte.

„Hallo, Richard! Nicht sauer sein jetzt. Was meinst du, hängt der mit drin?"

Maier sprang über seinen Schatten, indem er sich zu Kluftinger drehte und zu reden anfing, vorher aber noch deutlich vernehmbar seufzte: „Der passt ganz schön auf den anderen Hof auf. Und ich denke, der war auch misstrauisch. Könnte schon sein, dass er irgendetwas weiß. Fragt sich nur, was."

„Meinst du, er hat geahnt, wer wir sind?"

Nachdem Maier sich durch einen langen Blick versichert hatte, dass Kluftinger mit der Frage nicht auf sein wenig fachmännisches Auftreten anspielte, antwortete er: „Er könnte uns auch für Immobilienspekulanten oder sowas gehalten haben."

„Hoffen wir das", seufzte Kluftinger. Er griff zu seinem Handy wählte Sandy Henskes Nummer.

„Ja, Frau Henske, ich bin's." Sandy wusste, dass sich nur ihr Chef so bei ihr meldete. „Ich bräuchte eine Observierung in Wildpoldsried. Genaue Beschreibung liefere ich im Präsidium. Veranlassen Sie doch bitte alles Nötige."

Maier hatte das Gespräch argwöhnisch und mit einer unbehaglichen Vorahnung mit angehört.

„Und, Richie, was hast du heute noch so vor?", fragte Kluftinger mit einem breiten Grinsen.

„Ich … also, ich meine …", stotterte Maier.

„Na dann ist ja gut", sagte Kluftinger und schlug seinem Beifahrer kumpelhaft auf die Schulter. „Wir können den Hof jetzt keine Sekunde mehr aus den Augen lassen, das siehst du sicher ganz genauso, oder?"

Maier biss die Zähne zusammen. Er schien nach einer passenden Antwort zu suchen. Die wartete sein Chef gar nicht erst ab. „Du hast doch das kleine Eschenwäldchen gesehen? Postier dich da, da sieht dich keiner. Ich schick die Kollegen mit einem zweiten Wagen zu dir. Du kannst sie ja dann einweisen. Alles klar?"

Resigniert rang sich Maier ein „Ja, alles klar, prima" ab, machte aber keine Anstalten, auszusteigen.

„Also dann", forderte Kluftinger ihn wenig dezent auf.

„Du meinst es ernst, oder?"

„Richard, genieß den Tag an der frischen Luft. Du findest schon ein bequemes Plätzchen. Du bist doch ein Polizeibeamter, oder? Und wenn was ist, meldest du dich bitte gleich per Handy."

Kluftinger gab sich alle Mühe, sein Grinsen so lange zurückzuhalten, bis der mit hängenden Schultern allein am Straßenrand stehende Maier ihn nicht mehr sehen konnte.

***

Als Kluftinger zu Hause war, fühlte er sich gut. Den Umständen entsprechend, jedenfalls. Denn Lutzenbergs Tod steckte ihm noch immer in den Knochen. Und dabei war es ihm egal, ob Lutzenberg selbst vielleicht ein Mörder war. Er glaubte daran, dass das Gesetz die einzige Instanz war, die eine Strafe verhängen durfte.

Trotzdem fühlte er sich an diesem Abend für seine Verhältnisse geradezu beschwingt. Er zog sich seine bequeme Jogginghose an, streifte sich ein altes T-Shirt über und ging barfuß Richtung Küche. Er grinste: Wäre seine Frau jetzt hier gewesen, hätte er nicht so herumlaufen dürfen. Eigentlich war er im Moment sogar ein klein bisschen froh, dass er allein war. Der Gedanke bescherte ihm aber sogleich ein derartig schlechtes Gewissen, dass er sich vornahm, Erika auf der Stelle anzurufen. Das Klingeln des Telefons kam ihm zuvor.

Lächelnd nahm er den Hörer ab. Er konnte sich schon denken, dass es seine Frau …

„Hallo, Herr Kluftinger. Langhammer hier." Kluftingers Lächeln gefror.

„Na, Sie alter Strohwitwer? Alles im Lot auf'm Boot?"

Kluftinger räusperte sich: „Schon."

„Ich dachte, wir zwei machen uns heute mal einen kulinarischen Abend, was halten Sie davon? Das haben uns unsere besseren Hälften ja geradezu befohlen."

Hurament, schoss es Kluftinger durch den Kopf. Nicht heute.

Bitte nicht heute. Wo er sich doch so auf einen gemütlichen Abend gefreut hatte. Wo er mal wieder die laue Sommernacht dazu nutzen wollte, im Liegestuhl auf dem Balkon irgendwas zu lesen. Und – vielleicht, wenn er ganz viel Lust hätte – eine Zigarre zu rauchen. Kluftinger wurde von einer regelrechten Panikattacke erfasst.

„Also heute, das ist … also, ich finde nicht, dass … heute." Er stotterte herum wie ein Schuljunge. Es fiel ihm keine Ausrede ein. Was konnte er sagen? Wirtshaus, dachte er – schlecht, da könnte Langhammer nachsehen, ob er wirklich da war. Musik – noch schlechter, weil der Nachbar des Doktors ebenfalls in der Kapelle spielte und er ihn möglicherweise dazu befragen könnte. Aber was, was sollte er …

„Also, dann sind wir uns ja einig. Ich komme so in einer halben Stunde vorbei. Und nicht schon vorher essen, Herr Kommissar, ja?" Dann hörte Kluftinger nur noch ein Knacken. Er blickte auf den Telefonhörer in seiner Hand. Ganz so, als ob er dadurch das, was gerade passiert war, besser begreifen würde. Langsam wich die Erstarrung aus seinen Gliedern. Mit einem „Himmelherrgottsakra", pfefferte er den Hörer zurück in die Station.

Er war ja selbst schuld. Wer so lange brauchte, um sich eine wenigstens ansatzweise glaubhafte Ausrede auszudenken, hatte es eben nicht besser verdient. Überhaupt: Warum musste die Ausrede eigentlich glaubhaft sein? Dieser Depp drängte sich doch immer auf. Warum hatte er ihm gegenüber nur immer das Gefühl, als dürfe er nicht nein sagen? Als würde der Herr Doktor ihm dann tief in die Augen schauen, den Zeigefinger tadelnd vor seinem Gesicht schwenken und sagen „Das war jetzt aber nicht in Ordnung". Er würde dastehen wie ein kleines Kind, das etwas ausgefressen hat und verlegen auf den Boden schauen. Über eben diese Reaktion ärgerte sich Kluftinger am meisten. Priml, dachte er.

Er öffnete den Kühlschrank und blickte hinein. Viel war nicht drin, das würde den „kulinarischen Abend" zumindest in zeitlichen Grenzen halten.

„Dir geb ich schon dein Kulinarium", sagte Kluftinger laut, als er die Wurstreste, die er gefunden hatte, auf ein Holzbrett klatschte. Und er gab sich große Mühe dabei, es auch so aussehen zu lassen. Den Rettich, den er im Gemüsefach liegen hatte, nahm er heraus und legte ihn in die Besteck-Schublade. Am Schluss würde dem Langhammer noch einfallen, im Kühlschrank nachzusehen, ob er noch was anderes da habe. Da müsste er schon früher aufstehen. Immerhin legte er sich mit einem Kriminalkommissar an. Mit einem Kriminalkommissar, dem nicht einmal eine einzige Ausrede einfiel, schränkte er bitter ein.

Es klingelte. Kluftinger sah auf die Uhr. Zu früh kam er also auch noch: Seit dem Telefongespräch waren höchstens fünfzehn Minuten verstrichen. Er öffnete die Tür.

Alles, was er sah, waren zwei Beine, die unter drei braunen Papiertüten hervorlugten, aus denen allerlei Grünzeug quoll. Die Tüten senkten sich und Langhammers Gesicht kam zum Vorschein. „Gebt gut acht, ich hab euch auch was mitgebracht", sagte er und die Augen hinter seiner viel zu großen Brille strahlten. Sie strahlten auch noch, als sie Kluftinger musterten und sich der Arzt mit der Bemerkung „Na, Sie hätten sich aber nicht extra fein machen müssen" an dem Kommissar vorbeidrängte. Da war es wieder. Dieses Gefühl, ertappt worden zu sein. Etwas falsch gemacht zu haben. Kluftinger schnaubte und folgte Langhammer in die Küche.

„Gehen Sie doch ruhig schon mal vor", bemerkte der Hausherr schnippisch, was der ungebetene Gast jedoch überhörte. Stattdessen strahlten seine Augen immer noch, als er die Taschen hinstellte, mit beiden Händen darauf zeigte und sagte: „Lauch-Quiche à la Langhammer."

Kluftinger schwante Böses: Der Arzt wollte damit wohl sagen, dass sie sich aus diesen Zutaten nun so ein Lauch-Dings zubereiten würden. Vor seinem geistigen Auge strich er schon mal den Liegestuhl, strich den lauen Sommerabend auf dem Balkon und die Zigarre. Das hier würde dauern.

„Bitte putzen und in feine Scheibchen schneiden!" Mit diesen Worten drückte Langhammer dem Kommissar zwei Stangen Lauch in die Hand.

Kluftinger gefiel sein Ton nicht, aber innerlich hatte er bereits resigniert. Langhammer würde diese Wohnung nicht verlassen, bevor er sich nicht den Bauch vollgeschlagen und ihm nebenbei sicherlich auch ein paar seiner gefürchteten Anekdoten aufgetischt hatte. Da konnte Kluftinger sich auch ebenso in sein Schicksal fügen und tun, was man ihm auftrug. So würde es wenigstens schneller gehen.

Kluftinger drehte also den Wasserhahn auf, nahm den Spülschwamm und fing an, den Lauch abzuwischen.

„Und was soll das wohl werden, wenn's fertig ist?", fragte Langhammer hinter ihm.

„Na, ich denke, ich soll den Lauch putzen …?"

Langhammer brach in schallendes Gelächter aus. „Köstlich, Herr Kluftinger. Ganz köstlich. Sie haben doch richtig Humor."

Es dämmerte Kluftinger und schnell stimmte er in das Gelächter mit ein. Er wollte sich auf keinen Fall vor diesem Biolek für Arme eine Blöße geben. Dennoch erinnerte er sich nicht mehr genau, wie man den Lauch denn nun „putzte". Dass es nicht mit dem Spülschwamm funktionierte, das konnte er sich nun zusammenreimen. Denk nach, das hast du schon mal gesehen, zwang er sich selbst, ruhig zu bleiben. Und dann dämmerte es ihm: Er musste die äußeren Lagen abziehen, der Länge nach aufschneiden und dann die einzelnen Blätter waschen. Das hatte er bei seiner Frau gesehen. So ersparte er sich wenigstens diese Peinlichkeit. Und im Laufe dieses Abends würde noch so manche auf ihn warten, da hatte er keinen Zweifel.

„Ich hab uns hier einen ganz feinen Küchenwein mitgebracht", eröffnete Langhammer die zweite Runde des Kochduells, wie Kluftinger den Abend für sich schon betitelt hatte. Er musste doch genau wissen, dass Kluftinger keinen Wein mochte.

„Ein französischer Rosé, der wird unseren Gaumen perfekt auf den lukullischen Genuss vorbereiten." Mit diesen Worten reichte er Kluftinger ein mit nur wenigen Schlucken gefülltes Glas und prostete ihm zu. Kluftinger hatte bereits zum Trinken angesetzt, wurde in seiner Bewegung aber von Langhammer gestoppt, der erst seine nicht gerade kleine Nase im Glas versenkte, den Wein inhalierte und dabei das Glas gegen den Uhrzeigersinn schwenkte. Der Kommissar stutzte kurz, hob ebenfalls sein Glas, sagte „Ex oder Hosen runter!" und leerte es in einem Zug. Dann widmete er sich wieder seinen Lauchstangen.

Eine ganze Weile werkelten die beiden wortlos und nach außen hin einträchtig nebeneinander.

Langhammer widmete sich nun der offenbar höchst anspruchsvollen Aufgabe, die Form mit Blätterteig auszukleiden. Voll konzentriert schichtete er die Teigplättchen nebeneinander. Was Kluftinger besonders freute, war, dass Langhammer dabei zeitweise die Kontrolle über seine Gesichtszüge verlor und mit herausgestreckter Zunge die Bewegungen seiner Hände begleitete.

Wenn ich das doch nur aufnehmen könnte, dachte sich Kluftinger, der sich aber auch so freute, Langhammer mit diesem selten dämlichen Gesichtsausdruck zu sehen.

„Sie könnten gleich mal meine Quiche-Masse mit Salz und Pfeffer würzen", sagte Langhammer, als er bemerkt hatte, dass Kluftinger nichts mehr zu tun hatte und ihn mit einem Lächeln musterte.

Natürlich, dafür war er gut genug, rebellierte Kluftinger innerlich. Salz und Pfeffer und Lauch putzen, dafür durfte er gerade noch herhalten. Als ob etwas Besonderes dabei wäre …

„Um Gottes Willen!"

Kluftinger zuckte zusammen. Langhammers Schrei kam so unerwartet, dass er beinahe den Pfefferstreuer in die Schüssel hätte fallen lassen. Vor seinem geistigen Auge sah er bereits eine abgehackte Fingerkuppe oder eine Hand auf der heißen Herdplatte.

„Um Gottes willen, doch keinen vorgemahlenen Pfeffer. Bitte sagen Sie nicht, dass Sie keine Pfeffermühle im Haus haben?"

Kluftinger brauchte ein paar Sekunden, um zu realisieren, was Langhammer so erschreckt hatte. Am liebsten hätte er den Pfefferstreuer genommen und Langhammer den Inhalt oral eingeflößt. Ein solches Theater wegen einem bisschen Pfeffer, also so was hatte er noch nie erlebt. Er zählte innerlich bis drei, das hatte ihm seine Frau beigebracht. Bei drei angekommen, zählte er gleich weiter bis 21, dann hatte er sich wieder im Griff.

„Eine Pfeffermühle?", flötete er geradezu. „Natürlich haben wir auch eine Pfeffermühle. Bitte der Herr." Als er Langhammer dabei zusah, wie dieser mit drei schwungvollen Drehern, zu denen er Arme und Schultern mit einsetzte, den Pfeffer in die Schüssel streute, die Mühle absetzte, kurz nachdachte, sich innerlich einen Ruck gab und noch einmal einen Dreher nachschob, fand er ihn lächerlicher als jemals zuvor. Und das gefiel ihm.

Schließlich nahm Langhammer einen Löffel der fertigen Masse, hielt ihn Kluftinger hin und bat ihn, zu probieren.

„Machen wir", sagte Kluftinger und nahm sich ebenfalls einen Löffel. Nicht im Traum wäre ihm eingefallen, von Langhammer gefüttert zu werden.

„Gut", lautete Kluftingers kurzes Urteil und er ärgerte sich, dass es wirklich stimmte.

„Etwas fehlt noch", war Langhammer mit seiner Probe nicht ganz zufrieden. Er nahm eine Fingerspitze Salz, träufelte sie in die Masse, probierte noch einmal und sagte dann mit einem seligen Lächeln: „Jetzt ist es perfekt."

Kluftinger probierte noch einmal, verzog sein Gesicht und sagte: „Ein bisschen salzig vielleicht." Dann schenkte er sich ein Glas dunkles Weizen ein.

Das Essen schmeckte dennoch gut und das wurmte Kluftinger. Er versuchte, auf die zahlreichen Nachfragen Langhammers nicht zu überschwänglich zu antworten. Als sie fertig waren, entstand ein kurzer Moment unangenehmer Stille. Langhammer brach sie, indem er sein Glas hob und Kluftinger, der eigentlich sicher war, dass es nicht mehr schlimmer kommen könnte, mit dem Satz überraschte: „Wo wir so schön miteinander gekocht haben: Ich bin der Martin."

„So?", antwortete der Kommissar, was sein Gegenüber sichtlich aus dem Konzept brachte. Das Läuten des Telefons unterbrach die von Langhammer eröffnete Zeremonie. Noch vor dem zweiten Läuten hatte der Kommissar bereits abgehoben. Er hoffte, dass es seine Kollegen waren, die bei der Observierung etwas Verdächtiges gesehen hatten und ihn jetzt dringend brauchten. Doch es war nur seine Frau.

„Ja? Hallo? Hallo, ich kann Sie ganz schlecht hören. Erika? Erika, bist du's?" Sie klang, als würde sie aus einem sibirischen Schneesturm anrufen, so schlecht war die Verbindung.

„Hallo? Ja, alles gut", schrie Kluftinger. „Nein, nein das Wetter ist auch gut. Neulich hat es etwas geregnet, aber sonst ist es gut." Kluftinger verschwieg, was er heute gemacht hatte, denn wenigstens die Fragen des Doktors wollte er sich ersparen.

„Wie? Nein. Annegrets Mann ist gerade bei mir. Wir haben … gekocht." Kluftinger vermied es, Langhammer bei seinem Vornamen zu nennen.

Als Langhammer bemerkte, dass es um ihn ging, lief er zu Kluftinger und rief „Schöne Grüße an meine Taube" ins Telefon und unterstrich seinen Gruß mit drei in die Luft gehauchten Schmatzern, die er so nahe an Kluftingers Wange ausführte, dass es aussah, als würde er den Kommissar küssen.

Kluftinger hielt den Hörer ans andere Ohr weil es ihm unangenehm war, wenn ihm jemand so auf die Pelle rückte. Der Doktor wechselte ebenfalls die Seite und rief in den Hörer: „Hol doch Annegret auch ans Telefon, dann können wir zu viert telefonieren."

Nach einigem Rauschen und Knacken erklang schließlich eine zweite Stimme am Telefon. „Na, vertragt ihr euch auch gut?", wollte Annegret wissen und in ihrer lachend vorgebrachten Frage lag auch ein klein wenig echte Besorgnis.

„Ja und wie. Wir haben zusammen gekocht. Ge-kocht!", rief Langhammer so laut, dass Kluftinger ihn mit den Worten „Ich brauch mein Trommelfell fei noch" maßregelte.

Nach ein paar weiteren Nettigkeiten und mindestens einem Dutzend weiterer Küsse von Langhammer verabschiedeten sich die Frauen von ihren Männern und klangen dabei über deren gemeinsame Abendgestaltung sehr zufrieden.

Als Langhammer Kluftinger nach dem Gespräch anbot, den Abwasch gemeinsam zu machen, widersprach Kluftinger vehement: Nein, auf gar keinen Fall würde er es zulassen, dass ein Gast bei ihm den Abwasch mache, das würde er jetzt gleich ganz allein erledigen – wobei er die Worte „jetzt gleich" besonders betonte.

Kluftinger war selbst ein wenig überrascht, dass Langhammer wirklich ging, allerdings nicht, ohne ihm an der Tür noch das Versprechen abzunehmen, dass sie das bald mal wieder machen müssten. Kluftinger willigte ein – er hätte alles versprochen, um Langhammer endlich aus der Wohnung zu bekommen.

Eine letzte Spitze konnte er sich allerdings nicht verkneifen: „Da machen wir uns dann eine leckere, gebratene – Taube!"

„Ist recht, Butzele", antwortete Langhammer, drehte sich um und ließ einen sprachlosen Hausherren an der Tür zurück.

Beim nächsten Mal würde Kluftinger eine Ausrede parat haben.

***

Während des gesamten Essens war Kluftinger nicht nur mit dem Gedanken beschäftigt gewesen, wie er Langhammer am schnellsten wieder loswerden könnte; auch die im Moment laufende Beschattung hatte ihn in eine gewisse Unruhe versetzt. Natürlich erhoffte er sich einerseits ein schnelles Ergebnis; andererseits wäre er auch ein wenig enttäuscht gewesen, wenn sich etwas Entscheidendes ausgerechnet dann getan hätte, wenn er nicht dabei war.

Deswegen hatte er Strobl und Hefele, die die erste Nachtschicht übernommen hatten, auch das Versprechen abgenommen, ihm auf jeden Fall sofort Bescheid zu sagen, falls sich irgendetwas tun sollte. Er blickte auf die Uhr: Es war viertel nach elf, aber die Kollegen hatten sich noch nicht gemeldet. Kluftinger griff zum Telefon und wählte Strobls Handy-Nummer.

Es tutete dreimal, viermal ... niemand hob ab. Kluftinger legte auf, wählte noch einmal und kontrollierte bei jedem Tastendruck in seinem Notizbuch nach, ob er auch die richtige Nummer gewählt habe.

Diesmal wurde nach dem zweiten Klingeln abgehoben.

Zunächst hörte er ein lang anhaltendes Räuspern, das so laut war, dass Kluftinger sich den Telefonhörer auf Armlänge vom Ohr hielt. Dann meldete sich eine belegte, raue Stimme: „Ja?" Kluftinger erkannte die Stimme nicht, deswegen antwortete er mit einer Gegenfrage: „Hallo? Wer ist denn da?"

„Und wer ist da?", schallte es zurück. Jetzt hatte er die Stimme identifiziert. Kluftinger stieg die Zornesröte in die Nase: „Na ich, Kluftinger! Bist du das Strobl?"

Wieder ein Räuspern: „Ja, ich bin's, was gibt's?"

Kluftinger war sofort klar, dass Strobl geschlafen hatte.

„Habt ihr etwa geschlafen?", fragte er trotzdem.

„Ich … also nein, nein, natürlich nicht, wie kommst du darauf?" Was jetzt folgte, war einer der seltenen und vielleicht gerade deswegen so gefürchteten Wutausbrüche des Kommissars. „Lüg mich nicht an", hauchte er zunächst ein wenig entkräftet in den Telefonhörer, denn ein so plötzlicher Wutanfall machte ihn immer etwas atemlos. Wenn er etwas hasste, dann war es, angelogen zu werden. „Ich glaub, ich spinne. Ja ist denn das die Möglichkeit? Ja seid's ihr denn völlig wahnsinnig? Himmelherrgottsakramentnochmal." Mit jedem Wort wurde Kluftinger lauter. Strobl wollte etwas erwidern, doch Kluftinger ließ ihn gar nicht zu Wort kommen. „Ist euch eigentlich klar, dass wir vielleicht ganz nah an der Lösung des Falles dran sind? Schon heute Nacht kann etwas ganz Entscheidendes passieren. Ach, was sag ich, wahrscheinlich ist es schon passiert und ihr habt es verpennt." Strobl leistete keine Gegenwehr. Er ließ die Schimpftiraden des Kommissars einfach über sich ergehen. Vielleicht, weil er wusste, wie schnell man unter die Kluftingerschen Räder kommen konnte, wenn man sich ihm in den Weg stellte, wenn er erst einmal so richtig in Fahrt gekommen war. Vielleicht, weil er wusste, dass sein Chef recht hatte. Vielleicht ein bisschen von beidem. Den letzten Satz, den er von Kluftinger hörte, war: „So. Und jetzt erwarte ich von euch stündlich Bericht. Gute Nacht, meine Herren."

Kluftinger warf den Hörer in die Station, als könnte er durch diese Geste seinen Worten noch mehr Gewicht verleihen. Langsam beruhigte er sich wieder. Und mit der Entspannung kam auch die Erkenntnis: Sein letzter Satz war reichlich unüberlegt gefallen. Wenn die Kollegen nun wirklich jede Stunde anrufen würden, stand ihm eine unruhige Nacht bevor. Einen Moment lang spielte er mit dem Gedanken, noch einmal anzurufen und diesen Punkt klarzustellen. Aber er verwarf den Gedanken schnell wieder, denn das hätte die Wirkung seiner vorangegangenen Rede ins Nichts verpuffen lassen. Er verließ sich einfach darauf, dass seine Kollegen schon wissen würden, wie er das gemeint hatte.

Pünktlich um 0.19 Uhr riss ihn der erste Anruf aus dem Schlaf. Diesmal war es Kluftinger, der sich räuspern musste. Seinen Ärger über die Störung seiner Nachtruhe ließ er sich jedoch nicht anmerken. Auch nicht bei den sechs weiteren Telefonaten in dieser Nacht.

***

Kluftinger war froh, dass die beiden Kollegen der Nachtschicht erst am Nachmittag eintreffen würden. So blieb ihm am nächsten Morgen genügend Zeit, bis dahin seinen derangierten Zustand, der von der ständigen Unterbrechung seiner Nachtruhe herrührte, einigermaßen in den Griff zu bekommen. Strobl und Hefele sollten nicht bemerken, dass er unter seinem gestrigen Ausbruch am meisten zu leiden hatte. Er nahm sich vor, die Angelegenheit überhaupt nicht mehr anzusprechen.

Den Bürotag verbrachten er und seine Kollegen mit Routinearbeiten, vor allem aber in gespannter Erwartung, ob sich auf dem observierten Anwesen etwas tun würde. Eine Überprüfung der Adresse hatte zunächst nach einer Spur ausgesehen, sich dann aber im Sande verlaufen: Der alte Hof stand seit Jahren leer, der letzte Eigentümer hatte ihn bis ins hohe Alter von 78 Jahren bewirtschaftet, wenn auch nur noch für den Eigenbedarf. Nach seinem Tod hatte sich niemand mehr um das Anwesen gekümmert. Das immerhin nährte Kluftingers Verdacht, dass es dort nicht mit rechten Dingen zuging, dass dort möglicherweise der Schlüssel zu den beiden Mordfällen lag, die er aufzuklären hatte. Denn der Bauernhof, obwohl seit

Jahren verwaist, sah ganz und gar nicht heruntergekommen aus. Auch eine weitere Spur verlief im Sande: Lutzenbergs Kreditkarte wurde zwar in der Zeit zwischen seinem und dem Mord an Wachter benutzt, aber der Einkauf hatte ganz in der Nähe der Berghütte stattgefunden. Das brachte die Ermittlungen auch nicht weiter. Einige der eingekauften Lebensmittel fanden sich in der Hütte sogar noch wieder.

Inzwischen, es war kurz vor halb vier, fieberte Kluftinger dem Ende des wenig aufregenden Bürotags entgegen. Denn heute Abend hatte er noch etwas vor: Heute würde er die Nachtschicht vor dem alten Bauernhof übernehmen. Für einen Moment hatte er mit dem Gedanken gespielt, Maier mitzunehmen, hatte sich dann aber dafür entschieden, allein zu gehen. Maier wurde von ihm instruiert, sich heute Nacht bereit zu halten und vor allem erreichbar zu sein. Diese Lösung erschien Kluftinger weniger anstrengend, als Maier die ganze Nacht neben sich im Auto zu haben. Er verdrehte die Augen, wenn er nur daran dachte, was der an Foltermethoden in petto hatte. Deswegen ging der Kommissar alleine.

Er verabschiedete sich früh von den Kollegen, denn er wollte sich zu Hause noch eine Stunde aufs Ohr legen, um für die Nacht fit zu sein.

Allerdings war er viel zu aufgedreht, um auch nur an Schlaf zu denken. Seit vielen Jahren hatte er nicht mehr an einer Beschattung mitgewirkt. Das war eine Aufgabe, die er gern anderen überließ, denn er hatte dabei oft das Gefühl, nur Zeit zu vergeuden. Sein Talent lag im Analysieren, in der Recherche, im „Wühlen", wie es sein erster Chef einmal formuliert hatte.

Aber das heute war anders: Es war nicht nur lange her, dass er an einer Beschattung mitgewirkt hatte, es war auch lange her, dass er einen Fall betreut hatte, der ihn so beschäftigte wie dieser. Eigentlich, dachte er sich nach kurzem Nachdenken, hatte er noch nie einen so brisanten und mysteriösen Fall gehabt. Und dass dieser große Fall auch noch zur Hälfte in seinem Heimatort spielte, machte die Sache nicht eben leichter. Deswegen hatte er diese Nachtschicht freiwillig übernommen. Dennoch wusste er – und das nicht erst seit dem gestrigen

Telefongespräch mit seinen Kollegen – dass eine solche Nacht kein Zuckerschlecken war. Er wollte vorbereitet sein.

Und die wichtigste Grundlage für alle Aktivitäten war für ihn immer eine gute und vor allem reichliche Brotzeit. Also packte er ein, worauf er möglicherweise in der Nacht Appetit bekommen könnte: Ein Paar Schüblinge mit Semmel, ein Paar Landjäger mit Semmel, Senf für die Schüblinge und die Landjäger, eine Semmel mit geräuchertem Schinken und ein mit einer eineinhalb Zentimeter dicken Schicht aus Bauernsalami belegtes Brot (mit der Wurst sollte man beim belegten Brot nie sparen, das machten seiner Ansicht nach die meisten Menschen falsch), zwei Käsesemmeln, falls er keine Lust auf Wurst haben sollte, und außerdem, weil Käse den Magen schließt, eine Banane, um etwas Leichtes für zwischendurch zu haben, und eine Tafel Schokolade für den Nachtisch. Kluftinger breitete die Sachen auf dem Tisch aus und betrachtete sie. Hatte er etwas vergessen? Er schlug sich an die Stirn: Natürlich, die Essiggurken. Als er noch ein Glas Gurken zu seinen Brotzeit-Utensilien stellte, lächelte er zufrieden, packte alles in die Kühltasche, die er und seine Frau sonst mit zu ausgedehnten Badetagen nahmen, und machte sich auf den Weg.

★★★

Die Kollegen, die er ablöste, wünschten ihm mit einem schadenfrohen Grinsen einen „Schönen Abend", bevor sie nach Hause fuhren. Sie wussten nicht, dass er sich auf diesen Abend richtiggehend freute.

Es war kurz vor sechs Uhr und es kündigte sich eine dieser lauen Sommernächte an, die die Menschen scharenweise ins Freie lockte. Es gab nicht viele Orte, an denen Kluftinger in einer solchen Nacht lieber gewesen wäre als im Herzen des Allgäus, nur von ein paar Einödhöfen umgeben, vor Blicken von ein paar mächtigen Eschen geschützt, zwischen denen er sein Auto geparkt hatte.

Kluftinger drehte die Scheibe seines Passats ganz herunter und atmete tief ein. Er lächelte. Er fühlte sich gut, auch wenn er wegen des Grunds seiner Anwesenheit eine gewisse Nervosität verspürte.

Er nahm das Fernglas zur Hand, das ihm seine Kollegen dagelassen hatten. Sogar aus dem Auto heraus, im Sitzen, hatte er einen guten Blick auf den alten Hof. Er legte das Fernglas auf den Beifahrersitz, zog sein Handy heraus und legte es daneben. Er wählte die Nummer des Präsidiums und die seines Kollegen Maier, damit sie sich im Nummernspeicher befanden und er später, falls es ernst werden würde, nur auf die Wiederholtaste würde drücken müssen. Er hatte an alles gedacht.

Er blickte auf die Uhr: Viertel nach sechs. Er hatte noch etwa 12 Stunden vor sich. Zeit, eine gute Grundlage zu schaffen, dachte er und holte die Kühltasche vom Rücksitz. Seine Wahl fiel auf die Banane. Er würde heute sowieso nur die Banane essen, nahm er sich jetzt auf einmal vor. In letzter Zeit hatte er sich, was die Ernährung betraf, etwas gehen lassen, fand er. Und jetzt war eine gute Gelegenheit, dies zu ändern. Und wie würde seine Frau schauen, wenn sie aus dem Urlaub wiederkam und er ein paar Kilogramm weniger auf den Rippen hätte?

Kluftingers erster Biss in die Banane ließ seine Gedanken bereits in Richtung der Schüblinge wandern. Er überlegte sich, dass eine Observation mit leerem Magen möglicherweise nachteilig sein konnte. Und außerdem: Eine Nacht ohne Schlaf würde ihn reichlich Kalorien verbrennen lassen. Wenn er also das eine Paar Schüblinge noch essen würde, dann hätte er immer noch eine für ihn positive Kalorienbilanz. Er wollte sich die Wurst aber noch aufheben.

Etwa eine Stunde später meldete sich sein Magen bereits. Es war kurz vor halb acht und die Hitze des Tages hatte einem lauen Sommerabend Platz gemacht. Kluftinger stieg aus dem Wagen und besah sich die Landschaft: Bis zum Bauernhof mochten es etwa fünf- bis sechshundert Meter sein. In seinem Rücken, etwa fünfzig Meter entfernt, befand sich ein kleines Waldstück. Die Wiesen zwischen dem Waldstück und der Straße und dem Hof waren leer – bis auf die Baumgruppe, hinter der er sich befand. Der Kommissar rieb sich zufrieden die

Hände: Der Platz war wie geschaffen für eine Observierung. Er setzte sich wieder in sein Auto. Der kleine Spaziergang hatte seinen Hunger endgültig zu Tage gefördert. Also packte er die Schüblinge aus, nahm sich die Semmel, griff nach dem Getränk … Er erschrak: Er hatte vergessen, sich etwas zu trinken mitzunehmen.

„Sapperment, sapperment", fluchte er laut. An alles hatte er gedacht, nur nicht an das Wichtigste. Essen, ja aufs Essen könnte er verzichten. Tagelang, wenn es sein musste. Aber aufs Trinken? Es reichten schon wenige Stunden ohne Flüssigkeit, um die ersten Mangelerscheinungen auszulösen, hatte er einmal gelesen. Nach etwa zwei bis drei Tagen konnte man sterben.

Gut, so weit würde es nicht kommen, aber ihm schmeckte kein Essen, wenn er dazu nicht auch etwas trinken konnte.

Das Plätschern des Baches drängte sich aus seinem Unterbewusstsein in seine Wahrnehmung. Natürlich! Er würde sich eben einfach Wasser aus dem Bach holen. Wie früher. Aber womit? Er blickte sich im Auto um. Das einzige, was dicht halten würde, war die Brotzeittüte, in die er seine Semmel eingepackt hatte. Er legte also alle Brötchen auf den Beifahrersitz und stieg aus. Obwohl der Bach nur wenige Meter entfernt war, musste er vorsichtig sein, um sein Versteck nicht zu verraten. Also ging er in gebückter Haltung bis zum Wasser und ließ die Tüte vollaufen, hatte dabei aber immer ein Auge auf den Hof. Als er wieder im Auto saß, war er mit sich zufrieden. „Wie früher", sagte er laut und meinte dabei die Zeit, als das Allgäu für ihn und seine Schulfreunde nichts als ein großer Abenteuerspielplatz gewesen war. Er biss herzhaft in einen Schübling und setzte die Tüte an. Etwa die dreifache Menge Wasser, die in seinem Mund landete, rann rechts und links seine Mundwinkel entlang in seinen Kragen und wurde auf dem Weg zum Hosenbund von seinem Hemd aufgesogen. Kluftinger sprang auf und ließ dabei Wurst, Semmel und vor allem Tüte auf den Fahrersitz fallen. Mit einem kräftigen Platschen ergoss ich der Inhalt der Tüte auf die Sitzfläche.

„Hura …", fluchte Kluftinger, verschluckte aber den zweiten Teil des Wortes erschrocken, weil ihm bewusst wurde, dass lautstarkes Fluchen nicht gerade zu den herausragenden Tugenden eines observierenden Polizeibeamten gehörte.

Kluftinger besah sich die Sauerei auf seinem Sitz: Die Semmel hatte die Flüssigkeit zu einem großen Teil aufgesogen. Ein paar Brösel hatten sich bereits gelöst und sich mit dem restlichen Wasser zu einer breiigen Masse vereint. Kluftinger nahm die Semmel und pfefferte sie ins Gestrüpp. Die angebissene Wurst schmiss er hinterher, was ihm wenig später schon wieder leid tat, denn eigentlich war sie ja noch völlig in Ordnung gewesen. Sein Fahrersitz hingegen war alles andere als in Ordnung. Darauf könnte er sich heute nicht mehr niederlassen.

Missmutig kramte er in der Kühltasche nach den Servietten, die er sich zu Hause eingepackt hatte, und belegte damit sorgfältig jeden Quadratzentimeter des Sitzes. Anschließend räumte er die Lebensmittel, das Fernglas und das Handy vom Beifahrersitz nach hinten in den Fond des Wagens, um für sich Platz zu machen. Die Kühltasche stellte er ebenfalls nach hinten. Der Appetit war ihm bis auf weiteres vergangen.

Erst zwei Stunden später aß Kluftinger wieder eine Kleinigkeit. Allerdings nicht, weil er hungrig war. Er hatte mit einem viel größeren Problem zu kämpfen: Ihm war langweilig. Nicht nur ein bisschen. Seine Langeweile war derart ausgeprägt, dass sie die Minuten qualvoll zerdehnte. Kluftinger fiel wieder ein, warum er sonst so ungern bei Observationen dabei gewesen war. Aber er hatte gedacht, dass die möglicherweise nahende Lösung des Falles, die heiße Spur, auf der er sich befand, für genug Aufregung auch in einer ereignislosen Nacht sorgen würde. Er hatte sich geirrt.

Er schaltete das Radio an. Auf Bayern Eins lief gerade eine Sendung mit Schlager-Evergreens. Allerdings war ihm jetzt gar nicht nach Schlager, also schaltete er weiter. Er blieb kurz auf Bayern 4 hängen, das gerade den Teil einer Reihe mit modernen Komponisten klassischer Experimentalmusik brachte. Er hörte den dissonanten Klängen eine Weile zu und schüttelte dann den Kopf. „Und so was nennen die noch Musik", sagte er laut und drehte dabei den Senderknauf weiter.

Auf Bayern 5 lief gerade ein Bericht über psychische Probleme, mit denen Frauen in den Wechseljahren zu kämpfen haben. Priml, dachte er und drehte weiter.

Der Empfang war schlecht hier draußen und außer den bayerischen bekam er kaum einen Sender störungsfrei. Es lief nichts, was ihm gefiel. Seine Enttäuschung darüber war so groß, dass er sie laut artikulierte: „Drecksradio!"

Er schaltete ab. Die Stille, die eintrat, kam ihm nun noch intensiver vor als vorher. Er ärgerte sich, dass er das Radio überhaupt eingeschaltet hatte. Er lauschte in die Dämmerung. Es ging kein Wind, es schien, als habe sich auch die Natur auf die Lauer gelegt.

Kluftinger schaltete das Radio wieder an. Er stellte Mittelwelle ein. Die verschiedensten Sprachen tönten ihm nun entgegen. Er musste lachen, als er offenbar eine Nachrichtensendung hörte, die wie eine Mischung aus Russisch, Chinesisch und den Lauten, die die Zeichentrickfiguren im Fernsehen immer von sich gaben, klang. Er machte sich einen Spaß daraus, immer ein paar Wortfetzen nachzusprechen. Doch niemand außer ihm lachte darüber. Er schaltete das Radio wieder aus.

Kluftinger blickte auf die Uhr: Es war halb zehn. Die Sonne war verschwunden. Kluftinger fürchtete sich ein wenig vor der nahenden Dunkelheit, denn die würde ihm seine Einsamkeit noch deutlicher vor Augen führen.

Er hatte Recht.

Als die Nacht kam und das Licht ging, wurde ihm damit eine weitere Möglichkeit genommen, sich abzulenken. Nicht einmal die Pusteblumen am Straßenrand konnte er jetzt noch zählen. Aber eigentlich wusste er durch mehrmalige Kontrolle sowieso schon, dass es genau 37 waren.

Er gähnte. Er fühlte, wie die Dunkelheit die Langeweile langsam in Müdigkeit verwandelte.

Er stieg aus dem Wagen und machte ein paar Kniebeugen. Es musste fast 30 Jahre her sein, dass er das letzte Mal Kniebeugen gemacht hatte. Damals, auf der Polizeischule. Damals hatten seine Gelenke dabei auch noch nicht so gekracht wie heute. Nach der siebten Kniebeuge musste er aufhören. Er stützte sich am Wagendach ab und keuchte in die Nacht. Er musste wirklich etwas für seine Fitness tun. Gleich morgen. Er setzte sich wieder ins Auto.

„So. Was machen wir jetzt?" Er fand es bei anderen immer gespenstisch, wenn sie mit sich selbst redeten. So als ob sie damit ihren geistigen Verfall für jedermann hörbar artikulierten. Aber in dieser Situation schien es ihm die natürlichste Sache der Welt, mit sich selbst zu sprechen.

Plötzlich erstarrte er. War da nicht ein Geräusch gewesen? Er hielt die Luft an. Tatsächlich. In der Ferne leuchteten die Lichter eines Wagens auf. Kluftinger wurde nervös. „Es geht los", sagte er zu sich selbst.

Er griff nach hinten in den Kofferraum, um seine Waffe an sich zu nehmen, aber er fand sie nicht. Mit hektischen Bewegungen suchte er den Kofferraum ab, stieß dabei gegen die Trommel und verharrte kurz, um sich zu überzeugen, dass der dumpfe Lärm ungehört verhallte, suchte weiter, schob alles, was ihm zwischen die Finger kam und sich nicht nach Waffe anfühlte, vom Sitz. Schweiß sammelte sich auf seiner Stirn. Er blickte auf das Auto. Es kam näher, es – fuhr vorbei.

Erleichtert blies Kluftinger den Atem aus. Das war nicht gut. Das war sogar gar nicht gut gewesen. Er hatte sich verhalten wie ein Anfänger. Bei seinen sporadischen Vorträgen vor Polizeischülern oder Praktikanten betonte er jedes Mal, wie wichtig es sei, vorbereitet zu sein. Nur gut, dass ihn jetzt niemand beobachten konnte.

Das nächste Mal würde ihm das aber nicht passieren. In aller Ruhe suchte er deswegen, mit Unterstützung des glühenden Zigarettenanzünders – ein Einfall, auf den er sehr stolz war – den Wagen ab. Es war eine mühselige Suche, denn das Glimmen bot immer nur für wenige Sekunden ausreichend Licht. Doch er fand seine Waffe und das Handy und legte sie auf den inzwischen schon nicht mehr ganz so nassen Fahrersitz.

Dann steckte er den Zigarettenanzünder zurück, ertastete im Dunkeln die Gegenstände, zählte von drei rückwärts und sprang wie von der Tarantel gestochen aus dem Wagen, während er mit der linken Hand beim Aussteigen Pistole und Handy griff. Der Schmerz ließ für kurze Zeit grüne Leuchtkugeln vor seinen Augen in die Finsternis explodieren. Er hatte sich beim Aussteigen seinen Kopf am Türrahmen angeschlagen. „Kruzitürk'n, heut geht doch alles schief", schimpfte er, aber es war mehr ein Flüstern. Er rieb sich die Stelle und tastete mit den Fingern nach Blut. Er war erleichtert: Es war keine Platzwunde. Das hätte ihm gerade noch gefehlt.

Vor seinem zweiten Probelauf besah sich er genau den Türrahmen und ging die Bewegung, die er machen musste, um sich schnellstmöglich aus dem Auto zu winden, wie in Zeitlupe durch. Dann versuchte er es noch einmal. Er griff sich die Pistole, sprang aus dem Wagen und rief „Stehen bleiben, Polizei".

Dreimal wiederholte er die Trockenübung, dann ließ er sich zufrieden und erschöpft ins Auto fallen.

Mit einem einzigen Griff in den Rücken zog er die Kühltasche nach vorne. Jetzt hatte er wirklich Hunger.

***

„Zefix noch mal, was …?" Kluftinger erschrak. Der Landjäger fiel ihm aus der Linken und aus der Tube in seiner rechten Hand ergossen sich zwei kleine Tropfen Senfwasser auf seine Hose. War er eben eingenickt? Er sah auf die Uhr: Die Leuchtzeiger zeigten halb vier. Für einen kurzen Moment wurde ihm schlecht. Er war eingeschlafen, so viel stand fest. Das sagte ihm auch der Druck, der sich in seiner Blase aufgebaut hatte. Er legte den Senf weg, rieb sich das Gesicht und stieg aus dem Auto.

„Du Depp. Du Riesendepp!", schimpfte er sich selbst, während er schon im Gehen den Reißverschluss seiner Hose öffnete. Wie konnte ihm das nur passieren? „Du damischer Depp!" Sein Schimpfen wurde nur von dem ausgedehnten Seufzer unterbrochen, mit dem er die Entledigung seines Blasendrucks begleitete. In dieser eigentümlichen Stimmung zwischen Wut und Entspannung sah er das Licht.

Es dauerte etwa eine Sekunde, bis die Wahrnehmung gänzlich in sein gerade erwachendes Bewusstsein durchgesickert war.

Dann traf ihn die Erkenntnis wie ein Stromschlag. Sein Strahl versiegte augenblicklich. Unwillkürlich ging er in Deckung, obwohl er bei dieser Dunkelheit unmöglich zu sehen gewesen wäre.

Schlagartig trat ihm der Schweiß aus den Poren, sein Atem wurde schnell und flach und ein leichtes Zittern ergriff von seinem Körper Besitz. Kluftinger war in heller Aufregung. In geduckter Haltung machte er sich auf den Weg in Richtung des Lichtscheins. Die Helligkeit der schmalen Mondsichel reichte gerade aus, um die Bodenbeschaffenheit auszumachen, sodass er nicht stürzte. Er ignorierte den aufkeimenden Schmerz in seinem lädierten Knie; eigentlich spürte er ihn gar nicht richtig. Er pirschte sich langsam an das Haus heran, ging dabei nicht den direkten Weg, sondern schlug Haken. Dazwischen machte er immer wieder Halt und lauschte. Dabei hielt er den Atem an, um jedes noch so kleine Geräusch, das er selbst verursachte, zu eliminieren. Wenn er das Gefühl hatte, dass sich außerhalb des Hauses nichts regte, setzte er seinen Weg fort.

Etwa zwanzig Meter vor dem Bauernhof stoppte er. Er suchte Deckung hinter einem Baum. Der Hof war in L-Form angeordnet. Die Stirnseite war fast vollständig aus Holz und war früher wohl als Scheune genutzt worden. Die Längsseite sah aus wie der Wohntrakt. Der Kommissar stand nur wenige Meter außerhalb der Einfahrt, die auf zwei Seiten vom Haus und auf einer Seite von einem kleinen Gemäuer begrenzt wurde. Darin hatte früher bestimmt der Misthaufen Platz gefunden, vermutete Kluftinger. Er konnte diese Einzelheiten erkennen, weil aus den Fenstern der Scheune genügend Licht fiel, um den Innenhof etwas zu erhellen. Zwar waren die Fenster mit dunklem Stoff oder Folien abgehängt, aber das war nicht sehr gründlich geschehen. Wer immer sich darin auch zu schaffen machte, er musste sich sehr sicher fühlen.

Kluftinger prägte sich jedes Detail genau ein. Er überlegte fieberhaft, wie er nun weiter vorgehen sollte. Während er nachdachte, fuhr er sich mit der Hand über den Nacken und bemerkte erst jetzt, dass er schweißgebadet war. Sein Hemd klebte an seinem Oberkörper und sogar der Bund seiner Hose fühlte sich feucht an. Plötzlich öffnete sich die Tür zur Scheune. Kluftingers Herz übersprang einen Schlag. Er duckte sich. Kniff die Augen zusammen. Wenn jetzt jemand den Hof verlassen würde, würde er unweigerlich entdeckt. Er stand praktisch mitten in der Hofausfahrt. Er verfluchte sich innerlich, dass er sich nicht die Zeit genommen hatte, eine bessere Deckung zu suchen. Er blickte sich um. Sollte er schnell nach rechts laufen, hinter dem Wohngebäude Schutz suchen? Nein, jede Regung würde ihn ganz sicher verraten. Seine Hand wanderte wie in Trance an den Bund zu seinem Holster. Es kam ihm vor, als würde ihm die Luft abgeschnürt: Es war leer. Verdammt, seine Waffe lag jetzt in seinem Auto. Und das Handy daneben. Sollte er umkehren? Erst Verstärkung rufen?

Ein Klicken riss ihn aus seinen Gedanken. Er erkannte die Schemen eines hochgewachsenen Mannes. Er hatte etwas in der Hand. Irgendetwas, das leuchtete – ein Feuerzeug. Kluftinger war erleichtert. Wäre es eine Taschenlampe gewesen, es hätte schlecht für ihn ausgesehen. Ein roter Punkt flog vor der Eingangstür auf und ab. Der Mann hatte sich offenbar eine Zigarette angezündet.

Der rote Punkt flog wie ein Glühwürmchen durch die Luft. Nach links, nach rechts … auf ihn zu. Verdammt. Der Mann kam genau auf ihn zu. Kluftinger wischte sich den Schweiß von der Oberlippe. Er ballte die Hände zu Fäusten. Noch fünf Meter, dann würde er einfach aufspringen und den Mann k.o. schlagen. Das Überraschungsmoment würde hoffentlich reichen.

„He, wie wär's, wenn du uns mal wieder ein bisschen hilfst?"
Kluftinger hielt den Atem an. Eine zweite Gestalt war in der Eingangstür aufgetaucht. Durch das Licht aus dem Inneren konnte der Kommissar sie nur als schwarzen Fleck ausmachen.
„Man wird ja wohl noch mal pinkeln dürfen?"
Kluftinger bekam eine Gänsehaut, obwohl er schwitzte. Wenn er jetzt aus seiner Deckung heraus müsste, würde es schlecht um ihn stehen. Warum musste er sich auch ausgerechnet hinter diesem Baum verstecken? Und warum mussten Männer immer gegen irgendwelche Bäume pinkeln?

Er ging im Geist den bevorstehenden Kampf durch: Den ersten würde er vielleicht mit einem gezielten Schlag schaffen, aber den zweiten? Kluftinger hatte in seinem ganzen Leben noch nie eine körperliche Auseinandersetzung gehabt, wenn man von der Wirtshausschlägerei vor gut 20 Jahren absah. Und auch da hatte er nicht gut ausgesehen, obwohl er noch wesentlich jünger und sportlicher gewesen war. Außerdem konnte er nicht gut Schmerzen ertragen. Sollte er einfach aufstehen und sich als Polizist zu erkennen geben? Vielleicht würde der Schock, entdeckt worden zu sein, die beiden Männer lähmen. Andererseits wusste er nicht, wie viele sich noch im Haus befanden. Sollte er so tun, als hätte er eine Waffe? Aber was, wenn die Männer selbst bewaffnet waren?

„Komm jetzt, ich brauch dich hier drin."

Kluftinger schickte ein Stoßgebet zum Himmel: Lass ihn wieder reingehen, lass ihn wieder reingehen. Dann sah er den roten Punkt auf sich zufliegen und kurz darauf unzählige leuchtende Pünktchen vor seinen Füßen tanzen. Ihr Glimmen erhellte für einen Sekundenbruchteil auch sein Gesicht. Aber das konnte der Mann nicht mehr sehen. Er hatte sich bereits umgedreht und ging wieder zur Scheune.

Kluftinger schaffte es nur unter Aufbringung aller Willenskraft, nicht lautstark auszuatmen, so erleichtert wie er war. Er ließ sich ein, zwei Minuten Zeit, bevor er sein weiteres Vorgehen durchdachte. Er würde diesmal vorsichtiger sein.

Aus der Scheune drangen gedämpfte Stimmen, immer wieder hörte man Metall klappern und dann ein leises Zischen. Er hielt es nun nicht mehr aus. Er musste wissen, was sich in der Scheune abspielte. Kluftinger visierte den Brunnen an, der etwa zehn Meter entfernt ziemlich genau auf halber Strecke zwischen ihm und der Scheune lag. Er zählte innerlich bis drei und spurtete los. Er wunderte sich selbst darüber, dass er während des Laufens kaum ein Geräusch verursachte. Er duckte sich hinter den Brunnen, nahm die linke Seite der Scheune ins Visier, und rannte wieder. Als er hinter der Ecke verschwunden war, fühlte er sich besser. Hier war er nicht so leicht zu entdecken, selbst wenn jemand aus dem Gebäude herauskommen würde.

Langsam tastete sich Kluftinger weiter an der Holzwand entlang vom Hof weg. Dann hatte er gefunden, wonach er gesucht
hatte: Wie ein kleiner Diamant blitzte ein winziger Lichtschein
aus der Wand. Das alte Holz war voll von kleinen Rissen und
einer würde ihm als Guckloch dienen. Kluftinger presste seine
linke Wange gegen die Wand und schob sein Auge über den
Spalt. Mit dem Augenwinkel des anderen behielt er den Hof im
Blick.

Kluftinger musste mit den Beinen etwas zurück und sich dann
nach vorn lehnen, denn sein Bauch verhinderte, dass er sich nah
genug an den winzigen Spalt pressen konnte. Endlich sah er ins
Innere. Zunächst fiel sein Blick auf etwas Großes, Metallisches.
Es hatte eine wabenartige Struktur, sah aus wie gebürstetes
Eisen. Er schob seinen Kopf nach oben, nach unten, nach links
und rechts, doch ihm bot sich immer nur das gleiche Bild. Er
trat ein paar Schritte zurück und suchte die Wand nach weiteren undichten Stellen ab. Schnell wurde er fündig. Nun erkannte er auch, wozu der metallene Gegenstand gehörte, den er
zuerst gesehen hatte: Er hatte auf einen Lastwagen geblickt.
Aber es handelte sich um keinen normalen Lastwagen. Es war
ein Tankwagen.

Der Kommissar veränderte seine Position etwas, um mehr von
dem Raum zu sehen. Jetzt erkannte er auch zwei, nein drei
Männer. Einer saß im Führerhaus des Lastwagens, die zwei
anderen hievten gerade einen großen Sack in Richtung Wagen.
Dann legte der eine dem anderen den Sack über die Schulter,
woraufhin dieser eine metallene Treppe hinaufstieg. Daher
kamen die Klapper-Geräusche, die er vorher gehört hatte. Der
Mann mit dem Sack verschwand aus seinem Blickfeld.
Kluftinger beeilte sich, ein neues Guckloch auszumachen. Als er
es gefunden hatte, sah er gerade noch, wie der Mann den Sack
auf eine Rinne legte, die geradewegs ins Innere des Tanks führte. Ein weißliches Pulver ergoss sich mit einem Zischen ins
Innere des Lastzugs. Jetzt war also auch die Herkunft dieses
Geräusches geklärt.

Kluftinger lugte in den Raum und entdeckte eine ganze Reihe
von Säcken, die sich an der anderen Wand der Scheune stapel-

ten. Er bemerkte eine Schrift darauf, aber er konnte sie aus dieser Entfernung nicht entziffern. Atemlos huschte er um die Scheune herum. Ein weiterer, etwas größerer Spalt gestattete ihm einen komfortableren Blick ins Innere. Er musste jetzt direkt hinter den Säcken sein. Gerade wurde vor ihm der oberste von vier Händen gepackt und heruntergezogen. Dabei konnte er die Schrift nun ganz deutlich erkennen. Nur lesen konnte er sie nicht. Es waren Schriftzeichen, die ihm fremd waren. Am ehesten erinnerten sie ihn an kyrillische Buchstaben, aber sicher war er sich nicht. Nur eins war gewiss: Jetzt verstand er überhaupt nichts mehr.

Was in aller Welt konnten diese Säcke mit den fremdländischen Schriftzeichen nur mit den beiden Morden an Wachter und Lutzenberg zu tun haben? Hatten sie überhaupt etwas damit zu tun? Kluftinger merkte, wie sich sein Magen zusammenkrampfte. Er wollte diesen Gedanken gar nicht weiterdenken. Insgeheim hatte er gehofft, heute, hier draußen in der Einöde, den Schlüssel zu seinen ungelösten Fällen zu finden. Doch nun hatten sich im Gegenteil sogar noch weitere Fragen aufgetan. Wie lange würde es dauern, dieses Teil ins Puzzle einzufügen? Wenn es überhaupt passte. Und was war das für ein Pulver, das da in den Tanklastzug verladen wurde? War er vielleicht einem riesigen Drogendelikt auf die Spur gekommen? Wie lange könnte er noch …

Kluftinger konnte den begonnenen Gedanken nicht mehr zu Ende führen. Der Mann aus dem Führerhaus des Lastwagens war gerade ausgestiegen. Er kannte ihn. Es war Hermann Botzenhard. Derselbe, bei dem er tags zuvor noch die Traktoren angesehen hatte. Sein Gefühl hatte ihn also nicht getrogen: Botzenhard war ihm gleich so seltsam vorgekommen.

Kluftinger beschloss, zurück zum Auto zu gehen. Er wollte die Kollegen rufen, hier würde er allein sowieso nichts ausrichten können. Und er musste sich beeilen: Es war kurz vor fünf und der Himmel verfärbte sich schon langsam in ein verwaschenes Grau. Es würde nicht mehr lang dauern und der kommende Tag würde ihm jede Möglichkeit der Deckung nehmen. Er schlich weiter an der langgezogenen Wand des Wohntraktes. Er lauschte noch einmal, und als er sicher war, dass sich niemand außerhalb der Scheune befand, rannte er los.

Er kam nur ein paar Meter weit, dann stoppte er so abrupt, dass er beinahe der Länge nach hingefallen wäre. Zwei Scheinwerfer tasteten sich gerade am Ende der Straße über den Hügel. Kluftinger zischte einen Fluch, sah sich um, und lief wieder in den Schutz der Hauswand zurück. Dort wollte er warten, bis das Auto vorbeigefahren war. Doch es fuhr nicht vorbei. Nein, es bog von der Straße auf den Weg, der zum Hof führte.

Kluftinger sah schnell nach links und nach rechts. Wenn er sich woanders verstecken wollte, musste er es gleich tun. Doch er wähnte sich in seiner jetzigen Position einigermaßen in Sicherheit. Durch die Fenster des Wohnhauses hindurch sah er, wie der Wagen im Hof parkte. Jemand stieg aus und stapfte in die Scheune. Kluftinger rannte zu seinem vorigen Standpunkt und spähte wieder durch die Bretterwand. Er sah den Mann, der gerade hereingekommen war. Es war ein grobschlächtiger Hüne, der den drei anderen mit seinen Riesenpranken kumpelhaft auf die Schultern schlug. Der Kommissar verstand nicht, was er mit den anderen redete, aber offensichtlich bereiteten sie den Aufbruch vor. Der Hüne übergab Botzenhard den Wagenschlüssel, worauf sich der von den anderen verabschiedete. Zusammen trugen sie noch die leeren Säcke nach draußen. Kluftinger hörte, wie sich ein Auto mit quietschenden Reifen vom Bauernhof entfernte. Von seinem Standpunkt war nicht zu erkennen, wohin es fuhr. Dann hörte er den Anlasser des Tankwagens. Jetzt musste er aufpassen. Er wollte unbedingt dem Wagen folgen, allerdings musste er erst noch sein Auto erreichen. Und es war inzwischen gefährlich hell geworden. Er pirschte sich wieder an die Fenster heran und sah, wie der Tankwagen auf dem Hof wendete. Als er abfuhr, rann ihm ein Schauer über den Rücken: im Führerhaus saßen nur zwei Personen. Der dritte, der Hüne, fehlte.

Kluftinger ließ sich sofort in die Knie sacken. Er verfluchte seine eigene Dummheit. Warum hatte er nur sein Handy und sein Waffe im Auto liegen lassen? Aber Lamentieren half ihm nun nicht weiter. Er musste hinter dem Lastwagen her und zwar so schnell wie möglich. Kluftinger nahm sich vor zu rennen. Blitzartig sprang er auf und lief. Er lief wie noch nie zuvor in seinem Leben. Er sah sich nicht einmal um. Egal, was hinter ihm geschah, wenn er nur sein Auto erreichen würde, war er in Sicherheit. Der Tankwagen war inzwischen hinter einer Kuppe verschwunden. Kluftinger hatte noch gut hundert Meter bis zu seinem Auto zurückzulegen. War da ein Geräusch hinter ihm? Er vermochte es nicht zu sagen. Der Luftzug, den er erzeugte, und sein Herzklopfen, das er deutlich zu hören meinte, trübten sein Wahrnehmungsvermögen. Endlich sah er die Bäume, hinter denen er sein Auto abgestellt hatte. Vielleicht noch 20 Meter. Die kühle Morgenluft trieb Kluftinger die Tränen in die Augen. Er spürte förmlich den Atem des Hünen hinter sich, spürte, wie sich dessen Pranke nach ihm ausstreckte, ihn zu greifen versuchte. Dann hatte er sein Auto erreicht. Er stolperte auf die Fahrertür zu, riss die Pistole an sich, wirbelte herum. Die Waffe im Anschlag schrie er mit sich überschlagender Stimme „Halt!". Doch es war niemand da.

Ein, zwei Sekunden vergingen, dann entspannte sich Kluftingers Körper. Er wischte sich mit der linken Hand über das schweißnasse Gesicht. Und langsam, ganz langsam, ließ er auch die Waffe sinken. Erst jetzt merkte er, wie sehr ihn dieser Geländelauf erschöpft hatte. Er spürte, wie sein Herz pumpte, sein Atem pfiff, seine Hände zitterten. Ob dieses Zittern von der Angst herrührte, die ihn gerade übermannt hatte, oder vom Laufen, wusste er nicht. Vielleicht wollte er es gar nicht wissen. Mit zunehmender Beruhigung kehrte auch sein analytischer Verstand zurück, der ihn eben so schmählich im Stich gelassen hatte. Der Tankwagen! Mein Gott, er musste sich beeilen, sonst würde er ihm durch die Lappen gehen. Und diese Schlappe würde er im Präsidium nur schwer erklären können. Er sprang ins Auto und fuhr los.

Je länger er fuhr, desto sicherer fühlte er sich. Er war froh, dass er mit seinem eigenen Auto unterwegs war. Er fuhr schnell, viel schneller als diese kurvige Strecke eigentlich zuließ. Und endlich sah er den Tankwagen, der sich gerade einen steilen Berg hinaufschleppte. Kluftinger ging vom Gas. Sein Passat und der Lkw waren die einzigen Autos, die zu dieser Stunde, es war kurz vor sechs, unterwegs waren. Er wollte auf keinen Fall gesehen werden. Er zog aus seiner Hosentasche ein Taschentuch und trocknete sich damit das Gesicht. Dann ließ er die Scheibe herunter. Mein Gott, ist es schön heute, fuhr es ihm durch den Kopf. Die Erkenntnis kam so plötzlich, dass es ihn selbst überraschte. Es verschlug Kluftinger manchmal fast den Atem, so sehr liebte er diese Landschaft. Besonders um diese Tageszeit, wenn eine eigentümliche Schwermut über den Wiesen, den Hügeln und den Wäldern lag. Wenn der Bodennebel alles in ein milchiges, fahles Licht tauchte. Es war dann nicht das Klischee-Allgäu, nicht das Allgäu, das die unzähligen Touristen, die hier jedes Jahr herkamen, sehen wollten. Es gab keinen Almabtrieb und keine Alphörner, keine Blasmusik, kein Alpenglühen. Jetzt war es sein Allgäu. Die satten Farben des Tages verbargen sich noch in einem kühlen morgendlichen Grau. Frisch gemähtes Gras verströmte einen vertrauten Duft. Manche ließ diese Stimmung vielleicht kalt, Kluftinger zauberte sie ein Lächeln auf die Lippen. Für einen kurzen Moment war er glücklich. Einfach so. Sein Glück währte nur bis zu dem Moment, in dem sich der Grund für seine Morgengrauen-Expedition wieder ins Bewusstsein drängte. Der Tankwagen! Wo war der Tankwagen? War er abgebogen? Hatte er zu großen Abstand gehalten? Er kniff die Augen zusammen und blickte hektisch nach rechts und links. Er gab Gas. Dann sah er ihn wieder. Er schnaufte hörbar aus. Seine Nerven waren heute Morgen nicht mehr die besten. Er musste sich unbedingt etwas beruhigen. Er schaltete das Radio ein: Bayern 1, Musikjournal. Die Melodien taten ihm gut, vor allem nach dieser Nacht.

Langsam wurde ihm auch die Strecke immer vertrauter. Der Lastwagen hatte ihn inzwischen auf die Verbindungsstraße von Dietmannsried nach Kempten gelotst. Hier kannte er sich aus. Er musste sich kaum noch auf die Straße konzentrieren. Auch das half ihm, seine Nerven wieder in den Griff zu bekommen. Eine ganze Weile fuhren sie so durch den Morgendunst, bis sie an eine Kreuzung kamen. Geradeaus ging es nach Krugzell und weiter nach Kempten, rechts führte der Weg nach Altusried oder weiter nach Leutkirch. Der Tankwagen fuhr weiter geradeaus. Jetzt begann sein Verstand zu rattern. Fragen schossen ihm durch den Kopf und langsam kehrte die Gewissheit zurück, dass diese Spur ihn auch zur Lösung der Mordfälle führen würde. Er hielt wieder ein bisschen mehr Abstand, denn hier war die Strecke weithin gut einzusehen. Kluftinger fuhr über die Illerbrücke, den Berg hinauf.

Inzwischen war es sieben geworden. Der Laster fuhr in den Ort. Wo wollte er hin? Langsam keimte eine Ahnung in ihm auf, die von jedem weiteren Meter, den der Lkw zurücklegte, bestätigt zu werden schien. Sie befanden sich jetzt auf der Hauptstraße. Sollte er sich doch geirrt haben? Vielleicht war das nur ein wohl kalkulierter Umweg, um eventuelle Verfolger zu verwirren. Dann setzte der Lkw den Blinker. Kluftinger nickte, irgendwie war er zufrieden. Jetzt passte alles zusammen. Er fuhr sein Auto an den Straßenrand und sah zu, wie der Tankwagen in den Hof der Molkerei Schönmanger bog.

Kluftinger überlegte, was er nun tun sollte. Von den Kollegen würde noch niemand im Büro sein. Auch in der Molkerei würde der richtige Betrieb sicher erst in einer Stunde beginnen. Da konnte er sich genauso gut noch ein Frühstück genehmigen und sich ein bisschen „frisch machen". Danach wollte er in die Molkerei zurückkehren und ein Angebot wahrnehmen, das ihm der alte Schönmanger bei seinem ersten Besuch gemacht hatte: Er wollte sich einmal die ganze Firma zeigen lassen.

Kluftinger startete den Passat und fuhr nach Altusried zum Bäcker. Als er sich mit seinen frischen Semmeln wieder ins Auto setzte und an sich herunter sah, war ihm auch klar, was die Bemerkung des Meisters, der morgens immer noch selbst im Laden stand, zu bedeuten hatte: „Ganz schön warm wird das heute, gell. Da hilft es, wenn man luftige Kleidung anhat." Mit einem breiten Grinsen hatte er das gesagt. Jetzt wusste Kluftinger, warum: Der Reißverschluss seiner Hose stand seit seinem abgebrochenen Austreten während der Beschattung noch immer weit offen.

***

Um halb neun stand Kluftinger frisch geduscht und mit einem deftigen Frühstück im Magen in Karl Schönmangers Sekretariat und bat um einen Termin beim Chef. Seine Kollegen hatte er vorher noch kurz über die Ereignisse der Nacht informiert und eine Fortsetzung der Observierung veranlasst.

„Der Herr Kommissar für Sie", trällerte Schönmangers Sekretärin in die Sprechanlage. Es folgte eine Pause von etwa zwei, drei Sekunden, dann kam die knappe Antwort: „Soll reinkommen."

Karl Schönmanger kam hinter seinem Schreibtisch hervor, als Kluftinger eintrat. Er reichte ihm die Hand und begrüßte ihn mit den Worten: „Herr Kommissar. Was führt Sie schon wieder in unsere bescheidene Hütte?" Kluftinger hatte den Eindruck, dass der Molkereichef dabei die Worte „schon wieder" besonders betonte. Ich komme also ungelegen. Gut so, dachte Kluftinger. Seine Antennen waren auf Empfang gestellt, jede Kleinigkeit wollte er registrieren.

„Sie haben mir doch vor einigen Tagen angeboten, mir einmal den ganzen Betrieb zu zeigen", sagte Kluftinger.

Schönmanger hatte sich inzwischen wieder gesetzt und blickte ihn über den Rand seiner dicken Hornbrille an. „Ja, sicher, aber heute …" Er schien kurz nachzudenken und fuhr dann fort: „Warum eigentlich nicht? Ich kann Sie nur nicht selber führen, ich habe ein paar wichtige Termine. Aber ich veranlasse das." Er führte Kluftinger zur Tür, beauftragte seine Sekretärin damit, Robert Bartsch wegen einer persönlichen Führung für den Kommissar herzubestellen, und verabschiedete sich schnell.

Kluftinger vertrieb sich die Zeit des Wartens damit, vom Fenster der Sekretärin den Innenhof zu inspizieren. Er sah die große Ankunftshalle, in der einige Milchwagen standen. Von der Decke hingen allerlei Schläuche und Drähte herunter. Er schüttelte den Kopf: Dass ihm nicht gleich aufgefallen war, dass es sich bei dem Tankwagen um einen Milchwagen handelte … Vielleicht lag es daran, dass der, den er heute Morgen verfolgt hatte, keine Aufschrift trug. Die anderen waren alle mit einem Schriftzug versehen, etwa „Die Milch macht's", oder „Schön, schöner, Schönmanger Käse".

„Das ist unsere Be- und Entladehalle."

Kluftinger erschrak etwas, als er die Stimme in seinem Rücken hörte. Er drehte sich um und blickte in das braungebrannte Gesicht von Bartsch, der ihm seine Siegelring-Hand zum Gruß entgegenstreckte.

„Morgen", grüßte der Kommissar nur kurz.

„Wenn Sie wollen, können wir in der Halle gleich mit der Führung beginnen", sagte Bartsch freundlich.

Zusammen stiegen sie die Treppe hinunter.

„Was interessiert Sie denn besonders?", fragte Bartsch.

„Eigentlich alles. Wenn es geht, zeigen Sie mir doch einfach den ganzen Arbeitsablauf. Vom Anliefern der Milch bis zum fertigen Produkt."

Inzwischen standen sie mitten in der Halle, die von innen noch riesiger wirkte als gerade eben vom Fenster. Kluftinger sah auch das Milchauto von heute Nacht wieder. Jetzt wollte er es wissen.

„Sie können das ja vielleicht am konkreten Beispiel demonstrieren", sagte der Kommissar. „Was geschieht etwa mit der Milch … sagen wir, aus diesem Milchwagen?" Mit diesen Worten streckte er seine Hand aus und deutete mit dem Zeigefinger auf den einzigen Lkw ohne Aufschrift.

Bartsch folgte der Richtung, die sein Finger wies. Kluftinger beobachtete ihn genau. „Geht in Ordnung", war seine Antwort und der Kommissar war etwas enttäuscht, dass er überhaupt keine Regung aus dem Gesicht des Chemikers herauslesen konnte.

„Wie Sie schon gesehen haben, wird die Milch hier angeliefert", begann Bartsch mit seinen Erklärungen. „Etwa 200 Bauern versorgen uns täglich mit frischer Milch, was im Jahr so um die 44 Millionen Kilogramm Milch macht." Bartsch legte eine kurze Pause ein und schob die Brust etwas vor. Es schien, als erwarte er von Kluftinger nun ein Wort der Anerkennung, ein ungläubiges „Wirklich?" oder zumindest ein staunendes „Ah". Kluftinger jedoch blieb ihm eine Reaktion schuldig. Als er sah, dass Bartsch das kurzzeitig verunsicherte, freute er sich. Der Chemiker fuhr fort, vom Abpumpen der Milch, von einem

Hochdruck-Pumpensystem, von „modernsten Bauelementen" zu reden und klang dabei, als hätte er diese Worte schon hunderte Male benutzt. Kluftinger hörte nur mit einem Ohr zu. Ihn interessierte viel mehr, was hier hinter den Kulissen ablief.

„Mir ist aufgefallen, dass alle Tankwagen eine Aufschrift tragen. Bis auf den hier", unterbrach der Kommissar die Darlegungen seines Führers.

„Das liegt einfach daran, dass wir vor einiger Zeit einen Relaunch gestartet haben. Wir setzen jetzt ganz auf Corporate Identity, wenn Sie verstehen, was ich meine."

Kluftinger verstand es nicht, aber erstens wollte er sich in diesem Kräftemessen keine Blöße geben und zweitens fand er diesen Business-Ton, den Bartsch anschlug, sowieso lächerlich. So zu sprechen, dass einen niemand versteht, ist keine Kunst. Intelligenz zeigt sich darin, für jedermann verständlich zu sein. Das hatte ihm sein Vater immer gesagt und er hatte völlig Recht. Ihn ärgerte vielmehr, dass Bartsch auf alles eine Antwort zu haben schien.

„Hier sehen Sie unsere Eingangskontrolle." Mit diesen Worten deutete Bartsch auf eine Fensterfront, die von der Ankunftshalle aus einen Blick in die Arbeitsräume gestattete. „Nur beste Qualität findet ihren Weg in Schönmanger-Produkte", sagte Bartsch und klang dabei wie eine Fleisch gewordene Radiowerbung. „Wir sind übrigens ISO-zertifiziert", fügte er an und nickte sich dabei selbst zu.

Kluftinger unterbrach seine Ausführungen für ein paar Fragen nach handfesten Informationen: „Wie viele Mitarbeiter haben Sie hier denn?"

„Ziemlich genau 80. Die erwirtschaften im Jahr einen Umsatz von knapp 35 Millionen Euro. Ganz ordentlich für eine Firma, die schon in dritter Generation Milch verarbeitet und als einfache Käserei angefangen hat, finden Sie nicht?"

Kluftinger ging dieses selbstverliebte Getue auf die Nerven.

„Und wie lange sind Sie schon bei dieser Traditionsfirma?", fragte Kluftinger, obwohl er es genau wusste.

Das selbstgefällige Grinsen verschwand augenblicklich aus Bartschs Gesicht. „So dreizehn, vierzehn Jahre", sagte er leise.

Als Kluftinger und Bartsch den Produktionsbereich betraten, mussten sie sich beide weiße Plastikhauben und Schuh-Überzieher aus Plastik anziehen, weil „Hygiene bei uns groß geschrieben wird", wie Bartsch sagte.

„Hier geht jetzt die eigentliche Produktion los", sagte Bartsch sehr laut, um den Geräuschpegel in der Halle zu übertönen.

„Wussten Sie eigentlich, dass es etwa 4000 verschiedene Käsesorten gibt?", fragte Bartsch.

Kluftinger wusste es nicht. Er sagte deswegen: „Ja, davon habe ich gehört."

„Für ein Kilogramm Käse braucht man etwa 13 Liter Milch", fuhr Bartsch mit seiner Schulstunde fort. „Die gefilterte Milch wird pasteurisiert, kommt dann hier in diese Becken und wird mit Bakterienkulturen versehen. Aber keine Angst, das sind völlig ungefährliche Bakterien."

Kluftingers Nase fing an zu glühen: Hielt dieser Bartsch ihn eigentlich für einen totalen Deppen? Nein, er dürfte sich nicht ärgern lassen, tadelte er sich für seine aufkeimende Wut. Die würde seine Sinne nur trüben. Wer weiß: Vielleicht war es genau das, was Bartsch wollte.

„Dann kommt Lab dazu. Das ist ein Enzym aus der Magenschleimhaut von Kälbern."

Kluftinger wusste auch das, doch er verdrängte den Gedanken daran immer, so gut es ging. Er liebte Käse, er wollte sich den Appetit nicht durch den Gedanken an Kälberschleimhäute verderben.

„Vielleicht kann Ihnen das der Herr dort drüben genauer erklären", sagte Bartsch und deutete auf einen Mann im weißen Kittel, der ebenfalls eine weiße Haube trug und sich Zahlen, die auf einem Bildschirm leuchteten, auf einen Block notierte.

Bartsch rief zu dem Mann hinüber: „Sie … Hallo, Sie da, Herr …"

„Dorn", sagte Kluftinger, ging auf den Mann zu und streckte ihm die Hand entgegen. „Griaß di, Franz."

„Ja, Klufti, servus. Und, gibt's eine Privatführung?"

„Ja, so ähnlich. Und du? Was treibst du denn hier gerade?"

„Ach, ich les' nur ein paar Kontrollzahlen ab. Ist ja alles computergesteuert hier. Da kann man nicht mehr viel falsch machen. Soll ich dir ein bisschen was zeigen?"

Der Kommissar folgte ihm. Bartsch ließen sie einfach stehen.

„Wir nennen das einlaben", erklärte Dorn gerade, als Bartsch sie wieder erreicht hatte. Die beiden würdigten ihn keines Blickes. „Naja, und dann haben wir, kurz gesagt, Molke und Quark", fuhr Dorn fort. „Hier werden die beiden Bestandteile getrennt, und dann …"

„So, alles Klärchen, ich glaube, wir müssen weiter", schaltete sich Bartsch in die Diskussion ein.

Klärchen? Hatte er wirklich Klärchen gesagt? Kluftinger verspürte einen unbändigen Drang, laut loszulachen.

„Vielen Dank, Herr …"

„Dorn", vollendete der Käser Bartschs Satz.

„Naja, ich glaube, der Rest ist ziemlich klar: Wir gießen Formen mit der Käsemasse aus und trocknen das Ganze. Je nach Käse eben länger oder kürzer." Bartsch hatte einen mächtigen Zahn zugelegt. Er schien keinen Gefallen mehr an der Führung zu finden.

Schließlich kamen sie auch am Labor vorbei. Bartsch zog eine Magnetkarte durch einen Schlitz und hielt dem Kommissar die Tür auf.

„So, das ist jetzt mein Reich", sagte er und lächelte dabei. Als er Kluftingers kritischen Blick sah, zuckte er ein wenig zusammen, das Lächeln verschwand und er beeilte sich, hinzuzufügen: „Also seit Philip auf so tragische Weise die Firma verlassen hat. Naja, Sie wissen schon …"

Kluftinger ging an ihm vorbei. Nun konnte er ein Grinsen nicht mehr unterdrücken, er ließ es Bartsch allerdings nicht sehen. Innerlich schrieb er sich einen Punkt gut.

„Hat sich hier irgendetwas geändert, seit Herr Wachter tot ist?", fragte er.

„Nein, nicht wirklich. Wir sind natürlich immer noch geschockt."

Bartsch schien durch seine deplatzierte Äußerung von eben verunsichert. Kluftinger wollte das ausnutzen.

„Kennen Sie eigentlich eine Familie Lutzenberg?"

Jetzt merkte er Bartsch eine deutliche Reaktion an, die für Kluftinger Antwort genug war.

„Lutzenberg … Lutzenberg sagen Sie?" Bartsch dachte angestrengt nach. Dabei blickte er dem Kommissar prüfend in die Augen. Für Kluftinger schien es, als überlege er nicht, ob er den Namen kannte oder nicht, sondern lediglich, ob er es ihm sagen sollte. Schließlich schien er sich entschieden zu haben.

„Nein, auf Anhieb fällt mir da jetzt niemand ein …", lautete Bartschs zögerliche Antwort.

„Na, das wundert mich aber. Sie haben doch so eng mit Herrn Wachter zusammengearbeitet. Da wird er doch bestimmt einmal seinen alten Studien- und Forscherkollegen Robert Lutzenberg erwähnt haben?"

Von Bartschs anfänglicher Selbstsicherheit war nun nichts mehr zu spüren. Er biss sich mit den Schneidezähnen auf die Unterlippe. „Ach so … ja, jetzt wo Sie's sagen. Genau, so hieß ja Philips Kollege."

„So hieß er, genau. Und wissen Sie was? Vor drei Tagen wurde sein Sohn umgebracht. Stellen Sie sich das vor. Erschlagen. Vor einer kleinen Berghütte oberhalb von Weiler."

Bartsch schien nun völlig aus dem Konzept gebracht. Er nickte nur und blickte Kluftinger fragend an. Er schien nicht zu verstehen, warum der Kommissar ihm das ausgerechnet jetzt erzählte. Er rückte sich umständlich die lilafarbene Krawatte zurecht. Gerade als er antworten wollte, machte Kluftinger seine Verwirrung komplett: „Aber das tut ja hier nichts zur Sache. So, dank'schön für die Führung, ich muss dann jetzt auch wieder los." Er zog sich die Haube vom Kopf, drückte sie Bartsch in die Hand und verabschiedete sich mit den Worten „Ich find' schon raus."

Als er über den Hof ging und sich das Haar glatt strich, lächelte er. Kurz bevor er in den Wagen stieg, sah er, wie Bartsch aufgeregt die Treppe zum Büro der beiden Schönmangers hinaufstieg. Vielleicht hatte er einen Stein ins Rollen gebracht. Er fand, dass sich sein Besuch gelohnt hatte.

***

An diesem Abend war Kluftinger wieder in Fronschwenden bei Wildpoldsried. Er war zwar noch müde von der letzten Nacht, doch diesmal war das kein Hinderungsgrund. Denn er war nicht allein gekommen: Drei Streifenwagen mit jeweils drei Beamten hatten sich ebenfalls postiert, außerdem waren Maier, Hefele und Strobl mit von der Partie. Heute wollte keiner fehlen. Denn heute würde ihnen ein Fisch ins Netz gehen, da waren sich alle sicher. Auch wenn es vielleicht nicht der Mörder war.

Kluftinger hatte sich eigentlich vorgenommen, etwas zu schlafen, bevor es losging, aber er war zu aufgeregt. Seinen Kollegen ging es nicht anders. Sie saßen alle in Strobls Wagen, denn der Transport in Kluftingers Passat war daran gescheitert, dass sie keine Variation in der Sitzordnung gefunden hatten, die allen vier Kollegen und der Trommel ausreichend Platz geboten hätten.

Sie mussten lange warten in dieser Nacht, aber sie warteten nicht umsonst. Etwa um 2 Uhr nachts hörten sie einen Lastwagen kommen, kurz darauf fuhr auch der Tankwagen in Richtung des Einödhofes.

„Ungefähr die gleiche Zeit wie gestern", sagte Kluftinger, ohne seine Kollegen dabei anzusehen. Hätten sie ihm in die Augen geblickt, sie hätten bestimmt herausgefunden, dass er nicht die geringste Ahnung hatte, wann die Autos gestern vorgefahren waren.

Er winkte alle anwesenden Beamten zu sich. „Wir machen alles wie besprochen", flüsterte er, obwohl man ihn bis zum Bauernhaus unmöglich hätte hören können. Alle nickten. Dann gab Kluftinger Hefele, Strobl und Maier ein Zeichen und die vier setzten sich in Bewegung.

Als sie beim Hof angekommen waren, bezogen sie an verschiedenen Orten Stellung. Kluftinger verschwand diesmal gleich hinter der Scheune, Strobl und Hefele schlichen sich hinter das Wohnhaus und Maier duckte sich hinter dem Baum, der das Ende der Einfahrt markierte. Der Kommissar lugte ins Innere. Die alten Bekannten von gestern Nacht waren alle versammelt. Auch der Hüne war da. Zusammen wuchteten sie gerade die

Säcke mit der seltsamen Aufschrift, die Kluftinger gestern schon gesehen hatte, von der Ladefläche eines Lasters.

Kluftinger nickte. Der Zeitpunkt war gekommen. Langsam zog er seine Pistole aus dem Holster, atmete noch einmal tief durch, griff dann in die andere Tasche, zog ein Funkgerät hervor, führte es ganz nah an seinen Mund und sagte dann nur ein einziges Wort: „Zugriff!"

Eine Sekunde lang war kein Laut zu hören. Nichts, absolute Stille. Dann brach die Hölle los. Mit durchdrehenden Reifen bogen die Polizeiwagen auf den kleinen Weg zum Hof, ihr Blaulicht und die Scheinwerfer durchschnitten die Dunkelheit, die Sirenen zerrissen die Stille mit ohrenbetäubendem Lärm. Gleichzeitig sprangen Kluftinger und seine Kollegen aus ihren Verstecken, traten gegen die Scheunentür, stürmten mit vorgehaltenen Pistolen hinein und schrien dann alle durcheinander. Sie schrien ihre eigene Aufregung mit Sätzen wie „Hände hoch!", „Halt, Polizei!" und „Keine Bewegung!" hinaus. Die vier Männer in der Scheune waren völlig überrumpelt. Der plötzliche Lärm, der Anblick der Waffen ließ jegliche Farbe aus ihren Gesichtern weichen. Für eine Sekunde starrten sich die acht Männer einfach nur an, dann blickte sich der Hüne um und wollte auf dem Absatz kehrt machen.

Da schrie Maier aus vollem Hals „Bleib' stehen oder ich knall' dich ab!", wobei ihm der Speichel in die Mundwinkel trat. Der Hüne erschrak dermaßen, dass er seinen Fluchtplan sofort wieder fallen ließ. Fassungslos über seinen Ausbruch blickten auch Kluftinger und seine Kollegen zu Maier.

Sofort rannten sechs uniformierte Beamte in die Scheune. Ehe sie wussten, wie ihnen geschah, hatten die vier Männer, die sich noch vor wenigen Sekunden unbeobachtet wähnten, Handschellen an.

„Was treiben Sie hier?", schnauzte Kluftinger sie an. Keiner antwortete ihm. Kluftinger ging auf Hermann Botzenhard zu. „Sieh mal an, der Herr Botzenhard: Und, nur mal beim Nachbarn nach dem Rechten sehen, oder wie? Haben Sie mir etwas zu sagen?"

Botzenhard senkte den Kopf.

„Nicht? Auch gut. Wir erfahren schon noch, was wir wissen wollen. Auch ohne Sie. Aber wenn Sie uns helfen, helfen Sie auch sich."

Mit diesen Worten ging der Kommissar zu einem der Säcke, die schon abgeladen waren. Er fischte sein Taschenmesser aus der Hose, klappte es auf und stach hinein. Weißer Staub puffte aus dem Loch und Kluftinger wedelte ihn mit der Hand beiseite. Dann zog er die Öffnung etwas auseinander, feuchtete seinen Finger an und tauchte ihn in das weiße Pulver. Seine Kollegen verfolgten gespannt jede seiner Bewegungen. Keiner wagte einen Ton von sich zu geben, als Kluftinger seinen Finger wieder herauszog und daran roch. Er schob sich den Finger in den Mund, schmatzte ein bisschen und sagte dann: „Milchpulver."

Die Kollegen blickten sich an: Milchpulver? Natürlich, das machte Sinn. Zumindest in Zusammenhang mit dem Tankwagen. Maier allerdings schien enttäuscht. Er hatte mit der Aufdeckung eines riesengroßen Drogendeals gerechnet.

Kluftinger ging wieder zu Botzenhard: „Wollen Sie mir nicht vielleicht doch sagen, wozu Sie hier so spät nachts mit Milchpulver hantieren? Na?"

Botzenhard hob seinen Kopf. Er schien mit sich zu kämpfen. Dann begann er zu sprechen. „Ich …"

Weiter kam er nicht. „Halt bloß dein dummes Maul", zischte ihn der Hüne an. Das saß. Botzenhard klappte seinen Mund sofort wieder zu.

„Auch gut. Wir kommen schon dahinter."

Er wandte sich an die uniformierten Beamten: „Sie können sie jetzt mitnehmen. Ich will diese Vögel hier nicht mehr sehen. Aber ein Wagen soll hierbleiben, falls doch noch jemand kommen sollte."

Die Polizisten führten die Männer ab. Hefele fuhr mit ihnen ins Präsidium, er wollte dort schon mit der Vernehmung beginnen. Zwei Beamte bezogen im Hof Stellung. In der Scheune war es nach diesen turbulenten Minuten gespenstisch ruhig.

„Ich knall dich ab, was?", sagte Strobl zu Maier und schüttelte den Kopf.

Als Maier Hilfe suchend zu Kluftinger sah, wandte der sich an Strobl: „Komm, lass ihn. Wir waren alle angespannt. Da geht schon mal der Gaul mit einem durch."

Und mit einem Grinsen zu Maier fügte er hinzu: „Nur gut, dass du so selten eine Waffe trägst."

***

Die restliche Nacht verlief ruhig. Wie erwartet, kam niemand mehr zum Hof. Kluftinger hatte sogar etwas geschlafen. Inzwischen war es sechs Uhr.

„Es wird Zeit", sagte Kluftinger zu seinen Kollegen. „Du weißt Bescheid?", sagte er mit einem fragenden Blick zu Maier.

Der nickte nur. „Also dann bis später", verabschiedete er sich.

Mit den Worten „Ein Kratzer und ich knall dich ab" drückte Strobl ihm seinen Autoschlüssel in die Hand. Dann stieg er zum Kommissar ins Führerhaus des Milchwagens.

Kluftinger drehte den Zündschlüssel und wollte etwas Bedeutendes sagen. Ihm fiel aber nur der Satz „Dann wollen wir die Kuh mal melken" ein. Strobl fragte nicht nach. Sie fuhren los.

***

„Du kennst auch wirklich jeden", sagte Strobl anerkennend, als sie mit dem Tankwagen einen Bauern auf seinem Traktor passierten, der ihnen fröhlich zuwinkte. Kluftinger hätte dieses Kompliment gerne angenommen. Aber in diesem Fall musste er Strobl korrigieren: „Scheint so, als ob man als Milchfahrer sozusagen Grußpflicht hat."

„Was meinst du eigentlich, was das mit dem Pulver zu bedeuten hat?", fragte Strobl, nachdem beide einige Minuten geschwiegen hatten.

„Offensichtlich wollten sie sich da noch etwas Milchgeld nebenher verdienen", erwiderte der Kommissar und war so stolz auf sein Wortspiel, dass er sich vornahm, es bei Gelegenheit noch einmal anzubringen.

„Das ist schon klar. Fragt sich nur wie."

„Hast du nicht mit den Leuten vom Labor gesprochen?"

„Doch, schon. Aber mit Milchverarbeitung kannte sich auch keiner so richtig gut aus. Allerdings scheint es so zu sein, wie du schon aus den Artikeln rausgelesen hast: Lutzenberg und Wachter haben wohl ein Verfahren entwickelt, das es möglich gemacht hat, den Reifeprozess bei der Milchveredelung erheblich zu beschleunigen. Und Zeit ist eben Geld. Milchgeld", sagte Strobl und freute sich ebenfalls über die Zweitverwertung des Wortspiels seines Chefs.

„Und dieses Verfahren war schädlich."

„So kann man das nicht sagen. Es hätte was werden können, dann wären die beiden die Könige gewesen. Aber sie wollten eben zu schnell den Ruhm."

„Hauptsächlich Wachter, wie es aussieht."

„Wie auch immer: Jedenfalls haben sie's vorschnell auf den Markt gebracht. Wie das Milchpulver da reinpasst, ist mir allerdings noch nicht klar."

„Wie die zwei Morde da reinpassen, interessiert mich viel mehr", erwiderte der Kommissar.

Dann wurde es wieder still im Führerhaus. Sie waren kurz vor Krugzell. Kluftinger war dieselbe Strecke gefahren wie der Milchwagen gestern. Er wollte kein Risiko eingehen. Es sollte aussehen wie immer.

Kurz vor dem Ortseingang gab er Strobl ein Zeichen, die Kollegen per Funk zu informieren, dass sie gleich da wären. Fast zeitgleich kamen sie mit den Polizeiwagen vor der Molkerei an. Die Streifenwagen bezogen vor den Einfahrten Stellung, Kluftinger und Strobl fuhren hinein.

Der Kommissar steuerte rückwärts den gleichen Platz an, an dem auch gestern der Milchwagen gestanden war. Gleich beim ersten Einpark-Versuch hätte er beinahe eine Hebebühne gerammt, die auf dem Parkplatz links von ihm stand. Im Augenwinkel sah er, dass Strobl zusammenzuckte. Der Kommissar kurbelte heftig am Lenkrad. Schweißperlen traten ihm auf die Stirn. Er hatte seit Jahren keinen so großen Lastwagen mehr gefahren. Nicht mehr, seit er seinen Dienst bei der

Freiwilligen Feuerwehr quittiert hatte. Auch der zweite Anlauf schlug fehl. Diesmal hätte fast einer der Stützpfeiler der Ankunftshalle dran glauben müssen. Hoffentlich fällt das nicht auf. Erst beim dritten Mal zirkelte er das Gefährt auf den vorgesehenen Platz. Allerdings stand er zu mindestens einem Drittel auf dem Nachbarparkplatz, als er den Motor abstellte. Im Augenwinkel beobachtete er Strobl. Keiner sagte etwas. Minutenlang passierte nichts.

„Und jetzt?", fragte Strobl.

„Wir warten. Irgendwas wird sich schon ergeben."

Wieder vergingen einige Minuten, dann tat sich tatsächlich etwas. Die Tür zu den Chefbüros ging auf und ein Mann kam die Treppe herunter. Kluftinger sah ihn im Rückspiegel und erkannte ihn sofort: es war Bartsch. Er kam die Treppe herunter und lief in die Halle. Seine Ledersohlen hallten durch den riesigen Raum. Nur noch ein paar Schritte, dann würde er bei ihnen sein. Kluftinger nickte Strobl zu und der nickte zurück, auch wenn er nicht genau wusste, wieso. Kurz bevor Bartsch die Fahrertür erreichte, begann er zu schimpfen: „Ihr wisst doch genau, dass ich gesagt habe, ihr solltet heute früher …" Das letzte Wort blieb Bartsch im Hals stecken. Er hatte die Fahrertür von außen aufgerissen und blickte nun direkt in Kluftingers Gesicht.

„Entschuldigung. Wir haben uns doch extra beeilt", erwiderte der Kommissar.

Bartsch war wie erstarrt. Er schien ein paar Sekunden zu brauchen, um zu verstehen, was passiert war. Als die Erkenntnis durchgesickert war, drehte er sich um und begann zu laufen. Strobl sprach etwas in sein Funkgerät, worauf sich die Polizeiwagen vor der Molkerei in Bewegung setzten. Bartsch blieb, als er die Polizeiwagen sah, so schnell stehen, dass er beinahe hingefallen wäre. Er blickte sich verzweifelt um, suchte nach einem Ausweg. Von hinten kamen Kluftinger und Strobl auf ihn zu, von der anderen Seite strömten die Polizeibeamten aus ihren Streifenwagen. Als Bartsch erkannte, dass es keinen Fluchtweg gab, fiel er regelrecht in sich zusammen. Apathisch ließ er sich Handschellen anlegen und er schien

Kluftinger gar nicht zu registrieren, als der ganz nahe an ihn herantrat und leise sagte: „Hab ich dich!"

***

Als Kluftinger etwa zwei Stunden später im Präsidium eintraf, war er so gut gelaunt, dass er seine Sekretärin sogar mit Handschlag begrüßte und ihr ein Kompliment über ihre Frisur machte, das diese erröten ließ. „Machen Sie uns doch bitte einen Kaffee", sagte er zu ihr und winkte seine Kollegen in sein Büro.

„Holt mir jemanden vom Labor", sagte er in die Runde und als Strobl und Hefele wie auf Kommando zu Maier blickten, erhob der sich seufzend mit den Worten: „Geh ja schon."

„Und, hast du was rausgefunden, Roland?", wandte er sich an Hefele und spielte dabei auf die Verhöre an, die dieser nachts noch geführt hatte.

„Zumindest etwas: Die vier Vögel von heute Nacht haben dreimal die Woche in der Scheune Milchpulver in den Tankwagen gekippt. Das Pulver kam angeblich immer aus Russland. Dieser Große hat es dann irgendwo abgeholt. Sagt er jedenfalls. Wozu sie das Ganze getrieben haben, wussten sie angeblich auch nicht. Natürlich war ihnen klar, dass da was nicht in Ordnung war, immerhin wurden sie ziemlich gut bezahlt. Aber sie haben nie nachgefragt. Behaupten sie jedenfalls."

„Wer war ihr Auftraggeber?", wollte Kluftinger wissen.

„Da sind sie ziemlich verstockt gewesen. Erst haben sie gesagt, dass sie immer nur per Telefon Kontakt gehabt haben. Als wir ihnen dann klar gemacht haben, dass das ziemlich unglaubwürdig ist, nachdem sie die Fuhren ja selbst abgeliefert haben, sind sie immerhin mit dem Namen Bartsch rausgerückt."

Es klopfte. Maier trat mit einer etwa 30-jährigen, sehr attraktiven Frau ein: groß, schlank, langes, pechschwarzes Haar, das sie zu einem Zopf zusammengebunden hatte. Kluftinger fielen ihre rehbraunen Augen auf. Über ihrem beigefarbenen Kostüm trug sie einen weißen Kittel. Die Männer kannten sie. Sie wurde im ganzen Präsidium nur ehrfürchtig „die Lipp vom Labor" genannt. Von den Männern jedenfalls.

Maier grinste übers ganze Gesicht und zeigte dabei seine Zähne. Er sah aus, als führe er stolz eine Eroberung vor. „Das ist Dr. Helga Lipp. Vom Labor", sagte er, als ob das nicht eh schon alle wussten. Kluftinger deutete auf den Stuhl vor seinem Schreibtisch: „Bitte. Hat Sie mein Kollege schon über alles informiert?"

„Ja, ich weiß Bescheid", sagte sie mit einer piepsigen Stimme, die die Männer für kurze Zeit in einen Schockzustand versetzte. Jeder hatte erwartet, dass sie tief und hauchend sprechen würde, doch genau das Gegenteil war der Fall.

„Gut", ließ sich Kluftinger nicht irritieren. „Was kann es mit dem Milchpulver auf sich haben?"

„Also, mir erscheint so auf die Schnelle nur eine Möglichkeit plausibel", antwortete sie und nur Maier grinste immer noch. Ihn schien ihr Sopran nicht im Geringsten zu stören. „Sehen Sie, Milch wird mit Bakterienkulturen verarbeitet. Dadurch verliert das Casein, das in der Milch enthalten ist, seine ursprüngliche chemische Struktur und seine Löslichkeit, die Milch wird fest. Es entstehen Molke und der so genannte Bruch oder Quark, aus dem man dann wiederum Käse herstellen kann."

Kluftinger hörte geduldig zu. Er wollte sie nicht drängen, aber so langsam hätte er schon gern etwas gehört, was er noch nicht wusste. Er nickte, um ihr zu zeigen, dass er verstanden hatte.

„Gut. Das alles ist möglich, wenn Milch ganz bestimmte Eigenschaften erfüllt. Die wichtigste: Sie muss frisch sein. Meines Wissens ist dies alles mit Milchpulver nicht nur nicht möglich, weil Milchpulver selbst schon chemisch verarbeitet ist und bestimmte Inhaltsstoffe gar nicht mehr aufweist. Es ist, aber da müsste ich mich noch genau erkundigen, glaube ich sogar verboten." Sie machte eine Pause und sah sich um, als wollte sie sich versichern, dass auch die Männer in ihrem Rücken verstanden hatten. Maier fühlte sich durch ihren Blick ermutigt und zwinkerte ihr zu. Verwirrt schaute sie wieder zu Kluftinger. „Ganz bestimmt verboten ist es aber, Milchpulver aus dem Ostblock an der, so vermute ich, Lebensmittelkontrolle vorbei nach Deutschland zu bringen und hier zu verarbeiten. Irgendwas kann damit nicht stimmen, sonst würde sich der Transport gar nicht lohnen."

Kluftinger bedankte sich bei ihr und wollte sie zur Tür begleiten, da sprang Maier aus seinem Sessel und sagte: „Ich bringe Sie hinaus." Kluftinger zog nur die Augenbrauen hoch und wandte sich dann an seine anderen Kollegen. „Jetzt den Bartsch. Aber schnell."

Die Tür ging auf und Sandra Henske kam herein. Jetzt war es Hefele, der glänzende Augen bekam. Kluftinger registrierte es nur am Rande, aber es reichte ihm, um sich vorzukommen wie der Leiter eines Militärcamps, in dem die Soldaten wochenlang keine Frauen zu Gesicht bekommen hatten.

„Herr Schönmanger senior ist am Telefon", sagte sie und deutete auf die blinkende Lampe an seinem Apparat.

„Ja, Kluftinger?", meldete er sich. Die Beamten hörten gespannt zu, auch Sandy blieb im Zimmer stehen. Als Kluftinger ihr zunickte und ihr bedeutete, sie könne sich wieder ihrer Arbeit zuwenden, verließ sie enttäuscht das Zimmer.

„Das musste sein, Herr Schönmanger", hörten seine Kollegen ihn sagen. „Der Betrieb ist bis auf weiteres auf Eis gelegt. Meine Kollegen kümmern sich vor Ort darum … Nein, das können wir nicht … Ja, Herr Bartsch befindet sich in unserem Gewahrsam … Na, beruhigen Sie sich erstmal. Noch ist gar nichts bewiesen … Wie? Nein, Herr Bartsch hat noch kein Geständnis abgelegt. Wir haben ja noch nicht mal mit ihm gesprochen … Nein, ganz sicher nicht. Das müssen wir schon allein machen. Halten Sie sich zu unserer Verfügung, ja? Wiedersehen." Kluftinger legte auf. Er pfiff respektvoll: „Mann, der ist vielleicht geladen. Eine Drecksau hat er den Bartsch genannt."

Wieder öffnete sich die Tür und ein Beamter führte den Mann, vom dem gerade die Rede gewesen war, herein.

Kluftinger wies ihm den Schreibtischstuhl zu und bat den Beamten, die Handschellen abzunehmen. Dann nahm er gegenüber Platz und musterte ihn. Bartsch sah um viele Jahre älter aus als der selbstsichere Geschäftsmann, der ihn gestern noch durch die Molkerei geführt hatte.

„So, wir sind gespannt. Erzählen Sie mal."

„Ich weiß gar nicht, was Sie meinen."

„Oh, ich denke, Sie wissen genau, was ich meine. Wen haben Sie denn in Ihrem Lkw erwartet? Und was sollte mit der Ladung geschehen?"

„Wen werde ich schon erwartet haben. Einen unserer Fahrer natürlich."

Kluftinger wurde wütend. „Und als Sie uns sahen, waren Sie vor Freude so gerührt, dass Sie gleich wegliefen?", herrschte er ihn an. „Kommen Sie. Wir finden es mit Ihrer oder ohne Ihre Hilfe heraus. Mit wäre allerdings für Sie besser."

Bartsch senkte den Kopf. Er schien zu überlegen.

„Ich möchte den Anwalt der Familie Schönmanger sprechen, hören Sie. Ohne den sage ich gar nichts." Bartsch hatte wieder etwas mehr Sicherheit gewonnen.

„Ach, Sie glauben die Schönmangers werden Ihnen helfen? Das kann ich mir nicht vorstellen. Ich habe gerade mit Herrn Schönmanger telefoniert. Er nannte Sie, ich zitiere wörtlich, eine ,Drecksau'. Sind Sie sicher, dass Sie den Anwalt immer noch sprechen wollen?"

Bei dem Wort Drecksau zuckte Bartsch zusammen. Er blickte ungläubig in Kluftingers Gesicht.

Plötzlich wurde er wütend. „Scheiße", zischte er. „Verdammte Scheiße. Aber das Schwein wird mich nicht ans Messer liefern." Auf einmal wurde er hektisch. „Hören Sie, das Ganze ging von ihm aus. Peter hat mit der ganzen Sache angefangen. Ich bin da so reingeschlittert. Aber wenn ich hängen soll, dann nehm ich ihn mit, so viel steht fest."

„Peter?", fragte Kluftinger. „Ach, Sie meinen Herrn Schönmanger junior. Wissen Sie, ich habe gerade von seinem Vater gesprochen."

Bartsch riss ungläubig seine Augen auf. Sein Mund ging auf und wieder zu, seine Lippen formten Worte, ohne sie auszusprechen. „Scheiße", flüsterte er schließlich.

Jetzt wurde Kluftinger bestimmter: „So und jetzt sagen Sie uns mal ganz genau, was da ablief und wer alles mit drinhängt, hören Sie? Sonst haben wir Sie nämlich im Sack, ist das klar?"

Die letzten Worte schrie der Kommissar so laut, dass sogar seine Kollegen zusammenzuckten.

Bartsch wirkte völlig eingeschüchtert. Langsam begann er zu sprechen.

„Vor ein paar Jahren sind Peter und Philip, im Zuge der Entwicklung dieses neuen Käses, Sie wissen schon, der mit so wenig Fett, also sie sind draufgekommen, dass man da ziemlich Geld sparen könnte. Naja, eigentlich ist der Philip draufgekommen. Er hat ja die ganze Zeit an irgendwas getüftelt. Ich wusste lange Zeit nicht, wie er's gemacht hat, aber er hat es tatsächlich geschafft, wovon alle träumen: Käse in kürzester Zeit reif werden zu lassen. Und das sogar aus Milchpulver."

Bartsch blickte in Kluftingers Gesicht. Als er keine Reaktion wahrnahm, fuhr er fort: „Käse, der so schnell reift, verstehen Sie? Aus so billigem Rohstoff: Das ist für eine Molkerei wie die Lizenz zum Gelddrucken. Dachten wir jedenfalls."

Kluftinger unterbrach die Ausführungen des Chemikers: „Eugen, kümmerst du dich sofort darum? Die sollen auf der Stelle den Schönmanger junior hierher bringen." Dann wandte er sich wieder seinem Gegenüber zu: „Und sein Vater? Wusste der auch Bescheid?"

„Sein Vater?" Bartsch lachte verächtlich. „Wenn der das gewusst hätte, wären wir alle schon längst im Gefängnis, da können Sie aber sicher sein. Das war ein Grund für die Aktion mit dem Tankwagen."

„Sie haben also gepanschte Milch zur Käseherstellung verwendet. Wurden die Lebensmittel nicht kontrolliert?"

„Das ist ja das Geniale. Die ganzen Zusatzstoffe zersetzen sich beim Reifeprozess fast vollständig. Und mit der EU waren die Grenzwerte auch nicht mehr so hoch. Wir haben aus Scheiße Gold gemacht!" Für einen kurzen Augenblick klang Bartsch geradezu stolz.

„War das Zeug gesundheitsschädlich?", fragte Kluftinger. Sein Gegenüber senkte den Kopf.

„Ob es gesundheitsschädlich war, will ich wissen", insistierte der Kommissar.

„Ich weiß es nicht. Ich weiß es wirklich nicht", erwiderte

Bartsch leise. Und fügte nach einer kurzen Pause hinzu: „Ich hab jedenfalls die Finger von dem Käse gelassen."

Sofort beauftragte Kluftinger seine Sekretärin, eine Rückrufaktion für die Schönmanger-Produkte zu veranlassen. Er atmete tief durch. Er versuchte seinen aufkeimenden Zorn im Zaum zu halten. Diese Menschen hatten durch ihr skrupelloses Verhalten womöglich die Gesundheit vieler Kunden aufs Spiel gesetzt. Aus reiner Geldgier. Er hatte dafür nur Verachtung übrig. Dann stellte er die entscheidende Frage: „Wollte Wachter aussteigen? Oder warum haben Sie ihn umgebracht? Und was hatte der junge Lutzenberg mit der ganzen Sache zu tun?"

Bartsch sah ihn entsetzt an. Erst jetzt schien er zu begreifen, dass es hier um mehr ging als um gepanschte Milch. „Hören Sie", sagte er eindringlich, „ich habe bei dieser Sache mitgemacht, das stimmt. Aber ich schwöre bei Gott: Ich habe nie, niemals irgendjemanden angerührt. O.k., ich geb's zu, ich habe ein paar Dateien von seinem Computer gelöscht, bevor die Polizei eingetroffen ist, aber das war's dann auch schon."

„Und doch haben wir zwei Tote", antwortete der Kommissar.

Die Tür wurde aufgerissen. Strobl war etwas außer Atem, als er die Worte „Er ist weg!" in den Raum rief.

„Wer?", fragte der Kommissar.

„Der Schönmanger. Peter Schönmanger. Nicht aufzufinden."

„Kruzifix, des fehlt uns grad noch. Sofort Fahndung einleiten. Roland, klemm dich ans Telefon. Eugen, du bleibst mit den Kollegen in Krugzell in Kontakt. Und kann irgendjemand diesen Bartsch wegschaffen?" Der Kommissar würdigte den Mann vor sich keines Blickes.

„Frau Henske, verbinden Sie mich sofort mit dem alten Schönmanger."

Im eben noch ruhigen Büro waren nun alle in Hektik. Jeder hatte einen Auftrag, den er so schnell wie möglich erfüllen wollte. Kluftingers Telefon blinkte wieder. Es war Karl Schönmanger. Er schien entsetzt über das, was Kluftinger ihm erzählte. Doch auch er wusste nicht, wo sich sein Sohn befand. „Mein Gott, der Bub …", war das Letzte was er sagte, bevor Kluftinger einhängte.

Kaum zehn Minuten später stürmte Strobl in sein Büro: „Jetzt kriegen wir ihn! Er hat ein Ticket von München nach Brasilien gebucht. Sein Flieger geht ...", Strobl blickte auf seine Armbanduhr, „...in dreieinhalb Stunden."

Kluftinger blickte ebenfalls auf die Uhr. „Das schaffen wir", sagte er und rannte aus dem Büro.

***

Eine Viertelstunde später saß er mit Strobl bereits im Fond eines Streifenwagens auf der B12 irgendwo zwischen Marktoberdorf und Kaufbeuren. Zwei uniformierte Kollegen begleiteten sie. Sie hatten sofort nach Verlassen des Präsidiums die Münchener Polizei verständigt; die Kollegen warteten bereits am Flughafen. Dann saßen sie einfach nur da und sahen aus dem Fenster. Lange sagte keiner ein Wort. Alle hingen ihren Gedanken nach, sahen am Fenster den wunderschönen Sommertag vorbei ziehen.

Strobl brach das Schweigen. „Glaubst du, der Bartsch war's?", fragte er. „Oder doch eher der junge Schönmanger?"

„Du wirst lachen, das habe ich mich auch gerade gefragt. Ich weiß es nicht. Ich habe wirklich keine Ahnung. Zutrauen würde ich es beiden. Andererseits: Der Bartsch wirkte wirklich so, als hätte er an die Morde gar nicht mehr gedacht." Er schüttelte den Kopf.

Danach versanken sie wieder in Schweigen. Nur das Knacken des Funkgerätes im Streifenwagen und die Gesprächsfetzen, die ab und zu daraus zu hören waren, durchbrachen das eintönige Surren des Motors. Als sie das Schild „Kreuz München/Franz-Josef-Strauß-Flughafen 5 km" sahen, warfen er und Strobl gleichzeitig einen Blick auf die Uhr. Sie waren flott vorangekommen: Es war kurz nach zwei, bis zum Abflugtermin hatten sie noch knapp eineinhalb Stunden Zeit.

Vor dem Flughafengebäude warteten bereits mehrere Polizeiwagen auf sie. Ein Mann in Uniform, der sich als Einsatzleiter Frank Wurm zu erkennen gab, informierte die Kemptener Kollegen kurz, dass bereits zwei Dutzend Polizisten, etwa die Hälfte davon in Zivil, im Flughafen patrouillieren würden. „Der kimmt uns ned aus", sagte er abschließend. Strobl und Kluftinger sahen sich an und verdrehten die Augen: Er klang wie ihr Chef Dietmar Lodenbacher.

Als Kluftinger den Flughafen betrat, fiel ihm sofort die angenehme Temperatur auf, die im Innern herrschte. Es war kühler als draußen, wo die Sonne die Luft bis nahe an die 30-Grad-Marke erwärmt hatte. Dennoch war es nicht so eisig wie in vielen anderen klimatisierten Räumen um diese Jahreszeit. Er war da sehr empfindlich.

„Sie können sich gleich am Eincheck-Schalter postieren, wenn's wollen", schlug Wurm vor. „Es gibt da eine kleine Bistro-Bar." Die beiden Kemptener waren einverstanden. Mit den Worten „Hier ham's noch ein Funkgerät" verabschiedete sich der Münchener Kollege vorerst von ihnen.

Strobl und Kluftinger machten sich auf den Weg. Sie ließen sich Zeit: Vielleicht würden sie Schönmanger ja schon früher entdecken. Kluftinger gefiel das geschäftige Treiben hier am Flughafen: die Durchsagen in verschiedenen Sprachen, das Rattern der Anzeigetafeln, überall Schilder, die auf die schönsten Strände der Welt verwiesen, Frauen in adretten Airline-Uniformen – er mochte das. Nur selbst fliegen mochte er nicht. Überhaupt nicht. Dafür holte man sich selten eine Absage, wenn man ihn fragte, ob er einen zum Flughafen bringen oder von dort abholen könnte.

„Das muss es sein", unterbrach Strobl seine Gedanken. Er zeigte auf eine stählerne Bar, über der in Neonschrift die Worte „Sammy's Bistro" leuchteten. Man sah gleich, dass die Bar völlig zusammenhangslos in die zwar moderne, wie Kluftinger fand, aber doch sehr schöne Architektur des Flughafens hineingestellt worden war. Kein Wunder, dass der Architekt die Verschandelung „seines" Flughafens beklagte, wie Kluftinger einmal gelesen hatte.

Die beiden Kripobeamten nahmen auf zwei Barhockern Platz und drehten sich so, dass sie die Halle gut im Blick hatten. Ein orientalisch aussehender Mann reichte ihnen die Getränkekarte. Kluftinger studierte sie oberflächlich, immer wieder schaute er über den Rand zum Schalter der Fluggesellschaft hinüber, für

288

die Schönmanger sein Ticket gelöst hatte. Plötzlich blieb sein Blick hängen: „Dreifuffzig für einen Kaffee!", sagte er entrüstet. „Sind das noch D-Mark-Preise?"

„So ist das am Flughafen eben", gab sich Strobl weltmännisch.

„Das gibt's doch nicht. Dafür kann ich mir zu Hause ja …" – er rechnete kurz nach – „ … um die 40 Tassen machen. 30, wenn man Strom und Wasser einrechnet. Ich glaube, die haben einen Knall." Er konnte sich gar nicht beruhigen. Er ging nicht gerade sehr häufig aus, die Preiserhöhungen im Gastronomiebereich hatten ihn kaum berührt. Auch wenn er fand, dass das leichte Weizen, das er nach der Musikprobe gerne zu sich nahm, mit 1,80 Euro auch schon reichlich teuer geworden war. Aber so viel Geld für eine Tasse Kaffee, das hatte er noch nie erlebt. Sehr zum Leidwesen seines Kollegen, dem es sichtlich peinlich war, dass sich sein Chef so ereiferte.

„Lass gut sein", flüsterte ihm Strobl von der Seite zu.

Doch für Kluftinger war hier gar nichts gut. Kurzzeitig vergaß er sogar völlig, weswegen er eigentlich hier war.

„Verkaufen Sie die Tassen eigentlich auch einzeln, oder muss man den Kaffee gleich literweise bestellen? Sonst wäre der Preis ja wohl kaum zu erklären."

Jetzt verstand der Mann und verdrehte die Augen. Es war offensichtlich nicht das erste Mal, dass er mit solchen Anwürfen konfrontiert wurde.

„Hören Sie, ich mache die Preise nicht. Ich bediene hier nur. Und wenn's Ihnen zu teuer ist, dann trinken Sie eben Wasser. Das gibt's schon für zwei fünfzig."

Dem Kommissar blieb kurzzeitig die Luft weg. Das schlug dem Fass nun wirklich den Boden aus. Er wollte gerade seinen gefürchteten Vortrag über Wucher anstimmen, da besann er sich eines Besseren.

„Können Sie mit Ihrer Kasse auch Quittungen ausdrucken?", fragte er.

„Natürlich."

„Gut, dann ein kleines Wasser für mich." Auch wenn er die Spesen ersetzt bekam: Einen derartigen Wucherpreis für einen Kaffee wollte er aus Prinzip nicht zahlen.

Sein Kollege atmete tief durch. Das war gerade noch mal gut gegangen.

„Schon kurz vor halb zwei. Jetzt müsste er aber wirklich bald mal auftauchen", sagte Kluftinger, der seine Aufmerksamkeit nun wieder ganz und gar dem eigentlichen Grund ihrer Anwesenheit widmete.

Er hatte das Wasser noch nicht ganz leer getrunken, da meldete sich schon seine Blase.

„Ich muss mal biseln", sagte er zu Strobl, legte ihm das Funkgerät hin und erhob sich. Er blickte sich um und sah dann ein Schild, das auf die nächste Toilette hinwies. Ein paarmal musste er um diverse Ecken biegen, dann stand er vor einer schweren, metallenen Klotüre. Der Kommissar drückte sie auf. Er blickte kurz in den Spiegel, der über dem Waschbecken hing, und stellte fest, dass sein Gesicht wieder einmal rote Flecken bekommen hatte. Ein Zeichen, dass er aufgeregt war. Als er durch eine weitere Tür ins eigentliche WC gehen wollte, erstarrte er. Dort, am Urinal ganz an der Wand, stand Peter Schönmanger.

Der Kommissar machte auf dem Absatz kehrt und presste sich an die gekachelte Wand neben der Tür. Er blickte in den Waschraum – er war allein. Was sollte er tun? Zu Strobl laufen und Verstärkung rufen? Vor der Türe warten und Schönmanger folgen?

Kluftinger hörte eine Spülung. Verdammt! Schönmanger war offenbar dabei zu gehen. In wenigen Sekunden würde er im Vorraum auftauchen. Kluftinger hatte wieder einmal keine Waffe dabei. Aber bei dem Polizeiaufgebot, das ihn begleitete, hatte er nicht gedacht, dass er eine benötigen würde. Schritte hallten zu ihm herüber. Was sollte er tun?

In Sekundenbruchteilen fällte Kluftinger eine Entscheidung. Zum Nachdenken war keine Zeit mehr. Er ging, um nicht erkannt zu werden, mit eingezogenem Kopf auf die Eingangstür zu, öffnete sie, zog sie hinter sich ins Schloss – und hielt sie von außen zu.

Es war eine instinktive Handlung und erst jetzt, als er dastand, sich mit seinem ganzen Gewicht an die Klinke hängte, reflektierte er seine Situation. Er musste Hilfe herbei rufen, aber er kam nicht an sein Handy. Mit einer Hand würde er die Türe niemals halten können. Sollte er nach seinen Kollegen rufen? Das würde man in der Toilette auch hören. Die Klinke wurde von innen bewegt. Kluftinger spannte seinen Körper an: Jetzt galt es!

Als die Person im Klo, von der Kluftinger annahm, dass es Schönmanger war, bemerkte, dass die Klinke nicht nachgab, wurde der Druck verstärkt. Heftig rüttelte nun jemand von innen. Kluftinger stemmte sein linkes Bein gegen die Wand und zog die Tür noch fester zu sich. Gerade im richtigen Moment, denn nun wurde das Rütteln stärker. In immer kürzeren Abständen, immer wuchtiger wurde von innen an der Tür gerissen.

Dann ließ der Druck nach. Kurzzeitig war es still, dann hörte Kluftinger eine Stimme: „Hallo? Was ist denn da draußen los? Hallo?"

Es war Peter Schönmanger. Kluftinger antwortete nicht. Er war sich nicht sicher, was passieren würde, wenn Schönmanger den Kriminalkommissar erkennen würde. Er nahm eine Bewegung im rechten Augenwinkel wahr. Ein älterer Mann mit Anzug und Aktenkoffer war gerade um die Ecke gebogen und stand nun ungläubig neben dem Kommissar.

„Darf ich fragen, was Sie da machen?"

„Wonach sieht's denn aus?", bellte Kluftinger ihn an.

„Falls es Ihnen nichts ausmacht: Ich würde gerne da rein. Vielleicht können Sie Ihr Versteckspiel woanders fortsetzen."

„Nein, das kann ich nicht." Kluftinger setzte zu einer Erklärung an, doch der Mann ließ ihn nicht dazu kommen.

„Also, das ist ja wohl das Beste! Sind Sie aus einer Anstalt ausgebrochen oder was? Sie lassen mich jetzt sofort da rein."

Inzwischen hatte auch Schönmanger die Geräusche gehört und rief von drinnen: „Hilfe! Hilfe, ich will hier raus."

Irritiert blickte der Mann die Klotür an. „Da ist ja tatsächlich jemand drin. Lassen Sie jetzt sofort die Klinke los."

Mit diesen Worten versuchte er, Kluftinger vom Eingang wegzuschieben. Der Kommissar begann zu schwitzen. Von drinnen begann Schönmanger wieder an der Tür zu rütteln.

„Papa, Papa guck mal, die Männer spielen Versteckus." Ein klei-

ner Junge war mit seinem Vater an der Hand um die Ecke gebogen. Sie trugen beide kurze Hosen und Sandalen. Sie waren
sehr braun, offenbar kamen sie gerade aus dem Urlaub.

„Was ist denn hier los?", fragte der Vater, der über seinen Shorts
nur ein weißes Achselshirt mit der knallroten Aufschrift
„Ironman" trug.

„Der Herr blockiert die Klotüre und will nicht weggehen",
sagte der Mann im Anzug, der in dem Vater einen Verbündeten
wähnte.

„Na das wollen wir doch mal sehen", sagte der und ging mit
abgewinkelten Armen, die ihn wohl breit und gefährlich aussehen lassen sollten, im Zusammenspiel mit seinen Sandalen, seiner Kleidung und dem Bauchansatz jedoch nur lächerlich
wirkten, auf Kluftinger zu.

„Jetzt aber weg da!", rief er, worauf der Anzug einstimmte: „Ja,
hauen Sie jetzt ab." Aus dem Klo tönte wieder die Stimme
„Rauslassen, sofort rauslassen!" und der kleine Junge feuerte
seinen Vater mit den Worten „Hau ihn um!" an. Jetzt verlor
Kluftinger langsam den Überblick und vor allem die Kontrolle
über die Situation.

„Ruu-heeee!", schrie er und war erstaunt, dass seine Wutausbrüche offenbar auch bei Fremden ihre Wirkung nicht ver-
fehlten: Schlagartig wurde es still. Mit gedämpfter Stimme
sprach Kluftinger weiter: „Hören Sie, ich bin von der Polizei.
In der Toilette befindet sich ein Verdächtiger, deswegen halte ich
die Türe zu. Ich brauche Verstärkung, komme aber nicht an
mein Handy, weil ich die Tür nicht loslassen kann."

„Das kann ja jeder sagen", fand der Anzug als erster seine
Sprache wieder und wollte gerade wieder seinen Körper in
Richtung Kluftinger schieben, als dieser ihn anherrschte:
„Dann schauen Sie doch nach! Mein Geldbeutel ist in meiner
Hosentasche."

Der Anzug blickte sich um. Das Achselshirt zuckte mit den
Schultern und begann, an Kluftingers Hosentasche herumzu-
fingern. In diesem Moment kam ein weiterer Mann um die
Ecke, blickte fragend auf die drei Männer und das Kind, die wie
eine fleischgewordene Laokoon-Gruppe vor der Klotür stan-

den, machte auf dem Absatz kehrt und verschwand ohne ein Wort.

„Tatsächlich, Polizei. Der Mann ist von der Polizei, Tim", sagte der Vater zu seinem Sohn, so, als hätte er nie daran gezweifelt und nur das Kind noch davon überzeugen müssen.

„Wenn ich bitten darf: Mein Handy. Andere Gesäßtasche", sagte Kluftinger im Stakkato-Ton. Er wollte gerade damit beginnen, dem Anzug Strobls Nummer zu diktieren, da besann er sich: „Meine Herren, Sie haben die Polizeiarbeit hier schon genug behindert. Wie wäre es, wenn Sie jetzt mal meine Position einnehmen, damit ich Verstärkung holen kann?" Kluftingers Frage ließ nur eine Antwort zu: „Aber natürlich, sicher. Gerne, Herr Kommissar", sagten die beiden unterwürfig.

„Auf drei", sagte Kluftinger worauf die beiden sich neben ihn stellten und sich bereit machten, den Türgriff zu übernehmen. „Eins, zwei, drei!" Der kleine Junge wollte ebenfalls helfen und feuerte seinen Vater an.

Kluftinger betrachtete die drei amüsiert und wählte dann Strobls Nummer.

Eine Minute später stand etwa ein Dutzend Polizisten vor der Toilette, wiesen die beiden Männer an, sich zu entfernen und öffneten mit vorgehaltener Waffe die Tür. Sie waren auf alles gefasst: Dass Schönmanger die Nerven verlieren würde, dass er sich im Klo verschanzt hatte und möglicherweise um sich schoss. Zu ihrer Überraschung bot sich aber ein ganz anderer Anblick: Ein Mann saß im Waschraum auf dem Boden. Er rauchte. Und er starrte Kluftinger an, als der die Toilette betrat. Er sagte nichts. Er schien resigniert zu haben. Kluftinger war erleichtert, dass es so glimpflich ausgegangen war.

***

Kluftinger und Strobl waren noch vor Schönmanger im Präsidium angekommen. Sie hatten die Fahrt nutzen wollen, um ihre Taktik für das kommende Verhör abzustimmen. Sie nahmen sich vor, Schönmanger schonungslos mit all ihrem Wissen zu konfrontieren. Gleichzeitig mit Schönmanger, der von einem Münchner Streifenwagen nach Kempten gefahren worden war, traf auch dessen Anwalt ein.

Der engere Kreis der Kripokollegen, die an dem Fall gearbeitet hatten, versammelte sich im Konferenzraum. Gegen 18.30 Uhr wurde Schönmanger hineingeführt, hinter ihm kam sein Anwalt. „Dr. Wolf", stellte er sich vor und machte sich dadurch, dass er statt seines Vornamens seinen Titel genannt hatte, in Kluftingers Augen sofort lächerlich.

„Bitte, meine Herren, nehmen Sie Platz", eröffnete der Kommissar betont freundlich und ruhig das Gespräch.

Dann begann er, nüchtern die Fakten aufzuzählen, die sie bereits in Erfahrung gebracht hatten, blies einige Vermutungen zu Gewissheiten auf und konnte mit jedem Satz sehen, wie Schönmanger immer mehr in sich zusammensank. Ängstlich tauschte er Blicke mit seinem Anwalt aus, der ihm immer wieder aufmunternd zunickte. Der muss ja Nerven haben, dachte Kluftinger.

Der Kommissar schloss seine Ausführungen mit dem Satz: „Sie sehen, wir wissen alles. Fast alles. Denn warum Sie Wachter und Lutzenberg umgebracht haben, das wissen wir nicht."

„Einen Moment. Sie sagen das, als stehe es fest, dass mein Mandant der Täter ist. Dabei ist das nur eine von Ihnen nicht belegbare Vermutung", schaltete sich der Anwalt ein. „Peter, du musst darauf nicht antworten."

„Das müssen Sie natürlich nicht", erwiderte Kluftinger. „Aber alles spricht gegen Sie. Allein mit dem, was wir hier haben, würde wohl jedes Gericht eine Verurteilung erreichen."

„Sie haben gar nichts und das Gericht möchte ich sehen, das ..."

„Halt' die Klappe, Egbert", fuhr Schönmanger seinem Anwalt in die Parade und Kluftinger wusste nun auch, warum der es vermieden hatte, bei der Vorstellung seinen Vornamen zu nennen. „Herr Kluftinger: Alles, was ich Ihnen sagen kann, ist: Ich habe in meinem Leben noch nie irgendjemandem etwas getan. Jedenfalls nicht körperlich, meine ich. Das müssen Sie mir einfach glauben."

„Ich muss gar nichts und ich werde auch nicht, Herr Schönmanger. Ein Geständnis würde es uns allen leichter machen.

Was wollen Sie denn noch: Sie haben mit Herrn Wachter irgendwelche Milchpanschereien betrieben. Es ging um viel Geld. Wie viel, werden Sie uns sicher noch sagen. Was ist passiert? Wollte Wachter mehr? Wollte er aussteigen? Und Lutzenberg? Ist er Ihnen auf die Schliche gekommen?"

Er zog ein Bild aus der Mappe vor ihm auf den Tisch. „Wir haben dieses Foto in seinen Unterlagen gefunden. Ich nehme an, Sie kennen den Hof?"

Er hielt ihm den Abzug des Einödhofes unter die Nase.

„Warum haben Sie die beiden umgebracht?", schrie Kluftinger.

„Ich habe niemanden umgebracht", schrie Schönmanger zurück. „Philip und ich – wir waren sogar befreundet. Ich hätte ihm nie etwas tun können. Noch dazu auf so brutale Weise: mit einer Vorhangschnur. Für was für einen Menschen halten Sie mich eigentlich?"

Kluftinger wollte schon weiter fragen, dann machte es bei ihm Klick. Er sah seine Kollegen an. Strobl schluckte, Hefele fuhr sich nervös durch die Haare. Maier starrte Schönmanger nur an. Der merkte, dass er es war, der dieses betretene Schweigen ausgelöst hatte. Er blickte seinen Anwalt an, der schüttelte nur den Kopf.

Mit einem Räuspern durchbrach Kluftinger die Stille.

„Wir haben nie veröffentlicht, dass Wachter mit einer Vorhangschnur ermordet wurde."

Weiter sagte er nichts. Er wollte seine Worte wirken lassen. Und das taten sie: Jegliche Farbe wich aus Schönmangers Gesicht. Er blickte starr in eine Ecke des Zimmers, seine Lippen fingen an zu zucken.

„Herr Schönmanger, geben Sie es endlich zu", sagte Kluftinger leiser, nachdem er nahe an Schönmanger herangetreten war.

Egbert Wolf mischte sich ein und bat sich in einem weitaus höflicheren Ton als vor der übereilten Auskunft Schönmangers aus, mit seinem Mandanten kurz allein reden zu können.

„Halt dein Maul, Egbert, halt einfach dein Maul", sagte der auf einmal, den Kopf zu Boden gesenkt, mit geschlossenen Augen. Und wieder zu Kluftinger: „Meinen Sie, es war so einfach mit meinem Vater? Meinen Sie das?"

Schönmanger hatte seinen Kopf kurz aufgerichtet, als er diese Worte gesagt hatte, war aber gleich wieder in sich zusammengesunken.

„Mit seiner Scheißkäserei, die ihm über alles ging? Ihm, dem Unternehmer ‚vom alten Schlag‘, der Henry Ford mehr anbetet als alles andere? Ich wollte raus aus diesem Mief. Ich wollte selbst was haben, nicht immer nur der Junior sein, der sich von seinem Alten alles vorschreiben lässt. Ich habe BWL studiert, meine Kommilitonen reisten in der Welt herum und machten Kasse und ich war beim Vater angestellt, als Büroheini. Für ein lächerliches Gehalt. Aber er hat mir nicht mehr gezahlt, hat mir nichts zugetraut. Und dann hatten wir Wachter an der Angel. Schnell war mir klar, dass der mein Schlüssel dazu war, meinem Alten endlich zu zeigen, wie der Hase laufen muss. Da war Geld drin, richtig Geld.“

Wieder schaltete sich Wolf ins Gespräch ein:

„Peter, sag jetzt nichts mehr, du musst nichts sagen!“

„Hau ab, du Schlaumeier! Geh doch zum Alten, vielleicht kann der dich mehr gebrauchen!“, schrie ihn Schönmanger an. „Du hast doch auch immer nur Geld gekostet.“

Mit offenem Mund saß der Rechtsanwalt da und rang nach Fassung.

Schönmanger, der vorher auf alles eine Antwort gehabt zu haben schien, schwankte nun zwischen Wut und Verzweiflung.

„Soll Ihr Anwalt gehen?“, fragte Maier geschäftig.

„Mir egal, kann er sich schon alles anhören, der gute Freund meines Vaters.“

Wie ein angezählter Boxer, der nur noch aus Verzweiflung kämpft, hatte sich Schönmanger gegen Egbert Wolf gewandt. Auch der machte keinen besonders repräsentativen Eindruck mehr.

Taumelnd war der Jungunternehmer dann wieder zu Boden gesunken und hing nun in den Seilen. Jetzt war es an Kluftinger, ihn auszuzählen. Tun musste er dafür nicht mehr viel, das wusste der Kommissar, das K.o. würde so oder so kommen. Innerhalb der nächsten halben Stunde hätte er die Morde gestanden, Kluftingers Kriminalergespür hatte ihn bei so einer

Ahnung nur selten im Stich gelassen. Er würde Schönmanger einfach weiterreden lassen.

„Ich wär immer noch in der Buchhaltung für zwölfhundert Euro im Monat! Mein Vater wollte mich alles ‚von der Pieke auf' lernen lassen, bevor ich sein Stellvertreter werden sollte", erzählte Schönmanger von sich aus weiter, den Blick starr zu Boden gerichtet.

„Wachter war am Anfang sehr korrekt und verschlossen. Er ließ mich nicht an sich heran, nachdem ich im Betrieb angefangen hatte. Er hatte Käse mit natürlichen Aromen für uns entwickelt, der damals, Ende der Achtziger, recht gut lief. Vater hat das gefallen, weil Wachter uns damit aus den Miesen brachte. Außerdem konnte er es mit seinem inneren Reinheitsgebot für Käse vereinbaren, schließlich waren ja ‚natürliche Sachen' drin. Allmählich ist Wachter dann aufgetaut und mir wurde klar, dass der auch hinter Geld her war. Ich hatte mich über ihn informiert. Ich wusste, dass er mit dem Job, den er bei uns hatte, nicht glücklich sein konnte.

Irgendwann kam er dann zu mir und erzählte von fettreduziertem Käse mit naturidentischen und künstlichen Aromen. Er kam zu mir, weil er wusste, dass er damit beim Alten nicht hätte landen können. Das war noch nicht die Lean-Line, aber Wachter hatte es geschafft, richtig guten Geschmack und eine gute Konsistenz hinzukriegen, bei nur zehn Prozent Fett. Allerdings mit ziemlich viel Chemie drin. Da hätte mein Vater nicht mitgemacht."

Alle hörten gebannt zu, keiner hätte gewagt, Schönmanger jetzt zu unterbrechen. Alle außer Maier, der ihm ins Wort fiel: „Moment, Herr Schönmanger, die Kassette ist voll. Warten Sie bitte mit Ihrer Aussage!" Dabei drückte er hektisch am Tonbandgerät herum, das sie während des Verhörs mitlaufen ließen. Kluftinger sah zu Maier hinüber. Er schüttelte den Kopf. Ohne aufzuschauen, nestelte Maier weiter am Rekorder herum.

Schönmanger ließ sich davon in keiner Weise stören, mit immer noch gesenktem Kopf erzählte er, dass er von Wachters Vorschlag begeistert gewesen sei.

Kluftinger ging ans Fenster und sah hinaus. Auf einmal passte alles zusammen. Während der mutmaßliche Mörder erzählte, war er hochkonzentriert. So konzentriert, dass das, was Schönmanger sagte, wie ein Film vor seinen Augen ablief: Peter Schönmanger hatte die kalorienreduzierte Linie zu seinem Projekt auserkoren. Er war sofort daran gegangen, alles durchzurechnen. Kosten, Investitionen, mögliche Erträge und Marktanteile. Auf einmal hatte er eine Vision. Ein Ziel. Sah die Möglichkeit, den Alten auszubooten. Aber es war zu teuer, es rechnete sich nicht. Wie er es auch drehte und wendete, die Kosten waren zu hoch und das Kapital der dahindümpelnden Firma wäre für die nötigen Maschinen und eine große Werbekampagne zu gering gewesen. Bei den hohen Produktionskosten hätte sich das Ganze nie gerechnet. Die musste er senken. Wieder und wieder hatte er mit Wachter darüber gesprochen. Irgendwann hatte Schönmanger die von Wachter entwickelten Kulturen angesprochen. Schönmanger hatte ihm vorgerechnet, wie viel Geld dabei herausspringen würde. Sie könnten doch …

Kluftinger wurde aus seiner Konzentration gerissen, da Maier ein deutlich vernehmbares „So, jetzt wieder" verlauten ließ.

Er sah Schönmanger an, der, auf den Tisch gestützt, mit starrem Blick immer weiter redete:

„Ich hatte gehört, dass Wachter in der Lage war, Milchpulver zu verkäsen. Mit seinen Kulturen. Das war natürlich illegal. Aber es versprach vielleicht die dicke Kohle. Es gab nur einen Haken: Das Milchpulver war kaum billiger als richtige Milch."

Schönmanger verstummte und sofort hakte Kluftinger nach.

„Und dann sind Sie auf das russische Zeug gestoßen. Was war los damit? War es verstrahlt oder warum war es so billig?"

„Ich hab rumtelefoniert", sagte Schönmanger emotionslos, „natürlich auch im Ostblock. Da musste es billiger sein. War es auch. Aber immer noch nicht genug. Irgendwann hatte ich einen Typen in Moskau dran, der mir dann sagte, dass er mir vielleicht ein verlockendes Angebot machen könnte. Ich wollte natürlich wissen, warum das Zeug so billig war, aber zuerst sagte der Russe nichts. Erst nachdem er Geld gesehen hatte, hat er Vertrauen gefasst und erzählte mir, dass er eine Quelle für UN-

Hilfslieferungen nach Afrika aufgetan hat. Die verschickt er dann nach Deutschland, von wo aus sie verschifft werden sollen. Doch die Lieferungen kommen nie an. Verschickt wird irgendetwas anderes oder auch gar nichts. Keine Ahnung. Der macht so was mit allen möglichen Waren und hat überall seine Leute sitzen, die ihm dann den Empfang der Sachen bestätigten. Wir jedenfalls hatten unser billiges Pulver. Als das losging, war uns aber klar, dass Wachter, Bartsch und ich das allein nicht mehr machen konnten. Wir heuerten Leute für die Drecksarbeit an. Aber die haben Sie ja schon kennen gelernt. Der Alte hat davon nie was mitbekommen. Nur, dass jetzt alles ein bisschen billiger war, wegen der schnellen Reife und so. Wie billig, davon hatte er keinen Schimmer. Sonst wäre für uns ja nichts übrig geblieben. Bei unseren Absatzzahlen hatte er keine andere Wahl, als sein schlechtes Gewissen wegen der Chemie über Bord zu werfen."

„Wie lange lief das dann so, Herr Schönmanger?", fragte Kluftinger ruhig.

„Eine Weile. Ich hatte meinen Vater so weit, dass ich mir neben ihm ein Büro einrichten durfte. Bezahlt hat mir der Alte kaum mehr, aber Wachter und ich, wir haben gutes Geld hinter seinem Rücken gemacht." Immer, wenn er von seinem Vater sprach, verzog Peter Schönmangers seinen Mund zu einem verächtlichen Grinsen. Gleichmütig und mit monotoner Stimme hatte er die letzten Minuten geredet. Bis zu dem Zeitpunkt, als Kluftinger unvorsichtigerweise fragte, warum er denn Wachter nun umgebracht habe, wo doch alles so gut gelaufen war.

Schönmanger sprang von seinem Stuhl und brüllte etwas Unverständliches. Sofort hielten ihn zwei Beamte fest und drückten ihn wieder auf seinen Sitz. Mit rotem Kopf und sich überschlagender Stimme schrie er:

„Das war ich nicht. Das nicht!"

Kluftinger ließ ihn schreien, bis er sich wieder beruhigte und schließlich blass und matt zusammensank.

„Gut, Herr Schönmanger. Wenn Sie es nicht waren, was geschah denn dann?"

„Die Drecksau ist gekommen. Zum Wachter. Und der wollte richtig Geld."

„Wen meinen Sie denn damit, Herr Schönmanger?"

„Die Drecksau. Dieses Schwein." Langsam kehrte die Zornesröte in sein Gesicht zurück.

Kluftinger verstand nicht.

„Wer, Herr Schönmanger?"

„Lutzenberg."

„Lutzenberg kam zu Ihnen und erpresste Sie?"

„Mich nicht, den Philip. Und der zahlte. So lange, bis er nicht mehr konnte. Lutzenberg wollte immer mehr. Ich habe gesagt, dass wir was unternehmen müssen. Aber dann ist etwas passiert, was ich mir bis heute nicht erklären kann. Wenn wir Lutzenberg was tun, hat Philip gesagt, dann packt er aus. Dann sind wir alle dran."

Schönmanger sah Kluftinger in die Augen: „Verstehen Sie? Er wollte, dass wir Lutzenberg weiter bezahlen, dieser Spinner."

Kluftinger war verwirrt. Er blickte die Kollegen an, doch die zuckten ebenfalls mit den Schultern. „Er wollte, dass Sie ihn auch bezahlen?", fragte der Kommissar.

„Genau. Dauernd wurde er von Lutzenberg verfolgt. Der sagte irgendwas von wegen, er habe seinen Vater auf dem Gewissen."

Kluftinger sah, dass seine ruhigen Fragen bei Schönmanger mehr Erfolg hatten als lautes Säbelrasseln.

„Und dann haben Sie ihn getötet?", erkundigte er sich deswegen sachlich.

„Nein, verdammt. Wollen Sie jetzt die Geschichte hören oder nicht?", gab Schönmanger aggressiv zurück.

Der Kommissar nickte.

„Mein Vater ist zu ihm hingefahren."

„Ihr Vater? Ich dachte, der wusste nichts von der Sache?"

„Das stimmt ja auch. Am Anfang, jedenfalls. Aber was hätte ich machen sollen? Ich brauchte das Geld für Lutzenberg. Der hätte uns fertig gemacht. Der wollte alles. Wir wären ärmer als zuvor dagestanden. Ich meine, wenn das aufgeflogen wäre, die hätten uns den Laden doch dicht gemacht. Also bin ich aufs Ganze gegangen …"

„… und haben Ihren Vater eingeweiht", ergänzte Kluftinger.

„Genau. Er hat sich natürlich furchtbar aufgeregt. Aber er

begriff schnell, wie ernst die Lage war. Er sagte, mit mir würde er später abrechnen, erst mal sei die Firma wichtig. Ich erzählte ihm also, dass der einzige Weg, Lutzenberg zum Schweigen zu bringen, über Wachter führte. Wir wussten ja nicht einmal, wie der überhaupt aussah oder wo er war. Er hatte immer nur mit Philip Kontakt gehabt."

„Ihr Vater fuhr dann zu Wachter, um das mit ihm zu klären?"

„Er rannte total hektisch aus der Firma."

„Und als er auch keinen Erfolg hatte, haben Sie sich um Wachter gekümmert …"

Peter Schönmanger hob den Kopf und blickte sich um. Er sah allen Kripobeamten in die Augen, Kluftinger zuletzt. Dann schüttelte er den Kopf und sagte sehr leise: „Sie haben es immer noch nicht kapiert, oder? Ich war es nicht. Es war mein Vater!"

Kluftinger war geschockt. So viel Niedertracht, seinen eigenen Vater des Mordes zu bezichtigen, um sich selbst zu schützen, hätte er dem jungen Mann nicht zugetraut.

Er räusperte sich und sagte: „Wollen Sie uns für dumm verkaufen?"

Er warf einen Blick zum Anwalt, der aber teilnahmslos aus dem Fenster sah. Nach den Beschimpfungen seines Mandanten schien er nicht mehr gewillt, diesem beizustehen.

Als er merkte, dass Kluftinger ihn anstarrte, stand er auf, nahm seinen schwarzen Pilotenkoffer, nickte kurz in die Runde und ging.

Kluftinger war baff. Doch es blieb ihm keine Zeit, über das Verhalten des Anwalts nachzudenken, denn Peter Schönmanger redete einfach weiter:

„Als mein Vater zurückkam, war er völlig verwirrt. Eine Weile war er nicht ansprechbar. Dann hat er immerzu von einem Unfall gesprochen. Ich hatte schon so eine Ahnung, mir wurde ganz flau im Magen. Er hat gesagt, dass Wachter nicht mit sich hatte reden lassen. Er hat wohl gesagt, wir müssten den Lutzenberg bezahlen, sonst würde er aussteigen und auspacken. Als mein Vater ihn angefleht hat, an die Firma zu denken, hat er gesagt, die Drecksfirma sei ihm völlig gleichgültig. Das hat vielleicht den Ausschlag gegeben."

Schönmanger atmete tief ein, bevor er weiter redete. Jedes Wort schien ihm schwer zu fallen.

„Es ist zu einem Handgemenge gekommen. Wachter muss irgendwie mit dem Kopf aufgeschlagen sein. Er muss benommen gewesen sein, er war doch viel stärker als mein Vater. Und als er da lag, ist bei meinem Vater irgendetwas ausgetickt. Er sah die Vorhangschnur, legte ihm die Schlinge um den Hals und zog zu."

Schönmanger bat um ein Glas Wasser. Er trank einen kleinen Schluck, dann fügte er hinzu: „So hat er es mir erzählt."

Kluftinger nickte. Irgendetwas sagte ihm, dass Peter Schönmanger die Wahrheit gesprochen hatte. Etwas in ihm sträubte sich noch gegen diese Erkenntnis, aber es klang alles sehr plausibel. Er winkte Strobl zu sich und flüsterte ihm ins Ohr, sich ans Telefon zu hängen und den alten Schönmanger ausfindig zu machen. Strobl nickte und verließ das Besprechungszimmer.

Kluftinger wollte jetzt alles wissen. „Was war mit Lutzenberg?", fragte er ungeduldig.

Auch diese Frage beantwortete Peter Schönmanger mit schonungsloser Offenheit. Kluftinger stand am Fenster und lauschte ihm. Als er fertig war, sagte er, ohne seine Kollegen anzusehen: „Nach Krugzell. Sofort. Wir fahren alle."

Als der Kommissar das Zimmer verließ, ging er an Peter Schönmanger vorbei und flüsterte: „Wenn das nicht stimmt, dann gnade Ihnen Gott!"

***

Kluftinger und Strobl stiegen in den alten grauen Passat, Maier und Hefele in Maiers Wagen. In dieser Situation hätte es keiner gewagt, einen Scherz über die Trommel zu machen. Strobl hatte herausgefunden, dass sich Schönmanger senior vor einer halben Stunde, als der letzte Polizeibeamte die Molkerei verlassen hatte, noch im Büro befunden hatte. Das war gegen halb neun gewesen. An der Einmündung auf die Hauptsraße warteten bereits zwei Polizeiautos mit eingeschaltetem Blaulicht auf die

Kripobeamten. Kluftinger wusste nicht, wie lange er das magnetische Signallicht schon nicht mehr auf seinem Wagendach befestigt hatte. Heute bat er Strobl, genau das zu tun.

„Glaubst du ihm?", fragte der den Kommissar, als sie mit quietschenden Reifen auf die Hauptstraße bogen. Kluftinger überlegte ein paar Sekunden. Dann sagte er: „Ich denke schon."

Strobl nickte. Auch er war überzeugt gewesen, dass sie am Flughafen den Mörder verhaftet hatten. Doch nun stellte sich die Sache ganz anders dar.

„Was hat er noch gesagt? Wie ist das mit Lutzenberg gelaufen?"

„Sie waren schneller als wir", antwortete Kluftinger bitter. „Natürlich wollten sie die ganze Sache vertuschen. Und Lutzenberg war immer eine Gefahr dabei. Ich denke nicht, dass sie vorhatten, ihn umzubringen. Aber ich habe mich in diesem Fall schon so oft geirrt. Jedenfalls haben sie ihn dank Stoll, du weißt schon, dem Käser aus Böserscheidegg, gefunden. Dass wir da nicht draufgekommen sind …" Immer, wenn Kluftinger daran dachte, fühlte er sich mitschuldig am Tod des jungen Mannes.

„Wir haben getan, was wir konnten. Das mit dem Stoll war Zufall. Hätte auch ganz anders laufen können", versuchte Strobl seinem Chef die Selbstzweifel zu nehmen.

„Ja, vielleicht. Jedenfalls haben sie ihn auf der Hütte gesucht. Ob mit dem Vorsatz, ihn zu töten oder nicht, sollen die Richter entscheiden. Es kam wohl wieder zu einem heftigen Streit. Lutzenberg hieß sie gemeine Mörder. Und er hatte Angst vor ihnen. Das hat er mir ja auch am Telefon gesagt. Er wollte abhauen und ist vor der Hütte hingefallen. Was sein Sohn dann erzählt hat, werde ich bestimmt so schnell nicht vergessen: ‚Als mein Vater ihn da hat liegen sehen, wie er dreckverschmiert versucht hat, wieder hochzukommen, ist er auf ihn zugestürmt. So habe ich ihn noch nie gesehen, mir ist ein eiskalter Schauer über den Rücken gelaufen.' Das hat Peter Schönmanger gesagt. Stell dir das mal vor: Seinen eigenen Vater so durchdrehen zu sehen."

Kluftinger schüttelte den Kopf, als wolle er damit das Bild aus seinem Kopf verbannen.

„Er muss getrieben gewesen sein von Wut, Verzweiflung und unsäglicher Angst um sein Lebenswerk. Ich wüsste gern, ob er ihm noch in die Augen gesehen hat, bevor er den Prügel nahm, der am Boden lag, und Lutzenberg damit niederschlug. Aber er hat nicht nur einmal zugeschlagen. Er muss sich in einen regelrechten Blutrausch gesteigert haben. Immer wieder hat er draufgehauen. Und sein Sohn hat alles mit angesehen. Dann ist er anscheinend auf die Knie gefallen und hat geweint."

Bis die beiden Polizisten auf den Hof der Käserei einbogen, sprachen sie kein Wort mehr. Jeder versuchte, mit der schrecklichen Vorstellung des eben Gehörten so gut wie möglich fertig zu werden.

In Krugzell sahen sie gleich, dass Strobl richtig recherchiert hatte. Das gesamte Gebäude war dunkel, die Hofbeleuchtung abgeschaltet. Nur in Schönmangers Büro brannte noch Licht.

Sie sprangen aus den Autos, ließen die Türen offen stehen. Die Blaulichter drehten sich lautlos auf den Wagendächern weiter. Das Gebäude wurde abwechselnd in grelles Licht und dunkle Schatten getaucht.

Mit zwei Polizisten in Uniform liefen sie zur Eingangstür. Sie ließen Kluftinger den Vortritt, blieben aber dicht hinter ihm. Die Tür war nicht verschlossen. Die Taschenlampen der uniformierten Beamten wiesen ihnen mit zuckenden Lichtkegeln den Weg. Im Haus herrschte absolute Stille. Nur die Schritte der auf der Metalltreppe nach oben stürmenden Polizisten hallten von den Wänden wider. Im Vorzimmer zu Schönmangers Büro sah Kluftinger unter dessen Türe einen schwachen Lichtschein. Er gab den anderen ein Zeichen, worauf die sich mit gezogener Waffen zu beiden Seiten der Tür postierten. Dann zog er selbst seine Pistole, nickte seinen Kollegen zu, holte tief Luft und stieß die Tür auf.

Das Bild, das sich ihnen darbot, hatten sie nicht erwartet: Karl Schönmanger saß hinter seinem Schreibtisch im Schein der Bürolampe, die ein warmes, gelbes Licht verströmte. Langsam sah er hoch.

„Einen Moment bitte noch," sagte er mit gefasster Stimme, als habe er sie bereits erwartet.

Er blickte auf das dunkelgrün eingebundene Buch vor ihm auf dem Tisch. Schönmanger griff zu einem schwarz-goldenen Füllfederhalter, unterschrieb sorgfältig am rechten unteren Rand des Blattes, pustete leicht über die feuchte Tinte, legte den Einmerkfaden diagonal über die Seite, klappte das Buch zu und platzierte es in der Mitte des Tisches. Dann schraubte er die Kappe wieder auf den Füller, legte ihn neben das Buch und stand auf.

Niemand hatte bisher ein Wort gesprochen. Alle standen im Zimmer und sahen ungläubig zu Schönmanger. Strobl löste sich als Erster aus seiner Erstarrung und knipste die Deckenbeleuchtung ein. Der Firmeninhaber kam hinter dem Schreibtisch hervor, knöpfte sich sein Sakko zu, knipste die Lampe aus und schritt auf die Beamten zu.

„Ich habe noch abgerechnet. Damit die Bauern ihr Milchgeld bekommen. Wir können fahren, meine Herren", sagte er und schritt allen voran durch die Tür.

Direkt hinter ihm verließ Kluftinger den Raum. Er fasste Schönmanger nur leicht am Arm. Die Handschellen wollte er ihm ersparen.

∗∗∗

Als Kluftinger am nächsten Morgen um kurz nach neun das Präsidium betrat, trug er seinen grauen Trachtenanzug. Den, der – wenn es nach seiner Frau gegangen wäre – längst in der Kleidersammlung gelandet wäre. Er hatte zwar nicht gut geschlafen, es aber genossen, an diesem Vormittag etwas mehr Zeit zu haben. Heute würde es ziemlich zugehen im Geschäft, das wusste er.

Sandy Henske telefonierte, als er ins Büro kam, offenbar mit einem Pressevertreter, den sie auf die Konferenz am Nachmittag verwies. Sie lächelte Kluftinger zu. Strobl, Hefele und Maier trotteten ohne Aufforderung hinter ihrem Chef ins Büro. Die anderen saßen bereits, als Maier mit Verspätung die Tür öffnete. „Tschuldigung, ich hab noch ein neues Band eingelegt für das Verhör und das hat sich jetzt ganz reingewurschtelt."

Keiner der Anwesenden ging auf das Problem des Kollegen ein. Er würde es nachher allein lösen müssen.

Kluftinger wollte mit den Kollegen den Fall noch einmal durchgehen, bevor sie am späteren Vormittag beide Schönmangers, den Mörder und seinen Sohn, vernehmen würden. Auch die Infos, die an die Presse gegeben werden sollten, wurden besprochen.

Es herrschte gute Stimmung, alle waren erleichtert, den Täter endlich gefunden zu haben.

„Und ich hätte schwören können, dass der Lutzenberg Wachter umgebracht hat", sagte Hefele.

„Ich anfangs auch", gab Kluftinger zu. „Aber dann war mein Tipp eher Peter Schönmanger. Tja, erstens kommt es anders und zweitens als man denkt."

„Was ich nicht verstehe, ist, wie der Lutzenberg eigentlich zu dem Fotoalbum gekommen ist", fragte sich Maier laut.

Kluftinger überlegte kurz. „Ich kann mir das nur so erklären, dass er gekommen ist, als Wachter schon tot war. Als er ihn gefunden hat, muss ihm klar gewesen sein, dass wir ihm schnell auf die Schliche kommen würden, mit den ganzen Fotos von seinem Vater drin."

„Mich interessiert noch etwas ganz anderes", warf Strobl ein. „Was, um Himmels willen, wollte er auf der Beerdigung?"

Die Frage hatte sich Kluftinger auch schon gestellt, allerdings keine Antwort darauf gefunden. „Vielleicht tat ihm Wachter leid, vielleicht wollte er dem alten Freund seines Vaters ein letztes Geleit geben. Vielleicht wollte er aber auch nur der Beerdigung des Mannes beiwohnen, der seinen Vater ruiniert hat. Ein später Triumph, sozusagen. Wie's genau war, kann er uns leider nicht mehr sagen."

Im Laufe des Vormittags schaute Lodenbacher im Büro des Kommissars vorbei.

„Jetzat" sagte er, als er das Zimmer betrat. „Jetzt homma ean. Gott sei Dank."

Auf der anschließenden Pressekonferenz war Kluftinger nicht überrascht, dass Lodenbacher sich den Erfolg hauptsächlich auf seine Fahnen schrieb. Allerdings gingen dem Chef der PD

Kempten einige Detailkenntnisse ab. Bei Fragen nach solchen Einzelheiten musste er auf Kluftinger verweisen.

„Do konn eana sicher der Herr Glufdinga waida helfen", sagte er beispielsweise auf die Frage nach dem Motiv für Lutzenbergs Erpressung.

„Wahrscheinlich, um seinen Vater, dessen frühen Tod er wohl indirekt auf die öffentliche Demütigung durch Wachter zurückführte, zu rächen", sagte Kluftinger und nahm nun die Gelegenheit wahr, einen Satz zu sagen, den er bisher nur aus Krimis kannte: „Aber dieses Geheimnis hat er mit ins Grab genommen."

∗∗∗

Kluftinger war nervös. Er konnte sich nicht erinnern, wann er das letzte Mal so nervös gewesen war, als er auf seine Frau gewartet hatte. Er hatte trotz der Hektik der letzten Tage sogar noch die Zeit gefunden, ein bisschen sauber zu machen. Jetzt saß er in der dunkelbraunen Velourscouch und starrte die alte Wanduhr an: Fünf vor sechs, eigentlich sollte seine Frau schon längst da sein. Er ärgerte sich, dass er nicht die Zeit gefunden hatte, sie selbst vom Flughafen abzuholen. Nach seinem letzten Besuch dort hätte ihm ein unbeschwerter Abstecher in die Ankunftshalle sicher gut getan.

Er schnappte sich die Fernbedienung und schaltete den Bildschirm ein. Die Sendung der heutigen Pressekonferenz musste gleich im Lokalfernsehen kommen. Die Sprecherin kündigte an, dass der Kemptener Kripo die Aufklärung eines spektakulären Falles gelungen sei. Dann sah man ein paar Bilder der Pressekonferenz, er selbst war allerdings nur für wenige Sekunden im Bild. Danach brachten sie ein Interview mit Lodenbacher. Der blühte regelrecht auf vor den Kameras.

Jetzt musste gleich Kluftingers Stellungnahme kommen. Die Sprecherin sagte: „Und nun zur Wettervorhersage." Kluftinger drückte den Ausknopf und blieb ein paar Sekunden regungslos sitzen. Das war es? Sein erstes Fernsehinterview? Seiner Frau hätte es bestimmt gefallen, ihn auf der Mattscheibe zu sehen.

Sie hätte es sicher als angemessene Entschädigung angesehen für den ganzen Ärger, den Kluftinger ihr mit diesem Fall bereitet hatte: den entgangenen Urlaub, das Gerede über die verpatzte Beerdigung …

Er blickte wieder auf die Uhr: gleich halb sieben. „Kruzitürk'n, wo bleibt denn …"

Die Türklingel unterbrach sein Fluchen. War das seine Frau? Sie hatte doch einen Schlüssel. Er öffnete. Langhammer stand vor der Tür. „Grüß dich, mein Lieber."

Kluftinger überhörte die Vertraulichkeiten und nickte nur.

„Ich bring' schon mal den ersten Koffer", sagte der Arzt und erst jetzt sah Kluftinger, dass auf der Straße der Mercedes stand und die beiden Frauen gerade eine Tasche aus dem Kofferraum wuchteten. Er drängte sich an Langhammer vorbei und rief: „Wartet! Lasst mich das doch machen!"

Als seine Frau seine Stimme hörte, lief sie mit zwei Tüten in ihren Händen auf ihn zu und umarmte ihn. „Grüß dich, mein Butzi", flüsterte sie ihm ins Ohr. Er drückte sie fest an sich und gab ihr einen Schmatzer auf den Mund. „Schön, dass du wieder da bist", flüsterte er zurück.

„Na, ihr seid mir ja zwei Turteltäubchen", störte Langhammer ihre Zweisamkeit. Dann trat er näher an Kluftinger heran, legte ihm eine Hand auf die Schulter und sagte leise: „Ganz toll hast du das gemacht. Mit dem Fall meine ich. Meine Golfkollegen werden staunen, wenn ich ihnen erzähle, dass ich mit dem Verbrecherjäger aus Altusried befreundet bin."

So, befreundet ist man jetzt also, dachte sich Kluftinger. Kurz spielte er mit dem Gedanken, dem Arzt auf „freundschaftliche" Weise klar zu machen, was er tatsächlich von ihm hielt, doch er besann sich eines Besseren. Den heutigen Abend wollte er sich nicht durch kleinliche Plänkeleien verderben lassen.

Bei Langhammers nächster Frage krampfte sich sein Magen dann aber doch kurzzeitig zusammen.

„Was haltet ihr davon, wenn wir die Rückkehr unserer Frauen mit einem Gläschen begießen?"

„Das ist jetzt blöd, ich hab' für heute Abend nämlich schon was geplant."

Diesmal war er vorbereitet gewesen, die Ausrede kam ohne Zögern über seine Lippen. Er nahm die Tasche, die hinter dem Mercedes lag, verabschiedete sich von Annegret, schnappte sich seine Frau, nickte Langhammer im Vorbeigehen zu und schloss die Wohnungstür hinter sich. Das letzte, was er sah, war Langhammers offener Mund, der offenbar gerade einen Protest formulieren wollte.

Seine Frau kam nicht einmal dazu, gegen sein unhöfliches Verhalten zu protestieren, so überrumpelt war sie vom plötzlichen Aktionismus ihres Gatten.

Als sie im Hausgang standen, umarmte er sie erneut. Sie verbiss sich einen Kommentar über sein Verhalten, denn sie wollte seine momentan für Zärtlichkeiten offenbar sehr empfängliche Stimmung ausnutzen.

„Du hast also schon was geplant?", fragte sie freudig überrascht. „Scheinst mich ja wirklich vermisst zu haben."

In Kluftingers Kopf fing es an zu rattern. Eigentlich war es nur eine Ausrede gegenüber Langhammer gewesen, aber nun wollte er die Erwartung seiner Frau nicht gleich bei ihrer Ankunft wieder enttäuschen.

„Ja", sagte er und küsste sie auf die Nasenspitze, „ich dachte, wir gehen schön essen." Dann setzte er ein breites Grinsen auf. Er war zufrieden mit sich. Das hatte wirklich geklungen, als hätte er sich die ganze Woche darauf gefreut.

„Ach was", schüttelte seine Frau zu seiner Überraschung jedoch den Kopf. „Ich war ja jeden Tag essen im Urlaub. Ich dachte, wir machen uns heute einen gemütlichen Abend daheim. Nur ich und mein Superhirn."

Auf seinen fragenden Blick setzte sie noch hinzu: „Doktor Langhammer hat mir alles erzählt. Und im Radio kam's auch. Ich bin ja so stolz auf dich!" Dann lehnte sie ihren Kopf an seine Schulter und sagte leise: „Ich hab mir auch was überlegt, gerade im Flieger. Ich koch' dir heute deine Kässpatzen. Na, was sagst du?"

Der Gedanke verursachte ihm Magendrücken. Wenn er in den nächsten Wochen das Wort „Kässpatzen" auch nur hören würde, würde er Sodbrennen bekommen. Er hatte in den letzten Tagen einfach zu viel davon abbekommen.

Beherzt packte er deswegen seine Frau an der Hand, zog sie zur Haustüre und sagte: „Nix da. Wir gehen." Und flüsterte ihr ins Ohr: „Zum Italiener."

Jetzt war es seine Frau, die über das ganze Gesicht strahlte. Ihr „neuer" Mann gefiel ihr ausgesprochen gut. Und da sie nicht wusste, ob diese Verwandlung anhalten würde, beschloss sie, sie einfach so lange wie möglich zu genießen.

Lächelnd gingen sie zum Auto, wobei er erst ihre Tür aufschloss, sie aufhielt und wartete, bis sie sich gesetzt hatte, um dann um seinen Passat herum zu gehen und ebenfalls einzusteigen. Er wollte gerade den Zündschlüssel drehen, da bemerkte er, dass seine Frau mit ernster Miene erst in den Kofferraum des Wagens und dann zu ihm blickte.

Kluftinger zuckte entschuldigend mit den Achseln: „Die räum ich heute Abend noch raus. Versprochen."

Michael Kobr, geboren 1973 in Kempten, aufgewachsen in Kempten und Durach, studierte Romanistik und Germanistik. Im Hauptberuf ist er Realschullehrer für Deutsch und Französisch. Mit großer Leidenschaft, wie er versichert. Doch wenn der gebürtige Kemptener, wohnhaft im Allgäu mit seiner Frau und seinen zwei Töchtern, am Abend alles erledigt hat, wenn er die Arbeiten seiner Schüler durchkorrigiert hat, dirigiert ihn seine zweite große Leidenschaft an den Computer. Michael Kobr ist begeisterter Krimi-Autor. Zusammen mit seinem Freund und Autoren-Kollegen Volker Klüpfel sorgt er für Furore in der Krimi-Szene. »Milchgeld« tauften die beiden ihr Erstlingswerk, in dem Kommissar Kluftinger im Allgäu nach einem Mörder sucht. Das zweite Buch, »Erntedank«, fand wieder Eingang in die Bestsellerlisten und spätestens seit »Seegrund« gehört Kluftinger zur ersten Riege der »Kult-Kommissare«. Krimis haben es dem Lehrer Kobr schon seit längerem angetan. Am liebsten liest er französische Autoren, vor allem Georges Simenon. Noch lieber aber trifft er sich abends mit Volker Klüpfel, um die Szenen für den »neuen Klufti« zu besprechen. Die beiden kennen sich schon seit der gemeinsamen Schulzeit in Kempten. Die Idee, Bücher zu schreiben, hatten sie auf einer langen Autofahrt, weil ihnen »langweilig war«. Und nun sind sie als viel gefeiertes Autorenteam auf zahlreichen Lesungen unterwegs.

Volker Klüpfel, geboren 1971 in Kempten, hat viele Jahre in Altusried gewohnt. Wer dort aufwächst, verfällt für gewöhnlich der Schauspielerei mit Leib und Seele. Bei Freilichtspielen und vielen Inszenierungen im Theaterkästle wirkte er mit. Eine weitere Leidenschaft heißt allerdings: Krimis schreiben. Volker Klüpfel, Redakteur in der Kultur-/Journal-Redaktion der Augsburger Allgemeinen, studierte vor seinem Einstieg in den Redakteursberuf Politikwissenschaft, Journalistik und Geschichte in Bamberg, arbeitete als Praktikant bei einer Zeitung in den USA und beim Bayerischen Rundfunk. Volker Klüpfel begeistern an Krimis vor allem dunkle, mystische Motive. Besonders die Werke der schwedischen Krimiautoren wie Henning Mankell haben es dem Allgäuer angetan. Ob seiner eigenen Werke war er zunächst skeptisch, »ob die nicht nur die Verwandtschaft kauft«. Seitdem aber die drei ersten Werke des Autorenduos Klüpfel/Kobr, »Milchgeld«, »Erntedank« und »Seegrund«, die Bestsellerlisten erklommen haben, ist auch er restlos überzeugt von dem Qualitäten seines Protagonisten: Kommissar Kluftinger, ein beleibter Kemptener Kommissar mittleren Alters, der sich grantelnd, aber ungeheuer liebenswert durch die mysteriösen Kriminalfälle ermittelt. »Laienspiel« ist der vierte Fall für »Klufti«, wie Klüpfel und Kobr ihren Kommissar auch nennen.

Übrigens: Schon tüftelt er mit seinem Autor-Kollegen Michael Kobr am nächsten Kluftinger-Fall.

PIPER

Volker Klüpfel, Michael Kobr
Laienspiel

Kluftingers neuer Fall. 368 Seiten. Broschur

Lodenbacher, der Chef von Kommissar Kluftinger, tobt.
Ausgerechnet bei ihnen im schönen Allgäu hat sich ein Un-
bekannter auf der Flucht vor der österreichischen Polizei
erschossen. Verdacht: er plante einen terroristischen Anschlag. Bloß wo? Nun muss Kluftinger nicht nur mit Spezialisten des BKA, sondern auch noch mit den Kollegen aus
Österreich zusammenarbeiten. Doch das ist nicht sein einziges
Problem. Er soll mit seiner Frau Erika und dem Ehepaar
Langhammer einen Tanzkurs absolvieren. Dabei hat er gar
keine Zeit, denn er steckt mitten in den Endproben für die
große Freilichtspiel-Inszenierung von »Wilhelm Tell« …
Kluftingers neuer Fall von dem Allgäuer Autoren-Duo
Volker Klüpfel und Michael Kobr.

»Klüpfel und Kobr erzählen mit Detailreichtum, komödian-
tischem Überschwang, Intelligenz und Vitalität! Klufti ist
ein liebenswert altmodischer Held.«
Spiegel Online

01/1685/01/L.

PIPER

Volker Klüpfel, Michael Kobr

Seegrund

Kluftingers neuer Fall. 352 Seiten. Piper Taschenbuch

Statt Kässpatzen essen zu dürfen, muss Kluftinger seinen
neuen Fall lösen: Am Alatsee bei Füssen macht er eine
schreckliche Entdeckung – am Ufer liegt ein Taucher in einer
riesigen roten Lache. Was zunächst aussieht wie Blut, ent-
puppt sich als eine seltene organische Substanz aus dem Berg-
see. Kluftinger, der diesmal bei den Ermittlungen sehr zu
seinem Missfallen weibliche Unterstützung erhält, tappt lange
im Dunkeln. Der Schlüssel zur Lösung des Falles muss tief
auf dem Grund des geheimnisvollen, sagenumwobenen Sees
liegen. Viele scheinen etwas zu wissen, doch überall trifft
der Kommissar auf eine Mauer des Schweigens …
Kluftingers neuer Fall von dem erfolgreichen Allgäuer
Autoren-Duo Volker Klüpfel und Michael Kobr.

»Kluftinger ist ein Volltreffer!«
Andrea Schlaier, Süddeutsche Zeitung

01/1643/02/R

Volker Klüpfel, Michael Kobr

Erntedank

Kluftingers zweiter Fall. 384 Seiten.
Piper Taschenbuch

Der Allgäuer Kriminalkommissar Kluftinger traut seinen Augen nicht: Auf der Brust eines toten Mannes in einem Wald bei Kempten liegt, sorgfältig drapiert, eine tote Krähe. Im Lauf der Ermittlungen taucht der Kommissar immer tiefer in die mystische Vergangenheit des Allgäus ein, und es beginnt ein Katz-und-Maus-Spiel mit dem Mörder, bei dem die Zeit gegen ihn arbeitet. Denn alle Zeichen sprechen dafür, dass das Morden weitergeht ...

Mit eigenwilligen Ermittlungsmethoden riskiert der liebenswert-kantige Kommissar einen Blick hinter die Fassade der Allgäuer Postkartenidylle und deckt Abgründe auf.

»Kommissar Kluftinger hat in seinen Kniebundhosen durchaus das Zeug zum Columbo von Altusried. Und schon deshalb wird dieser Krimi auch über die Grenzen des Allgäus hinaus bekannt werden.«
Die Welt

Susanne Mischke

Das dunkle Haus am Meer

Roman. 269 Seiten.
Piper Taschenbuch

Aus Mangel an Beweisen wurde ihr Freund Paul im Mordfall an der jungen Frau freigesprochen. Helen vertraut ihm, und jetzt möchte sie in Saint-Muriel, in ihrem einsamen Haus an der wildromantischen bretonischen Küste, nur noch die Schrecken des letzten Jahres hinter sich lassen. Doch um das dunkle Haus am Meer ranken sich Gerüchte und uralte Geschichten, und auch Paul und Helen holt die Vergangenheit schneller ein, als ihnen lieb ist ...

Susanne Mischkes neuer, schaurig schöner Kriminalroman.

»Eine faszinierende schlüssige Geschichte, kunstvoll erzählt. Nicht nur für Bretagnesüchtige.«
Buchkultur

Wolfgang Burger

Heidelberger Wut

Kriminalroman. 272 Seiten.
Piper Taschenbuch

Als der eigenbrötlerische Seligmann von seiner Nachbarin als
vermisst gemeldet wird, hat
Kriminalrat Gerlach gerade
ganz andere Sorgen, hat er
doch einen noch immer unauf-
geklärten Bankraub auf dem
Tisch. Aber als man im Haus
des Vermissten Blutspuren entdeckt, wird Gerlach hellhörig.
Gibt es eine Verbindungslinie
zu dem Bankraub? Und welche
Rolle spielte Seligmann bei der
brutalen Vergewaltigung einer
Schülerin vor einigen Jahren?
Kein Wunder, dass bei all diesen Geschehnissen auch Ger-
lachs Privatleben wieder einmal Kopf steht – gerade jetzt,
wo die pubertierenden Zwillin-
ge eigentlich seine Aufmerksamkeit dringend benötigen...

Katharina Gerwens, Herbert Schröger

Stille Post in Kleinöd

Ein Niederbayern-Krimi.
336 Seiten. Piper Taschenbuch

»Ja Bluatsakrament«, flucht
Joseph Langrieger, als er in seiner Odelgrube einen Toten entdeckt. Das Ganze gibt der Polizei im niederbayerischen Kleinöd Rätsel auf. Ein Fall für die
Kripo, entscheidet Polizeiober-
meister Adolf Schmiedinger,
und Kriminalkommissarin
Franziska Hausmann muß in
ihrem ersten Mord auf dem
Land ermitteln. Dabei stellt
sich bald heraus, daß der Täter
aus Kleinöd stammen muß.
Und tatsächlich lauern hinter
der scheinbar tadellosen Fassade des hübschen Dorfes jede
Menge dunkle Geheimnisse,
zerrüttete Ehen, Betrug und Erpressung...
Spannend und humorvoll be-
schreibt das Autorenduo Ger-
wens & Schröger eine nur auf
den ersten Blick idyllische Welt.

PIPER

Ulrich Wickert

Der Richter aus Paris

Kriminalroman. 256 Seiten.
Piper Taschenbuch

Intrigen, Korruption, Verrat, Mord – bei seinen Ermittlungen auf Martinique stößt Untersuchungsrichter Jacques Ricou auf Verbrechen, die im Schatten politischer Machtkämpfe seit Jahrzehnten ungesühnt blieben. Und auf die verführerische Kreolin Amadée, die in den Fall verwickelt ist. Ulrich Wickert erzählt von einem Mann, der Bedrohungen und Diffamierungen aushält, um die Schuld ehrenwerter Männer aufzudecken. Eine Geschichte, die in der Hölle der Gefangenenlager spielt und im Paradies auf Erden, der Karibik – mitreißend geschildert von einem Autor, der seine Leser zu fesseln weiß.

»Der grimmig-sympathische Richter Ricou beeindruckt selbst eingeschworene Mankell-Fans. Chapeau!«
Hajo Steinert im Focus

Heinrich Steinfest

Tortengräber

Ein rabenschwarzer Roman.
288 Seiten. Piper Taschenbuch

Klaus Vavras tägliche Freuden sind es, Croissants zu essen und Frauen am Telefon anzuschweigen. Seine beiden Gewohnheiten bringen ihn in ernste Gefahr: Vavra kann es nämlich nicht unterlassen, die auf einem Geldschein – den er natürlich beim Croissant-Kauf bekommen hat – gekritzelte Nummer zu wählen und wie gewohnt zu schweigen. Wenige Minuten später stürmt die Polizei seine Wohnung. Und damit beginnt eine ebenso mord- wie wendungsreiche und hoch komische Rallye quer durch Wien.

»Heinrich Steinfest verfügt über ein schamlos bloßlegendes Sprachbesteck.«
Der Standard

Thomas Grünbaum

Passverlustgeschäfte

Traumurlaub albtraumhaft
286 Seiten, Hardcover
ISBN 978-3-87164-169-5

Wenn bereits auf der ersten Seite zu lesen ist, wie es endet... Wenn Kommissare nur Nebenrollen spielen... Wenn kein einziger perverser Sexualmörder wohliges Gruseln verbreitet... - Wo bleibt da die Spannung?
Höchste Zeit für ein Geständnis: Nicht alles, was hier erzählt wird, ist das Produkt blühender Fantasie. Manches ist simple Realität, harmlose und bisweilen sehr bösartige... Diese Realität hat nicht selten einen Hauch von Irrwitz an sich. Was sich auch am wilden Wechsel der Schauplätze zeigt: von den Niederungen um Rhein und Rhone über spanische Strände und bajuwarische Voralpenhügel bis zu den Sechseinhalbtausendern um den Titicaca-See; vom Schnürlregen zur Tropenhitze.
Realität statt Fantasie, das heißt unter anderem: Die Ermordeten sind nicht nur auf dem geduldigen Papier gestorben. Und die Indiskretionen aus den Kreisen von ehrenwerten Finanzgrößen, Putschgenerälen, Polizisten, Beamten, Diplomaten, geistlichen Hirten recht unterschiedlicher Güte, Kokaindealern, Mördern samt Helfershelfern und so weiter beziehen sich grundsätzlich auf Tatsachen, nicht auf Erfindung.

MAXIMILIAN DIETRICH VERLAG